巷説百物語

京極夏彦

目　録

口絵造形製作／荒井　良
口絵デザイン／ＦＩＳＣＯ

小豆《あずき》洗《あら》い

山寺《やまでら》の小僧《こぞう》
谷川《たにがわ》に行《ゆき》てあづきを洗《あら》ひ居《ゐ》たりしを
同宿《どうじゆく》の坊主《ぼうず》意趣《いしゆ》ありて
谷川《たにがわ》へつき落《をと》しけるが
岩《いわ》にうたれて死《し》したり
それよりして彼小僧《かのこぞう》の霊魂《れいこん》
おり〳〵出て小豆《あづき》をあらひ
泣《なき》つ笑《わら》ひつなす事になんありし

絵本百物語・桃山人夜話／巻第五・第卅六

1

越後《えちご》の国に枝折峠《しおりとうげ》という難所がある。

一帯に椈《ぶな》の巨木が生い茂り、昼尚暗い秘境であるという。その昔、平清盛《たいらのきよもり》に都を追われた中《ちゅう》納言藤原三郎房利《なごんふじわらさぶろうふさとし》が尾瀬《おぜ》へと向かうその途中、この椈の森へと迷い込み、苦心難渋した際に突如不可思議なる童子が立ち現れ、枝を折り乍《なが》ら一行を山頂まで導いたという故事がある故、枝折峠の名があるのである。

その峠より更に奥――。

篠衝《しのつ》く雨《あめ》に煙《けぶ》る山深い獣径《けものみち》を只管《ひたすら》進む、網代笠《あじろがさ》の僧の姿があった。

この僧、法名を円海《えんかい》という。円海は草を踏み分け枝を弾《はじ》いて、ただ足を進めていた。

――早く。少しでも早く――だが。

円海は立ち竦《すく》んだ。

折からの激しい雨が山間《やまあい》の谷川をどうどうと溢《あふ》れさせている。

澄んだ清流だった筈《はず》の小川も、今は上流の泥土や砂利が混じり、最早《もはや》濁流としかいいようがなかった。

——これは渡れぬ。

険《けわ》しい山道である。引き返せば山の中で夜を迎えることになる。

今更戻ることも適わぬし、ならば渡るしかない。この谷川を渡りさえすれば、寺までの道程《みちのり》は残り僅《わず》か——多分半日もかからないのだ。山に分け入らず、街道の峠を越えても二日、峠を迂回《うかい》すれば四日はかかる道程である。この間道《かんどう》を行くなら一日で済むのだ。日暮れ前に川を突っ切れば深夜には山門を潜《くぐ》れるであろうと、円海はそうした腹積《はらづ》もりで歩を進めていたのである。

躰《からだ》の隅隅まで、急激に疲労感が充満する。

——失敗《しくじ》った。

取り分け先を急ぐ旅でもなかったのだから、出来るだけ無難な道を行くべきだったのだ。少なくとも街道沿いに来ていれば、このような抜き差しならぬ状況に陥《おちい》ることはなかった。

それは判っていた。明け方から雲行《くもゆ》きは怪しかったし、円海は今朝の今朝までそう思っていたのだ。それでも——自然に足は山に向いた。難儀な獣径《けものみち》ではあるが、幼い頃から慣れ親しんだ道だったからであろう。この辺りの山は円海にとって庭のようなものなのである。その慣れが裏目に出た。天候《そらもよう》を読み違えたのである。

——却説《さて》。

残る手はひとつしかなかった。慥《たし》か上流には古びた丸木橋らしきものがあった筈だ。そこまでなら日暮れ前に着ける。引き返すよりは遥《はる》かに得策である。橋を渡ってしまえば——。

——後は何とかなるだろう。

そう考えた。

円海は重い脚を懸命に振り上げて、川に沿い、上流へと進んだ。

たっぷりと水を含んだ法衣が躰に纏《まつ》わり付く。網代笠にばらばらと雨が当たり、やがて笠の目にも水が滲《し》みた。顔が上げられぬ。

旅装と雖《いえど》も、歩き難いこと甚《はなは》だしい。

ざあざあ。どうどう。

天の底を抜いたような大粒の雨である。

風が凪《な》いでいるのが唯一の救いである。慣れた道とはいえ、これで風が強ければ命の保証はなかっただろう。

ざあざあ。どうどう。

しょき。

——何だ。

異質な音がした。

無理に顔を上げる。目の前に男が立っていた。

しとどに濡れたその男は、見たところ円海同様の僧形である。

しかし衣は墨に染まってはおらず、純白であった。胸には偈箱《げばこ》を提《さ》げて、坊主頭を白木綿《もめん》で行者包《ぎょうじゃづつ》みにしている。修験者《しゅげんじゃ》か巡礼か、否、物乞《ものごい》札売りの類《たぐい》であろう。

男は大声で言った。

「この先はお止《や》めなせェ――」

一本しかねえ橋も朽《く》ちてたようで、流されちまったンでサァ――と、その男は言った。

「精精《せいぜい》雨宿りでもしなくッちゃ、お互いここで御仕舞いですぜ。このまンま、うンと下手に下った川岸に、粗末な小屋が建っておりやす。そこで夜明かしでもしねえと――否、この雨じゃァ夜が明けたっていけねえやい。いずれお天道様《てんとうさま》ァ拝まなきゃ御陀仏《おだぶつ》だ」

「小屋――か」

この辺りに小屋などあっただろうか。

円海には覚えがない。

「誰が住まうか知れぬ荒屋《あばらや》でさァ。奴《やつがれ》はそこに行くところだ」

「小屋――」

――そう言われれば。

小屋があったようにも思う。

「ま、御坊のお好きになさるといい」

男は円海の返事を待たずに、泥を跳ね上げて斜面を下り来ると、円海を通り越し、確乎《しっか》りとした足取りで下流へと向かった。円海は肩越しにその男の背姿《うしろすがた》を追い、それから網代笠を擡《もた》げて橋のあるだろう、或《あるい》は橋のあったただろう方角に顔を向けた。

目を凝《こ》らしてみたが、煙霧《えんむ》に霞《かす》んで何も見えなかった。

夕暮れの雨空は益々昏《ますますくら》い。

夜が緊緊《ひしひし》と近づいている。

雨足は弱まる気配もない。

ざあざあ。どうどう。

しょき。

——駄目だ。

男の言う通り、橋が流されてしまったのならこれ以上の行軍は命取りになる。男の助言に従った方が良いだろう。それならそれで急がねばなるまい。だが——下流に小屋など——。

——小屋などあったか。

円海は踵《きびす》を返して川筋を下った。男の姿はもう見えなかった。

豪《えら》く足の速い男だ。いや、この雨である。早足にもなろう。

道標《みちしるべ》を失って、視界も悪く、足許も覚束《おぼつか》ない。

果たしてその小屋とやらに辿《たど》り着けるものか。

濁流のどうどういう音に誘《いざな》われるように進む。

それしかあるまい。それなのに。

雨の音と、川の音が渾然《こんぜん》となる。

どうどう。どうどう。どうどう。

刹那《せつな》。

ぬるり、と足が滑った。苔《こけ》を踏んだのだ。

円海は大きく前にのめり、倒れ込むことだけは避けようと躰を返したが為に、反動で腰が引け、結局思い切り尻餅《しりもち》を衝《つ》いた。

——ここは。

この場所は。

大きな一枚岩。

——鬼の——洗濯板《せんたくいた》か。

そう呼ばれている場所だった。

円海は脱力して、暫《しばら》く座り込んだ。

何だか——どうでも良くなってしまった。

雨を媒介として円海は山や大気と一体化する。

その時世界は円海の内側に取り込まれ、ざあざあという雨音は、円海の躰を流れる血潮の律動と同調して、小刻みに断絶した。

ざ。ざ。ざ。ざ。ざ。ざ。ざ。

——ここは。この場所は。

南無妙法蓮華経《なむみょうほうれんげきょう》。南無妙法蓮華経。

凡《すべ》ては——凡てはここから。

そんなつもりでは。

ざ。ざ。ざ。ざ。

ざ。ざ。ざ。

ざ。ざ。

ざ。

円海はふいに我に帰った。

どれくらい自失していたのだろうか。

一層激しさを増した雨糸が網代笠沿いに幕を張り、円海を外界から完全に遮蔽《しゃへい》している。

――いけない。

恐怖心に駆られ、円海は立ち上がる。そして、朦朧《もうろう》とした過去への時を遡《さかのぼ》るかの如くに川筋を下った。何も見えないにも拘らず躰は自《おのず》ら道を選び、円海は半ば滑るように、落ちるように、予《あらかじ》め決められてでもいたかのように――そこに向かった。

果たして小屋などあっただろうか――そうした疑念などは疾《と》うに掻《か》き消えている。その小屋は円海の観念の中に慥かに建っている。そして天を抜けて滴《したた》り落ちる無数の水滴によって既に山の風景と融合してしまっている円海にとって、外界と内部の差異はなかった。だから円海は無心でそこに向かっている。

この先に。

――小屋だ。

小屋はそこにあった。

川と山とに挟まれて、朽ちかけた粗末な小屋が身を縮めるようにして建っていた。雨足に耐えるのが精一杯という、文字通りの掘っ建て小屋である。

円海は迷わず戸口に駆け寄り、打ち当たるようにして戸を開けて躰を翻《ひるがえ》し、力任せに戸を閉めた。

これで。

——何だ。

ゆるりと振り向く。

予想外の——多くの視線に、円海は一瞬怯《ひる》んだ。

囲炉裏《いろり》を巡って十人程の男女が車座になって座っていた。

上座には先程の白装束の男が座っている。男は円海を見つめたまま、にんまりと微笑《ほほえ》んだ。

「おいでなさいやしたね——」

男はそう言ってもう一度笑った。

行者包みを取り払った頭には、すっかり濡れた髪の毛が、雫《しずく》を湛《たた》えて張りついている。髷《まげ》を結える程の長さではない。剃髪《ていはつ》したそれが伸びたものであろう。

「——そのまンまじゃあ幾ら修行を積まれた御坊でも悪気《あつき》寒気が入《へえ》りやす。法衣の裾《すそ》をお絞りンなって、こちらへおいでなせえ——」

男は愛想《あいそ》良《よ》く手招きをして、一同を見渡した。

近在の百姓らしき者が数名。担ぎの物売りが数名。

壁際には垢抜《あかぬ》けた、色の白い細面《ほそおもて》の女が、撓垂《しなだ》れるように横座りになっている。派手な江戸紫《えどむらさき》の着物に草色の半纏《はんてん》が小屋の様子にまるで似合っていない。旅支度とも思えぬ出で立ちである。

女は切れ長の眼を細めて笑いかけた。

その横に縮こまって居るのは多分商人《あきんど》である。齢《とし》の頃なら五十か六十か、こざっぱりした身《み》態《なり》から察するに、それなりに名の通ったお店《たな》の主《あるじ》といったところだろうか。思うに江戸者である。

その隣には得体の知れない若い男が正座している。旅装束ではあるが、泰然とした物腰は百姓町人とも思えず、職人の類でもないだろう。勿論《もちろん》武士ではない。円海の姿を見てもまるで動じる様子もなく、ただ飄飄《ひょうひょう》として、矢立の蓋《ふた》をぱちぱちと開閉している。

一番奥には襤褸《ぼろ》を纏《まと》い背を丸めた老人の姿が覗いていた。

多分、彼がこの小屋の主だ。何故か円海はそう確信した。

老いさらばえた、干からびたような、痩《や》せた小さな男だ。

円海は——目を逸《そ》らす。

この老人は見たくない。

表情が解らぬ。きっと言葉も通じぬ。ならば異人である。

そんな気がしたからだ。

「——遠慮するこたァねえ」

白装束の男は見透かすような強い視線で円海を見据えて、それでいて尚、随分と柔らかい口調でそう言った。

円海が何か答えようとするのを遮るように男は続けた。

「なァに、この小屋ァこちらの伍兵ヱ《ごへい》さんの縁続きの者が、その昔住んでいたところだそうだから、遠慮は無用で。なァ伍兵ヱさん」

男は老人に鼻を向けた。老人はへえ、と風が抜けるような乾いた声で返事をし、無表情に領《うなず》いた。

——主ではないのか。

円海にはそうは思えない。伍兵ヱと呼ばれた老人は、この小屋に馴染《なじ》んでいる。この小屋を完成させる為に、この老人は不可欠だ。老人はまるで漆喰の染みの如くに小屋の中の風景に定着している。

額から伝った水滴が眼に入り、円海は幾度も瞬《まばた》きをした。

白装束はさらに続けた。

「どうしやした御坊。いくら濡れてるからって水臭ェや。この連中にならば気兼ねァ要りやせんぜ。この時刻、こンなところに居るンでやすから、いずれ表街道を歩けねェ半端者どもにゃあ違《ちげ》エねえんで——」

「オイ御行《おんぎょう》殿——」

若い男が手を翳《かざ》す。

「そちらのお坊様は、私達のような下賤《げせん》の者との同席を望まれぬのかもしれませぬぞ。もしや修行の最中であらせられるのかもしれぬ。ならばそう無理を言うてはいかん。のう、お坊様」

「否、左様な――」

しょき。

――駄目だ。

ご厄介《やっかい》に――円海は短くそう言って、網代笠を取った。

「ご厄介になり申す」

言うなり円海は土間に膝をついた。

落ち着くまでに、半刻《はんとき》はかかった。

悪天は夜半に至っても鎮まる気配はなかった。小屋の中は只管《ひたすら》に昏く、ただ囲炉裏の炭の爆《は》ぜる音だけが思い出したように幾度か響いて、円海の鼓膜を震わせた。幽《かす》かな炭火程度では濡衣が乾く訳もなく、衣はべったりと全身に貼《は》りついている。

その不快感たるや喩《たと》えようがない。

座が和《なご》んだのはそれから更に半刻後のことである。

円海もいつのまにか車座の輪の中に雑《ま》じっている。

こうした夜は長いもの、ここはひとつ江戸で流行《はや》りの百物語と洒落《しゃれ》てみやせんか――と最初に言ったのは、多分御行だったろう。異を称える者は誰もいなかった。

慥かに何か無駄話でもせねば堪えられぬ雰囲気ではあったのだ――。

2

アタシはねェ、こんな根なし宿なしの商売で御座居《ございい》ますからね。そりゃアあちこち廻れば、色色と怖い話妙な噂《うわさ》も聞きますわねェ。

え？　アタシの商売？

見ての通りの傀儡師《かいらいし》、山猫廻《やまねこまわ》しで御座居ますよゥ。

山猫っていえばねェ。そうだ、山猫ってのは人様を化かすんで御座居ますよ。知っておいでかエ？　そう、鼬《いたち》、貉《むじな》に狐《きつね》に狸《たぬき》、人間様を誑《たぶら》かす獣《けだもの》は多ゥ御座居ますがね。山猫も化かしますのサ。

嘘だろって？　嘘なもんか。飼い猫だって化けるンだ。だって、猫は飼い始めに年期を言い渡さなきゃア仇《あだ》を為すとか、齢とってから化けるとか申しましょう？　そう、猫又って言うんですか。

アタシもね、そう、江戸に居りました時分にね。新内《しんない》のお師《し》匠さんの真似をして、小さい三《み》毛《け》を飼いましたのサ。まだ生まれて間もない奴で、ぴいぴい鼠《ねずみ》みたいに鳴いてねェ。アタシだってコンなもんが化けるもンか——とは思いましたサ。

でもホラ、何となく気になるじゃありませんか。だからそいつを掌《てのひら》に載せて、三年居れ、とね、そう言いましたのサ。でもそンなこたァすぐに忘れてたんですけどね。ある日突然、それが、そう、ふっと居なくなッちまった。縁の下から天井裏まで探したんですけどねェ。天に昇ったか地に潜ったか、一向姿がないンです。それが——そうなンです。

それが丁度、三年目だったンで御座居ますよ。

鬼魅《きみ》が悪い？　ええ、ええ。そうでしょう。アタシもそン時ゃアぞっとしました。ですから猫って奴は化けるンですよぅ。

だってホラ、死人《ほとけ》さんが出た時、着物を逆様《はんたい》に掛けて、蒲団《ふとん》の上に箒《ほうき》だの柄杓《ひしゃく》だの載せて、枕元《まくらもと》に包丁《ほうちょう》なんか置きますでしょう。あれが化け猫除けなンで御座居ますよ。ええ。屛風《びょうぶ》を逆さに立て回すンだってそうでしょうよ。あれは猫が死人の傍《そば》に近寄らないようにそうするンです。知らないンで御座居ますか？　兄さん。そちらのお坊様なら御存知でしょう。そうそう。

おや、お坊さんは猫がお嫌いかえ？

え？　なんで？　どうして猫を屍体《したい》に近付けちゃいけないンだって、兄さんはそう仰《おっしゃ》りたいンですか？　そりゃア猫が屍体に悪さをするからで御座居ますよ。ねえ、お坊様。猫のね、魂がこう、すっと抜けて、死人の中に侵入《はい》りますのさ。猫魂《ねこだま》が入るてェとね、怠け者も働き出すって言いますでしょう。死人も動き出すんですよぅ。嘘じゃアありませんよ。立ち上がってかんかんのうを踊ったり——まあアタシも見た訳じゃありませんがね。ええ。え？　おや、そちらの御行殿は見たことがあるンで？　ホントですか？

ホラ御覧な兄さん。ねェ御行の旦那《だんな》、矢《や》ッ張《ぱ》り死骸《むくろ》が動いたんですか？　足が出た？　お棺から？　だらりとかえ？　おお厭《いや》だ。薄鬼魅悪い――。

あらヤだ、元ッから鬼魅悪い咄《はなし》をしてたんでしたねェ。

そう、これからお話ししますのはね、アタシが実際に見聞きしたことですからねェ。真実《まこと》も真実、大真面目の話で御座居ますよう。

あれはもう、彼此《かれこれ》十年から前のことになりましょうか。

アタシはまだ小便《しょんべん》臭い小娘で、そう十三かそこいらで。

アタシには二ツ程齢上の姉様が居りました。

りく、という名前のそれは綺麗《きれい》な女《ひと》でした。

妹のアタシが言うのもナンなんで御座居ますけれどねェ。

色の白いは七難《しちなん》隠すって言いますけれど、ホントに色が真っ白でねェ。食べたもんがこう、喉《のど》に透ける程――まあそりゃあ大袈裟《おおげさ》で御座居ますけれどね。え？　アタシもそうだって？

あらヤだ、姉様はアタシみたいなすべたじゃアないンですよう。楚楚《そそ》とした、近在にも此程の別嬪《べっぴん》は居ないと評判でしてねェ。妹のアタシも、まあ自慢でしたし、もう少し経てば自分も姉様みたいになるンだと、そうも思ってましたけれどねェ。ま、結局コンな悪場擦《あばず》れになっちゃった訳ですけどね。

え？　そう、憧《あこが》れていたンですよ。アタシは。姉様に。

その姉様がね、お嫁に行くことになったんですよ。

そう、あれは夏の盛りのことで御座居ましたか。

お相手は隣の郷のお大尽で――そう、本陣《ほんじん》の跡取りとかお庄屋《しょうや》の総領とかいう――ええ、慥か名前は与左衛門《よざえもん》とかいいましたっけ。

身分家柄申し分ないと、大人はみんな喜んでましたけれどもね。アタシはナンだか悔しくて寂《さみ》しくて。え？　そンな理不尽な理由《わけ》で悔しがってたンじゃァないンですよ。誰だっていつかは嫁に行くンですから――アタシは行きませんでしたけれど――いいえね、小娘ったッてもう十三ですから。そんな、誰かに好きな姉様を盗られるようッて、ただだだを捏《こ》ねてた訳じゃァないんです。

与左衛門って男がね。ナンだか気に入らなくって。

そうナンですよ。厭な男だったンですよ。そいつ。

背が低くって頸《くび》が太くって――目付きが悪くって。

何と申しますか、こう、下司《げす》というか無粋《ぶすい》というか――そう。粋《いき》じゃないンですよウ。山出しの小娘に、本来粋も蜂の頭も解ったもンじゃァないんでしょうけれど、きっとそこが厭だったンですよ。

まあ、今こうして熟熟《つらつら》と思い出せばね。あの男《ひと》もそんなに悪い男じゃァなかったんでしょうけどねエ。純情《うぶ》な堅物だったような節もありますしねえ。嫁ぐンなら、へらへらとした色男より無粋の方がマシだったかもしれませんけどね。

でもその時は厭だったんですよ。

これからは兄様と思うてくれと言われましてね、むくれて返事もせなんだように思います。悪いことをしたと思いますよ。本当に。

そんなですからね、祝言《しゅうげん》の日が近づくともう、厭で厭でねえ。父様母様とも口を利かずに、ただ姉様を見ていましたとも。この綺麗な姉様を間近で見るのも後もう幾日と思いますってえと、胸が何だか痛くって。はい？　あ、遠くに嫁ぐ訳じゃあなかったんですよ。嫁ぎ先は一里と離れていませんでしたから今生《こんじょう》の別れなんて大層なものじゃアなかったんですが、ただ娘と女房は違いましょう？

お嫁に行けばもう娘じゃアありませんものね。

豪農の嫁なンて、もう疲れるだけでしょう。張りのある皮膚《はだ》も艶《つや》を失《な》くして、つるりとした指も節が立って来て――そりゃァ当たり前ですよ。齢とりゃ誰だってそうなります。

ただ――そう、なンてェんですかねェ。煌煌《きらきら》とした、娘ならではの輝きみたいなモノが、こう、嫁いだ途端に薄れちまうような気がしてたンですかねェ。

ですから婚礼が決まってからは、アタシはぺったりと姉様に引っ付いて、傍を離れなかったように思います。それまでも――姉さん姉さんと慕っちゃァくっついて回ってたんですけれどね。

姉様にしてみれば迷惑な話だったと思いますけれどねェ。それでも厭な顔ひとつせずに。優しい女《ひと》だったので御座居ます。

婚礼の前の日でした。

　アタシ達は山へ行ったんです。

　ええ。姉様は花の好きな女《ひと》でしたから、子供の頃は善《よ》く山へ行って花を摘んで来たんです。それで、こんなことが出来るのも今日で最後だからって──あれは──姉様が言い出したものか、アタシが言い出したものか、一寸《ちょいと》覚えちゃいませんけれど。

　晴れた日でした。

　夏の花って元気があって。

　春の花よりも好きで御座居ます。

　青青とした草や木木の葉が風に戦《そよ》いで。

　それはもう気持ちの良い日で御座居ましたよ。

　山と申しましてもね、ここみたいな険しい山じゃあないんです。

　村外れの辻から折れてすぐ登れる、子供の足でも簡単に登れるような小さな山なんで御座居ますよ。登り切ると視界が開けてねえ。遠くの在まで見渡せて、その向こうの高い山がすうっと見えて。道行きもそれは綺麗なンで御座居ます。でもアタシは景色なんか見ちゃアいなかった。姉様の背《うし》ろにくッ付いて、その白い襟首《えりくび》にうっすらと浮いた汗や、汗に光る後《おく》れ毛を見ていた。姉様が疲れたから休もうと言うまで、ずっと見ていた。

　頂上じゃァないんですけれど、中程に平らな野ッ原みたいな場所がありましてね。そこで休んだ。姉様は大きな石の上に座って、山の木を眺めていた。アタシはその下にちょこんと座って、青を通り越した藍玉《あいだま》ぶちまけたみたいな空に浮かんだ、真っ白い雲を見ていた。

ええ。雲の形まで覚えていますよ。眼を閉じますとね、形はおろか雲の動く早さまで、今でも在在《ありあり》と浮かんで来ますのさ。あンな青い空は、この齢になってもまだ見たことがないように思います。

ゆっくりとね。

雲が。西の方に動いて。

ふいに顔を上げましたのサ。

何かこう不吉な感じがしたンで御座居ましょうねェ。

そしたら――姉様がね、こンな風に硬直《かた》まっている。

ホントに、石地蔵になったみたいにねえ、動かない。

で、アタシはその微動だにしない姉様のね、少しばかり虚《うつ》ろになった視線の先を辿《たど》りましたのさ。そしたら――。

そゥしたらね。

猫が居るンです。

山猫ですよう。そりゃあ大きな、虎みたいな山猫がね、山茶花《さざんか》の蔭から凝乎《じつ》と姉様を見つめてるンです。ギヤマンみたいな眼《まなこ》でね。

アタシはその時にすぐ了解《わか》った。姉様はそれで動けないンだと。

まるで、蛇《くちなわ》に見入られた蛙《かわず》みたいなもンだったンですよゥ。

アタシも怖くなッちまって――いいえ、怖いとかいう真っ当な気持ちじゃァないンです。

頭ン中真っ白《ちろ》になッちまッて、そうで御座居ますねえ、あれが猫の魔力てェ奴なンで御座居ましょうかねェ。動けなくなッちまッた。

山猫のね、後ろの藪《やぶ》の、その上の空が、こうサアッとね。

夕焼けになってねェ。

だから随分と長い時間そうしていたんでしょうよ。

鳶《とんび》か何かが啼《な》いたンです。

はッとなって見ると猫はいない。最初から猫なンかいなかったのじゃァないかって、そう思いましたよ。でも刻《とき》だけは過ぎている。

で、姉様は倒れていた。

その後どうしたかは善く覚えちゃいないんですよ。なんせ昔の話で御座居ますからねぇ。でもね、ええ――姉様はなんだかそう、魂半分吸われちまッたような、そんな感じで御座居ましたわねぇ。

婚礼は盛大で御座居ましたよ。

その辺の有象無象《うぞうむぞう》、道行く他人にまで振る舞い酒をしましてね。

朗朗と甚句《じんく》を謡《うた》って、舞を舞いましてね。お祭りですよ。

ただでさえ真っ白な姉様が、一層真っ白に塗られて、その上白無垢《しろむく》でしょう。こんな綺麗なもン生まれて初めて見たてエ、ホントにそう思いましたのサ。夢ン中みたいでしたよ。少しばかり俯《うつむ》き加減で、羞《はじ》らっているような仕草がまた可憐で。

それが。

ええ。

一寸目を離した隙ですよ。

ふっと、煙のように。

姉様が消えちまッた。

誰ひとりとして気がつかなかったンです。いなくなったのは誰でもない、まん真ん中の、金屛風の前に座っていた花嫁御寮で御座居ますよ。祝言の主役が消えちまッたんですよ。不意にね。

隣に陣取っていた婿殿さえ気がつかなかった。まァ与左衛門殿は、背中に真魚板《まないた》入れたみたいにこちこちンなってたようで、花嫁の顔なんか見てる余裕はなかったみたいなンですけれどね。それにしたって、誰も気づかないってのは不思議なことで御座居ましょう。

宴の席は大騒ぎですよ。

酔って騒いでいた連中も水かけられたみたいにね。もう、酔いなんか一遍に醒《さ》めちまって。隅から隅まで、さっきの三毛猫じゃァないですけれどもね、畳まで上げて、屋根裏から縁の下まで、村人総出で探しましたのサ。

え？　いなかったンですよ。屋敷から出た様子もないのに。

それで今度は山狩りですよ。大事《おおごと》になッちまッた。禧《めでた》い祝い宴が一転しての大騒動ですよ。

ええ。

夜のうちは見つからなかった。

次の日の午過《ひるす》ぎで御座居ますよ。姉様が見つかったのは。

どこにいたかって？　ええ。それがねえ。ほら。

あの山のね、中腹の野原の——石の上。

山猫と睨《にら》めっこしていた場所にぺたっと座っていたんだそうですよ。報せを受けて、お父っつぁんと与左衛門さんと、まあ大勢で駆けつけたンですけれど、姉様はもう血の気が失せて、透き通るように青白くなッちまッて、勿論花嫁衣装のままで御座居ますよ。

すっかり呆《ほう》けていたンだそうです。

どこにいた、何をしている、いつ抜け出した——ッて、誰が何を尋《き》いてもなァんにも答えない。それで、さあ戻ろう、祝言のやり直しだと言っても、厭だ厭だと首を振る。妾《あたし》はここに居る、ここに居るのじゃ——と言う。

あまり聞き分けがないので、村の男共が、担ぐようにして山を下ろしたンで御座居ます。アタシ等は与左衛門さんの家——本陣で待っておりましたけれど、まるで山賊に拐《かどわか》されたみたいにねえ、足をばたつかせた姉様が戻った時には、それは肝《きも》を潰しましたっけ。

え？　それで？　ああ、それで、その日の夕方に、また姉様は消えちまッたんです。はい。

またあの山の石の上に居りましたとも。

え？　どうして？

どうしてって、それが解れば苦労はしませんよ兄さん。

親父殿も婿殿も、さんざ問い質《ただ》しましたのさア。

こんなところでいったいナニをしてるンだ、ほんにどういう了見だと、尋けど糾《ただ》せどなァんにも答えず、ただただ口を噤《つぐ》んで呆けているばかり。取りつく島もない有様で。

普通ならそンな理不尽な、礼を欠いたことをされたら破談で御座居ましょう？　それが与左衛門てぇ人はまあお人好しなのか何なのか、りくさんのような善く出来た女《ひと》がこんなことをする訳がない、これは悪い病に違いない――と、そう言ったそうですよ。それで隣村から医者坊《いしゃぼん》を呼んで来て脈をとらせた。

え？　解る訳ない？　そりゃあそうで御座居ますよ。御典医だろうが藪野竹斎《やぶのちくさい》だろうが、解る訳《わき》ゃアありません。婚礼をこっそり抜けて山に行く病なンて、そンな病は御座居ませんからねェ。

どうにもこうにも埒《らち》が明かずに、与左衛門さんも痺《しび》れを切らしたんでしょうねぇ。今度はどこぞから修験者を引っ張って来ての加持祈禱《かじきとう》。南無南無拝んで験《しるし》なしで御座居ますよォ。狐でも憑《つ》いたと思ったンでしょうけれど。効きゃァしません。

アラ、お坊様の前でこんなこと言っちゃいけませんでしたか？

お坊様と修験者は違いましょうか。

兎《と》も角《かく》何をしようが姉様は全く動かない。

与左衛門さんも三日四日通ったようで御座居ますけれど、そうですねえ、慥か十日目でしたか、根負けしたんで御座居ます。

は？　アタシですか？　そりゃ大好きな姉様の変事で御座居ますから飛んででも行きたかったですけれど、きつく止められていましてねぇ。え？　それで柔順《おとな》しくしている玉かって？

アハハ、仰る通りで御座居ます。

アタシは夜中にこっそり家を抜け出して姉様の許に行きましたのサ。姉様は月明かりの下で矢張りあの日と同じように、ぼうと座っておりました。白無垢のままで御座居ますよ。飲まず食わずで御座居ましょう、すっかり窶《やつ》れて、透けるような肌が本当に透けちまって、向こうが見えそうな程で御座居ましたよ。不憫《ふびん》で不憫で、涙が溢れて、悲しくッてやるせなくッて。

そしてアタシは尋いた。

姉様姉様、おぎんにだけは本当のことを教えておくれよ――。

すると姉様はねえ、にんまりと笑われてこう言ったんです。

――妾には心に決めた想い人がいるのです。

――言い交わしたお方がいるのです。

驚きましたよ。寝耳に水で御座居ましょう。姉様にいい人がいるなんて、考えてもみなかった。婚礼が決まった時だって、そンなことおくびにも出さなかったんで御座居ますよ。アタシが反対してただけで、そのアタシも表向き何にも言いませんでしたからねェ。アタシが何も言わなんだのも、姉様が喜んでいるように見えたからで御座居ますよ。

アタシは――そう、悩んだ挙げ句、そのことを親父殿にご注進しましたのさ。そン時のアタシにしてみれば、姉様をなんとか取り戻したかったんだと思いますけどね。

お父っつぁんもおっ母さんもそりゃあ狼狽《うろた》えて、困りに困ったその末に、与左衛門さんに頭を下げたんですよゥ。詫《わ》び料もたんと添えましてね。どうもあの娘《こ》は気が狂《ふ》れている、申し訳ない面目ないと言いましてね。他に男がいたなんて言えませんからねえ。

与左衛門さんはお金を受け取らず、それでも尚、病ならいつかは癒《い》える筈だから、それまで待つと言ったそうですけれどもね。でもねえ、その辺りのお百姓なら兎も角、陣屋の跡取りでしょう。家の者が許しゃアしませんって。恥ィかかせた顔を潰したと、豪《えら》い見幕で、アタシも柱の蔭から覗いて見てましたけれどもね。

お父っつぁんもおっ母さんも平謝りで御座居ますよ。そんなでも矢ッ張り娘が可愛かったンでしょうねえ。すったもんだの果てに縁組はご破算になッちまッた。

それで？　ええ。普通ならそれで終わりでしょうよ。それで姉様がね、艱難辛苦《かんなんしんく》を乗り越えて、好いた男とくっついたってえんなら、まあ珍しくったって、ない話じゃァないンです。

ええ——姉様は好いた男と添い遂げたりはしませんでしたよ。

そもそも、好いた男なんていなかったんです。

解らない？　そりゃあ解らないでしょうねェ。

村中探したって姉様の相手はいなかった。いいえ、近在のどこにもそんな男ァいなかったんで御座居ますよ。それで。

それでも姉様は、一歩もその場所を動かなかった。

狂ってる？　そうだったんでしょうねェ、きっと。

騙《だま》そうが宥《なだ》めようが、全く動かなかった。無理に連れ戻してもいつのまにか帰ッちまう。結局お父っつぁんもおっ母さんも根負けして、そこに柱を立てて萱《かや》を葺《ふ》き、雨風だけは防げるようにしたンです。そして毎日朝晩食事を届けましてね。

ええそうですよ。

そりゃあとんだ親馬鹿で御座居ますよ。

姉様ですか？　その小屋から一歩も出ずに、そう——。

ひと月は暮らしましたか。ええ。妙な噂も立ちましたよ。

どこからともなく男が通ってくるとか。

夜な夜な善い声音の甚句が聞こえて来るとか。

それを歌っている者こそが、姉様の男なのだとか。

否、それは姉様自身が、男の声で歌っているのだとか。

月光を浴びて裸体《はだか》の姉様が謡《うた》いを歌っていたところを見たとか。

姉様の男は——。

山猫だとか。

はい。それを聞いてアタシは思い出したンですよゥ。

ええ。あン時に魅入られたんじゃないかとね。でも、誰にも言いませんでしたがね。

それでもそうした噂は流れたンで御座居ます。

山猫だって。

それで村の者は鬼魅が悪いと誰も近づかなくなって。

結局親も諦《あきら》めたんですよゥ。食べ物は幾ら届けても食べなくなっていたようで御座居ますしね、魔物に魅入られたンですから、諦めるよりないと、死んだものと思おうと、そう話し合っている声を聞きましたから。

でも。アタシは諦め切れなかった。

だから――覗いた。覗きましたとも。

男なンて通って来ちゃアいなかった。

噂通り全部姉様のひとり芝居だったンで御座居ますよ。

男の声色と女の声色を使い分けましてね、何やら問うて答えて話をして、もう人間の言葉じゃあなかったですけれどね。そのうち激しく身悶《みもだ》えして歌い出すンです。

ええ。本当に――。

狂っていた。

それから何日かで姉様は死にました。飢え死にで御座居ますよ。

当たり前ですよゥ。もう、骨と皮ばかりになって。でもね。

死骸の周りには、山猫の毛が。

ええ。沢山――落ちていましたのサ。

3

山猫廻しのおぎんの語る長い話が終わった。

考物《かんがえもの》の百介《ももすけ》は大変興味深く聞いた。百介は、諸国の怪異譚を聞き集めるのを無類の楽しみとしているという、一風変わった男である。世間には如何《いかが》わしい話が溢れ返っている。世の中には、不思議なことが沢山あるものなのだ。戯作者志望の百介は、そうした話を集めていずれ百物語本を開板《かいばん》するつもりなのである。

だから偶然とはいえ、この場に居合わせたことは少なくとも百介にとっては僥倖《ぎょうこう》だった。御行姿の男が怪談で夜明かしをしようと言い出した時は、思わず礼を言いたいような気分になったものである。足止めを食った時は己の不運を呪ったが、こうなってみると悪天候にも感謝せねばなるまい。

人死のあった家から光り物が飛び出たとか、虫の報せで肉親の死に目に間に合ったとか、百姓達の口からは目新しい話こそ聞けなかったが、朴訥《ぼくとつ》な語り口は中中拾い物だった。

一方、行商の連中の話は一様に類型的で、語り口こそ慣れてはいるが、その分先が読めるので怖くない。

怪談話は技巧だけでは補えないのだ。

そしておぎんである。

一向に正体の知れぬ女であった。風体《ふうてい》や持ち物から、義太夫《ぎだゆう》を謡《うた》い傀儡《くぐつ》を操る山猫廻しであるということだけは当たりをつけたが、何処《どこ》へ行くものか何を考えているものか、百介にもまるで見当がつかない。

怖くはないが、奇妙な話ではあった。

先《ま》ず山猫が化かすなどという話は百介も知らなかった。百介の知る限り、猫に纏《まつ》わる口碑迷信の類は多く天候に関わるものである。顔を洗えば晴れるとか曇るとか、そうした諺《ことわざ》のような言い伝えなら百介も多く知っている。後は出産に伴う縁起担ぎである。化け猫や猫又の登場する血腥《ちなまぐさ》い怪談も各地で耳にするのだが、その殆《ほとん》どは復讐譚だったりする。鍋島《なべしま》の猫騒動と大差ない。

そうした話には確実に元がある。例えば江戸で人気の出た読み本や、芝居狂言のネタがそのまま地方に流れて定着し、その地方の伝承として語られることも結構多いのである。怪談好きの百介は、そうした本は遍《あまね》く読み尽くし、芝居も概《おおむ》ね見倒しているから、そうした話だった場合大抵は解ってしまう。

地名や人名が変わっているだけだったりすると興醒《きょうざ》めである。

おぎんの語りは、どうやらそうしたものではないようだった。

百介は一部始終を書き記した。

——待てよ。

その話はいったい何処の話なのだろうか。

おぎんは場所を特定していないのだ。いずれ本を書く時に土地の名は必要になる。百介は話を捏造《つく》ることだけは避けたかったのである。そうした性質《たち》なのだ。

ならば——先ずおぎんの生国《しょうごく》を尋ねる必要があるだろう。

「おぎんさん——といいなさったね」

百介が尋ねようと声を発したのとほぼ同時に、最後にやって来て戸口側に座っていた僧が、裏返った声を発した。

「其方様《そなたさま》——どちらのお生まれか。それは——」

それは何処の話であるか——と坊主はおぎんに尋いた。

百介は——言葉を盗られてしまったので黙るよりない。

眼を遣れば——どうも坊主の様子は妙だった。雨に濡れているのも疲れているのも判りはするが、それ以上にどうにも気が逸《はや》っている。

「今のお話は。その、何処の」

おぎんは首を僅かに傾けて、

「アタシは摂津《せっつ》の生まれで御座ンすよ。ですからこれも、勿論その辺りの話で御座居ますよ。努努《ゆめゆめ》この辺の話じゃァ御座居ませんからご心配には及びませんよォ」

と、例によって張りのある、艶《なま》めかしい声音で言った。

坊主はそうと聞いても釈然としない様子で、訝《いぶか》しそうな表情でおぎんを見返した。そして、真実《まこと》であるか——と再び尋いた。

「アラ厭だ、このお坊様は見掛けに寄らず臆病じゃアないか。ここの山に山猫ァ居りませんでしょうよ。ねえ皆さん」

おぎんがそう言うと、一同の間に微かな、吐息のような笑いらしきものが起きた。

山犬なら居るが山猫は居らぬわい——と百姓が言う。そうサこの辺で山猫と言やあ、この山猫廻しのおぎんさんだけサ——とおぎんは嘯《うそぶ》く。坊主は眼を剝《む》いて、思い詰めるような表情になる。

——何に引っ掛かっているのか。

真逆《まさか》話を聞いているうちに山猫が怖くなったとかいう訳でもあるまい。百介はどうにも気に懸かる。どうやら山の向こうの何とかいう寺の坊主らしいが、坊主が猫を怖がるだろうか。

ふと見ると、御行も喰い入るように坊主を見つめている。

——油断のならぬ小悪党だ。

愛想も良いし要領も良く、どこか人を魅き付けるような雰囲気を持っているのだが、この御行——又市《またいち》という名前らしい——は、それでいて何を考えているのか解らぬようなところもあるから、簡単に信用は出来ぬだろうと、百介はそう考えている。坊主——こちらは円海という名である——は、おぎんに向けてもう一度尋いた。

「其方様の姉様は、真実《まこと》——りく、という名なのであろうか」

おぎんは笑った。

「そうだったと思いますけどねえ。昔のことで御座居ますから。それよりお坊様、りくという名になンか心当たりでもおありかえ？」

「それは」

円海はおぎんの単刀直入な質問に戸惑ったらしく、顔を曇らせて言葉を濁した。

僧は指で額を拭う。

雨水ではない。汗をかいているのだ。

暑い訳はない。ならば冷や汗か。脂汗か。

百介はこの辛気《しんき》臭い坊主の挙動に興味の対象を移した。

「どうしたのサぁ。そンな顔して。お坊様、アタシの話に何か不都合でもおありかえ？　なにサ、アタシの顔に何かついてるのかい」

それまでおぎんの顔を凝眸《ぎょうぼう》していた円海は、そう言われて慌てて顔を伏せた。この坊主、目立つところがひとつもない、地味な顔立ちの持ち主で、物腰も暗く、陰陰滅滅《いんいんめつめつ》としている。

一方おぎんの方は鉄火肌《てっかはだ》も度が過ぎて、まるで男のような物腰の癖に声だけはやけに艶艶《つやつや》と色気がある。顔もつるりと瓜核《うりざね》で、目元涼しい別嬪だから、女女《なよなよ》と振る舞えばさぞやいい女だろうに、どうにもこの女その辺のことが解っていないらしい。

オヤ雨足が弱まった――と、窓際にいた行商の男が言った。

御行が顔を上げる。

「ああ、小降りになったようでやすね。それにしたってまだ宵の口だ。このまンま止むとも思えねエし、ここで夜を明かすのが宜《よろ》しいでしょうぜ。下手に動くと——ん？」

しょき。

何か、微かな音がした。

円海が怯《び》気《く》りと動いた。

御行は行商を押し退けて外を見るようにした。

どうしましたな御行さん——と商人風の初老の男が声をかけた。

御行は首を傾げて、何か音がしたようだがと呟《つぶや》き、再び反対に小首を傾げて、

「なンだか米でも磨《と》ぐような——」

と言った。

「米というより、籾殻《もみがら》——いや、違うなあ。小豆《あずき》とか」

「小豆——」

円海が引き攣《つ》るようにそう言った。

「そんな音がしましたかなあ」

商人は耳に手を当てた。

百介には聞こえた。

否、聞こえたような気がしただけかもしれなかった。

でも百介は、慥かに聞こえた——と断言した。

そうすると百姓や担ぎ屋までが、あれは小豆じゃ、そうに違いないなどと言い出したのだった。百介は可笑《おか》しかった。

自分が聞いたと言わなければ、果たして何人に聞こえていただろうか。小降りになったとはいえ雨音が止んだ訳ではない。川の音も聞こえているし、山独特の音というのはある。小豆の音などする訳もない。

だから、縦《よし》んばその者達に聞こえていたとしても、百介同様そんな気がするというだけのことだろう。付和雷同というか、何というか、実に可笑しな状況である。御行はそうしたことを知ってか知らずか、珍しく実に嬉《うれ》しそうに、こう言った。

「何だてェんだろう。こんな山でこんな時刻、雨の中小豆を磨ぐ間抜け野郎が居る訳がねェ。聞き違いにしちゃ皆聞いている。御坊もお聞きになったでしょう？」

円海は答えなかった。

「アラ厭だよ、あの音は小豆磨ぎ婆《ばば》ァさ――」

おぎんはそう言った。

御行が毒突いた。

「なンでェその小豆磨ぎ婆ァってのは。手前《てめえ》の婆様《ばばさま》はこんな山奥に居やがるか。正月でもねえのに小豆なんか磨ぐかい。それとも何か祝い事か。却説《さて》はこの女《あま》、摂津の生まれとか吹いていやがッたが、正体はこの山の鼬《いたち》か何かじゃあねえのか」

馬鹿言ってンじゃあないよこの表六玉《ひょうろくだま》――と乱暴に言って、おぎんは前を向いた。

「小豆磨ぎ婆ァはもののけさ。こンな山奥で誰がそンなもの磨ぐもンか。明日は精精《せいぜい》川に落ちないように気をつけな」

「何でェそれは」

御行は不満げな口調で尋いた。百介が答えた。

「それは御行殿、小豆磨ぎとか小豆洗いというあやかしは、まあ谷川や橋の下で穀物を磨ぐような音をさせる姿のない化け物で、この音を耳にすると善く水に落ちると言うのですよ」

御行は鼻で笑った。

「ふふん。先生、先生は慥か読み本かなんかを書かれるとか、書かれたとか仰るお方じゃァなかったですかい？　それにしちゃァ話が迷信だ。奴《やつがれ》のような学問のねェ物乞いが言うなら兎も角も、学のある物書きの先生ともあろうお人が、そンな馬鹿げたことを語っちゃあ困りやすぜ。皆が信じッちまう」

「何が馬鹿なものですか。小豆洗いというのは――」

田舎者の迷信でしょうや――と御行は言った。

「いいですかい、小豆洗いッてなア茶柱虫《ちゃたてむし》のことだ。ありゃあ障子紙にとまってシャカシャカとでかい音ォ立てやがるからなァ。それを小豆洗う音に擬《なぞらえ》たンでさァ。だいいち、小豆洗い爺イだか飯炊き婆ァだか知らねえが、そンな馬鹿げた野郎がこンな山深い場所にいる訳ゃあねえんで。否否、そンな嘘っ八、江戸じゃあ聞きやせんよ。姿がねえッて、そんなモンが居る訳がねえ――」

一同に、退屈だからというだけの理由で百物語怪談を話すように嗾《けしか》けておいて、それでいて随分と真ッ当なことを言う男だと百介は思った。

僅かだが気に障った。

そこで百介は、やや憮然として答えた。

「そう言われるが御行殿。これは古今東西、国を問わずに、何処に参っても聞かれる話で御座居ますぞ。私の聞き及ぶ限りでも、似たような話は数限りない。居る訳がない迷信だと御行殿は断言されるが、まじないと違って体験した者は現に居るのです。小豆洗い、小豆磨ぎ、小豆婆ァに小豆小僧、小豆アゲに小豆ヤロと、呼び名は土地土地で色色だが、大体同じようなモノだ。どれも姿を見せずに小豆を磨ぐ音だけをさせる怪です。実際に居る居ないは別にしても、何かあることは、間違いないのです」

――そうだ。何か理由がある筈だ。

小豆を磨ぐ音などというものは、そもそも人為的に発せられるものであって、天然自然が鳴らす類の音ではないのである。だからこそ山中や水際――人の居る筈のない場所でそれを耳にすれば奇異な感じを持つ訳である。

茶柱虫のことは慥かに小豆磨虫とも呼ぶようだが、だからといってそれが正体だと言い切るのは無理があろうというものである。

百介はそう思った。

その時。

それならオラも聞いている——と百姓のひとりが言った。

「小豆磨いでるなァ荒神《こうじん》様だと聞いておるです。音が近付けば豊作で、遠退けば凶作だと、オラの村ではいうが——」

それは違う——と担ぎ屋が言った。

「ありゃア川獺《かわうそ》だ。川獺が化かすんだ。小豆磨ごうか、人獲《と》って喰おうか——と歌うンだから神様じゃあなかろう」

「だがよう、薬屋さん、小豆たァ、禧《めでた》いもンではねえですか。滅多矢鱈《やたら》に炊くもンじゃあねえぞエ。おいらも、ありゃア、山ン神さんだと聞いとるが」

「アッシの在《ざい》じゃ、正体は蛇《くちなわ》だと聞きましたがのう」

「いいやァ、そりゃ違うべい。長虫《ながむし》にゃ手も足もねえ。どうやって磨ぐ。それなら狐よ。洗濯《せんたく》狐《ぎつね》ッてのが儂《わし》の村にゃァ居った」

へえ、皆知っているのか——と御行は大袈裟《おおげさ》に驚いて見せた。

それから御坊は如何で御座居ましょう——と、円海に振った。

円海は顔を歪《ゆが》ませて、無言のまま酷《ひど》く不快そうにした。

——矢張り何かあるのだ。

百介はそう思った。

そこで——それまで黙して話を聞いていただけの初老の商人が、漸《よう》く《や》出番が来たとばかりに口を開いた。

4

手前《てまえ》は備中屋徳右衛門《びっちゅうやとくえもん》と申します。

江戸の方で雑穀《ざっこく》問屋を営んでおります爺で御座居ますれば——あ、いいえ、もう隠居《いんきょ》致しております身で御座居ますからな、営んでいるなどという大口は叩《たた》けませんでしょうかなあ。

ま、良い身分の爺で御座居ますわい。

ええ——小豆洗いで御座居ましょう。

そりゃああなた、幽霊で御座居ます。

はい。怨みを残して死んだ小僧が、しょりしょりと小豆を磨ぐんで御座居ますわい。はァ？

ええ、手前の知っております小豆洗いの怪とはそういうもので御座居ますな。手前の店は日本橋で御座居ますが——そうそう、そこの御行さん、あなた、お江戸にだって小豆洗いはちゃんと居りますよう。

ホレ、入谷《いりや》の田《た》ン圃《ぼ》。あそこにも出る。それから元飯田町《もといいだちょう》の某《なにがし》のお屋敷にも出るという。だからそうしたモノは居るので御座居ますわい。嘘とお思いなら帰ってからお尋きなさい。

ええ？　それが皆幽霊なのかって？

そりゃあそうで御座居ますな。まあ、恍惚《とぼ》けた狸公《たぬこう》辺りが幽霊の真似をしているとかいうこたぁあるのかも、しれませんがなあ。

はァ。手前が斯様《かよう》に断言致しまするのにもちゃんと理由はあるンで御座居ますわい。

何しろ、手前は小豆洗いの雇い主だったので御座居ますよ。

はァ、勿論お話し致します。ご心配なさらずに。は？　何で御座居ますか考物の先生？

ええ。日本橋の備中屋で御座居ます。

私は五年前に身代を養子に譲りまして隠居致しましたのですが、はあ、種が悪いか畑が悪いか、五十を過ぎて子なく、そのうえ手前を置き去りに、古女房がさっさと西向いてしまいましてなあ。

跡取りがいない。

ま、早い話、番頭を養子に迎えた訳で御座居ますけれどもね。

そんなですから、五年前までは手前も、それは忙しゅう御座居ましたわい。雑穀商と申しますのもこれで中中忙しいモノでして。

買い付けに諸国を巡ったり、雑穀問屋仲間の肝入りまで勤めておりましたものですから、店を空《あ》けることも多く御座居ましてな、細かいことなンぞにゃあ気が回りません。飯を食う暇もない。

へえ。店には大番頭小番頭、手代から丁稚《でっち》まで、大勢奉公人が居りましたけれどもね、まあ手前は、こう言っちゃ何なんだが、誰も信用しちゃあいませんでした。

はぁ？　ええ。世にいう守銭奴《しゅせんど》ですよ。今となっちゃ何を欲しがって、何を惜しがってたのか、さっぱり解りません。起きて半畳寝て一畳、人は自分の座る場所がありゃ生きて行けるてぇのに、どういうもンで御座居ましょうか。その頃はそれが解らなくって、誰の顔を見ても、皆手前の身代を狙《ねら》ってるように見えましてね。

はいはい。手前に跡取りが居らんのは誰だって知っていますからね、そりゃ店の者の中の誰かから跡取りが出るンだろうと。

それはまァ、そのつもりで御座居ましたわい。でもほら、その頃の手前は——ええ。そうで御座居ましょう？

金勘定が上手けりゃ上手いで欲が深かろう、糞真面目なら糞真面目で要領が悪かろうと、欠点ばかりが目につきましてなあ。どうもいけません。はァ、いけませんなあ。

中中ねぇ。そう、血の繋がりでもあればまだ諦めもつくンで御座居ましょうけれども。いいえ、そうならそうで、そンなこたァどうでも善くなるンでしょうけれど。

そうは申しましてもね、その、まあ手前も、細細《こまごま》としたこたァ、誰かに託さなきゃねえ。商いが出来ませんでしょう。

辰五郎《たつごろう》というのがその頃の番頭の名で御座居ます。

辰五郎というのは、こりゃ善く出来た男でしたよ。

朝は誰より早く起きる。率先して掃除ですわい。丁稚どもより善く働く。雑巾掛けから金勘定まで、そつなく熟《こな》しましたわい。いやあ違いますなァ。そつがないのじゃあない。

懸命にやってたのでしょうな。手前がね、それをもう少し酌《く》んでいましたらねえ——。そうなんで御座居ますよ。それだけ尽くしてくれる奉公人を、手前は丸切り信用しちゃいなかった。こいつァ手前の身代かっ浚《さら》う気だと——そンな風に思うておりましたから。

そういう暮らし方ってェのは、こりゃ寂しいもので御座居ますわい。

それはあなた、そうで御座居ましょうよ。

だからですかねえ。手前はね、その——ううん、何と申しますかねえ。はい。その——新米の奉公人が居りまして。小僧ですよ、小僧。そうですね、十三かそこいらの小僧です。これがね、そう、どこかの村から奉公に出されて来た、田舎者でしたよ。

名前は、そう、弥助《やすけ》といいましたか。

おや。

どうなさいましたお坊さん。お加減でもお悪いンで御座居ますか？　違う？　はあ、何か呻《うめ》き声が聞こえたような気がしましたのでね。はあ、なら良いんですが。

その弥助をね、手前は可愛がった。

何故？　何故って姐《ねえ》さん、そりゃ無能だったからですよ。

弥助はね、その、少少足りない小僧だった。

まァ言葉はある程度解るンですが、人並みじゃあない。そうで御座居ますねェ、丁度五つか六つくらいの童くらいの——そう。その通りです。純朴なンで御座居ます。欲も徳もない。褒めりゃ喜ぶ、叱《しか》れば泣く。そういう小僧でした。

どうしたンですお坊さん。お顔の色が優れませんぞ。はァ？　燈《あかり》の加減ですか。

そうですか。なら良いンですけれども。蠟燭《ろうそく》も心許なくなって参りましたから。朝まで保《も》ちますかねェ。ああ、替えがある？　その偈箱の中に？　流石《さすが》は御行さん、用意が宜しいンで御座居ますねェ。

弥助はですね、そんな小僧ですからね、こりゃあお店の役には立ちません。

子供の遣い——文字通り子供の遣いくらいしか出来ないンで御座居ますから。だから、そんな身代を狙うなンてことはあり得ませんでしょう？　それで手前はね、側に置いて。

はァ、そりゃ他の奉公人どもは得心行きませんでしょう。懸命に働いても見向きもされないてェのに、ぼおっとした戯《たわ》け者を取り立てるンで御座居ますから。意見する者も多く居りましたわい。

はい。お察しの通りです。意見する奴は、こりゃ怪しいと、悉《ことごと》く馘《くび》に致しました。そうなりますとね、この、士気が鈍るというので御座居ましょうか。段段と遣る気がなくなって来るンでしょう。

はいはい。今は善く解りますよ。勤めても認められなきゃ誰も勤めませんわい。厭にもなりましょうし、ならば失敗もする。

失敗した者にも——暇を出しましたですわ。

あっと言う間に奉公人は半分くらいになったのですな。

ええ、眼が曇ってはおったのです。

ただ、この弥助というのが、少し足りないというのに変わった特技《わざ》がありましてね。はァ。ありゃあどういうンでしょうか。

へ？　ええ。その、例えばこう、升《ます》に一杯、小豆を盛りますでしょう。それをこう、見ただけで何粒あるかぴたり言い当てる。

どうしましたお坊さん。お坊さん。大丈夫で御座居ますか？

え、ああそう、それが不思議で御座居ましたなあ。一粒たりとも違っちゃいない。何度やっても合っているのです。はいそうです。見ただけですよ。ええ、手には持ちますな。だから重さで判るンでしょうかね。判りますか？　何匁《もんめ》かも判らない？　まあそれが普通で御座居ましょう。それをね、粒の数を当ててしまう。一合でも、一升《しょう》でも当たってしまう。

そこで手前は——まあとことん吝嗇《しみた》れていたのでしょうな。その不思議な術を商売に利用しようとした訳ですわい。さるお大名を宴席に招き、弥助を引き出してのお座興を致しました。殿様がこう、横に用意した赤小豆を升で掬《すく》う。それを弥助が恭《うやうや》しく戴き何百何粒と量る。次に家来衆が勘定する。全部当たった。

喜びましたな。

沢山褒美をくださった。のみならず、手前の商売の方も上手く行ったという訳で——。

手前の眼は益々曇った。

大勢の前に弥助を出して、いずれ跡目を譲ると言ってしもうた。

口が滑りました。一同は響動《どよめ》いた。

尤《もつと》も当の弥助はただにこにこと笑っておりましたけれども。

兎に角、跡目が決まったのだから祝い——ということになった。

成り行きで御座居ます、ハイ。

で、お祝いとくりゃあ小豆で御座居ましょう。

丁度良い、縁起物じゃということで、弥助がお殿様の前で量ったあの赤小豆を炊くことにしたので御座居ますわい。

弥助は、まあことの事情は善く解っちゃいなかったンでしょうが、それでもお祝いは嬉しいとね、小豆は大好物だからと。

自分で磨いで来るって申しまして。

ええ。弥助は、お店じゃ使えませんから、奥向きの、おさんどんなんかをやらせていたンで御座居ますよ。それでね、はい、台所に居るかと思えば何処まで小豆を磨ぎに行ったやら。そのまんま、弥助は消えてしまいました。お祝いも糞もあッたものじゃあない。

矢張り莫迦《ばか》は莫迦だと、皆申しましたが。

手前もね、まあ不憫には思いましたけれども、そんなものかと思っておりました。黙っていなくなった訳ですから、裏切られたような気もしていたので御座居ましょうよ。

暫くして——。

そう、番屋から報せがあったンです。

大川端に骸《むくろ》が揚がった——。

人相風体から、当家の使用人と思われるので面通しを頼む——と。

ハイ、弥助でした。

頭が割られていた。

突き落とされたか。足を滑らせたのか。

どこでどうして落ちたのか、皆目判らなかった。大体小豆を磨ぐったってお江戸の真ン中でしょう。川で磨ぎゃあしませんて。

何だって川へ行ったものか。

その日の夜からで御座居ますよ。

小豆磨ごうか——。

人獲って喰おうか——。

しょりしょり——。

そういう、鬼魅の悪い唄が聞こえる。そう、夜にです。

店の中で。

どうも弥助の声だという。

はい。手前も聞きましたとも。

そのうち、パラパラッと音がするンですな。

慌てて出て見ると、軒下に小豆がね。

赤小豆ですよ。

雨戸に打ちつけたンでしょう。

パラパラッと。

それが幾日も続いた。

そのうち、どうも土間で気配がするという。

怖《こ》わ怖《ご》わ覗いて見ますとね。

小さな小僧が、土間に小豆をばら撒《ま》いちゃ、数を数えているんですよ。一粒、二粒、三粒。

小豆磨ごうか――。

人獲って喰おうか――。

しょりしょり――。

それがすうっと立ち上がる。

それで、井戸の中に消えた。

翌朝、手前は井戸を調べました。すると弥助の持ち物と、多くの赤小豆が出た。それから血のついた石も出た。

ハイ。弥助は台所で、小豆を持ったまま石で打ち殺されて、その後に井戸に放り込まれたンで御座居ます。後で亡骸《なきがら》だけ引き揚げて川端に捨てたので御座居ますよ。

そうそう。下手人はね、辰五郎でした。

いいえ、奉行所に手前が出向きまして、井戸の中のことをお話ししまして、その時に番頭だった辰五郎も同道したので御座居ますけれど、もう、自ら白状するようなものでして。

顔面が蒼白《そうはく》になって、しどろもどろで御座居ましてね。

後で聞きましたが、吟味方《ぎんみかた》の背後《うしろ》にね。

背中を向けた小さな小僧が居て。

何やら磨いでいるところが見えていたんだそうです。

しょり、しょり、しょり、と、音が聞こえていたという。

手前には聞こえなかったし見えませんでしたけれどもね。

ええ。辰五郎は死罪になりました。

手前も、それで目が覚めたのですわい。可惜《あたら》働き者の番頭と、罪のない小僧を死なせたのは他ならぬこの手前自身の強欲なンで御座居ましょう。それで、もうすっかり目が覚めた。そこで二番番頭だった男に身代の凡てを譲り、こうして諸国の寺社を巡り歩いて、ふたりの菩提《ぼだい》を弔《とむら》っているンで御座居ますわい。

え？　その後ですか？

はい。ですからまだまだ成仏出来ぬらしくって、行く先先で聞こえるンで御座居ますよ。小豆磨ごうか、人獲って喰おうか、ほら。

聞こえますでしょう？

しょりしょりと。

あれです。あれは、怨みを残して死んだ弥助が、小豆小僧が、小豆を磨ぐ音なんで御座居ますよ。

5

いきなり大声を上げて円海が立ち上がったので、その場に居た全員が肝を潰した。円海は善く聴き取れない、意味不明の言葉を喚《わめ》き散らし、濡れた衣を振り回したので、それでなくとも心許ない蠟燭の火は消え、小屋の中は真っ暗になった。

「おのれ、貴様達は何者だ、何の企みだ」

そんなことを叫んでいたようだったが、勿論百介には何のことだか解らない。ただ闇の中で得体の知れない濡れた塊が動いているので、それが生理的に怖かった。最早漆黒の闇自体が、凶暴な気を振り撒いて律動しているようなものだったからである。

百姓どもも物売りも、余程驚いたのであろう。腰を抜かして壁に貼りつくようにしているのが百介には解った。落ち着きなせェ落ち着かれるが善いと御行の声がした。煩瑣《うるさ》い黙れと円海は叫んだ。

「そうじゃ、拙僧じゃ。この儂《わし》じゃッ」

円海はそう怒鳴った後、おうおう、と慟哭《どうこく》するような声を上げ、壁を叩き床を蹴って暴れていたが、やがて静かになった。

さらさらと川の音がした。

さめざめと雨の音もする。

さわさわ山が鳴っている。

しょき。

しょき。

しょき。

小豆洗い。

「弥助ッ」

円海はそう叫んだ後、おお、と吠《ほ》え、小屋の戸を蹴り外して外に飛び出した。大きな音に続いて、遮る戸を失ったため、さあさあという外の音がやけに大きく響いた。

「百物語――最後までにゃァまだ間があるに」

御行の又市がそう言ったのを百介は聞き逃さなかった。

円海の絶叫する声が、さあさあという雨の音だか川の音だかに混じって聞こえた。それは峡谷に谺《こだま》したのか、或は記憶の中で反復したのか、短く断続的に、百介の耳に残った。

さ。

さ。

さ。

その後は口を利く者もなく、また濡れた蠟燭は二度と点《つ》かず、戸口からしぶき込む雨を避けるようにして、小屋の中の一団は夜を明かした。

翌日。

雨はすっかり上がっていた。

昨夜の出来事が悪夢のようである。それはその場に居たものは皆そう思っていただろう。尤も過ぎてしまえば殆どのことは夢のようなものである。百介はそんなことを思い乍《なが》ら小屋を出た。

——あの坊主は何だったのか。

全く以て解らない。乱心していたのか。

一足先に出た薬売りの裏返った声が聞こえた。

「おおい、大事だァ」

お坊様が死んでいるぞ——とその声は告げた。百介は駆けた。

小屋を出て岩場を少し下るとすぐに川である。水位は昨日に比べれば下がっているが、未だ流れは急である。

ちゅんちゅんと山鳥か何かが啼いている。

誰が死のうと山には無関係ということか。

円海は小屋の外の川辺に、頭を水に突っ込むようにして死んでいた。小屋を出て、そのまま足を滑らせ、転落して石に頭を打ちつけたのであろう。禿頭《とくとう》が血に染まっている。

眼を見開いたその顔は、驚いたような、泣き顔のような、実に奇妙な表情を作っていた。

あの、小屋を出た後の絶叫は、断末魔だったことになる。

百介はその場に屈んで手を合わせた。

「おや――だから気をつけなッて言ったのにサ」

背後から山猫廻しの声がした。振り向くと御行も備中屋も揃《そろ》って立っている。百姓や他の担ぎ屋も遠巻きにしてこちらを見ている。

小屋の入口からは伍兵ヱ老人が覗いていた。

「小豆洗いの出た後は、水に落ッこちるッて。ねェご隠居？」

おぎんが眉《まゆ》を顰《ひそ》めて徳右衛門に言う。商人は拝むようにした。

「御坊の法力も魔物には敵わなんだか。さてお気の毒に――」

こりゃあその、小豆洗いの仕業だか――と、百姓が尋いた。

御行が大きく頷《うなず》いた。

「どうもそうのようだなァ。こりゃあ奴《やつがれ》の思い違ェだった。そこの先生、お説の通り、小豆洗いは居るようですな――」

百介は何と答えて善いやら、言葉に窮してただ立ち上がった。

「まあ――そうなのかな」

足を滑らせただけといえばそれまでだ。だが、慥かにその時、小豆磨ぎの音は聞こえていたのだ。ならば。

御行は何故か納得でもしたような顔で百介の方を見て、

「誰か、この御坊の行かれる筈だった寺を知ってる者は居ねえか」

と大声で言った。担ぎ屋のひとりが知っていると言った。

「慥か、この川の向こうの、円業寺《えんぎょうじ》と申します古いお寺だと思いますがな。一昨年お伺いしたことがありましてなァ、ご住職の日顕《にっけん》様ァ、儂も存じ上げており申す」

「そうかい。そりゃあ都合がいいやィ。どうだね、袖擦《そです》り合うも他生の縁てェじゃねえか。お前さん、道が一緒なら、ひとつ走りその寺に行っちゃあくれまいか。そうしてお住師さんにこの次第を話しちゃあ貰えめえか。このままじゃァこの御坊も浮かばれまいし、ここに居るみンなの後生が悪いや。骸《むくろ》は引き上げておくから――おお先生、手伝ってくだせえよ」

御行はすたすたと死骸に近づき、その頭を持った。言われて百介は足の方に回った。頼まれた担ぎ屋は承知しました――と言った。

「小豆磨ぎの怪に見入られた――と申しましょうか」

そう言うしかねえでしょう――と御行は善く通る声で言い、いいですかい先生――と百介に言葉を掛けてから、エイと力を入れて骸を水から揚げた。百介は冷え切った足を持ち、ぐにゃりとした濡れた塊を岩場に横たえた。

御行は懐から鈴《りん》を出し、りんと鳴らして、一言、

「御行　奉為《したてまつる》――」

と言った。

それから御行は偈箱から札を出し、割れた額の上に置いた。

申し合わせたように、全員が頭《こうべ》を垂れた。

山鳥が啼いた。

その後。取り敢えず小屋の中に骸を運び込むことにした。

百姓や担ぎ屋は三三五五に散り、おぎんと徳右衛門、そして御行と伍兵ヱ、百介が遺体を囲んで小屋の中に残った。

伍兵ヱは円海の骸を無表情に見つめている。

不思議な雰囲気だった。

御行が言った。

「どうやら――間違《まちげ》ヱはなかったようで。この結末は少少不本意だったが、これも何かの思し召しと思うよりねェ」

伍兵ヱは低い声でへい、と言い、それから手を顔に押し当てて妙な声を出した。泣いているのだった。

肩を震わせて、小さな老爺は号泣していた。

おぎんが言った。

「悔しかったろうねェ、悲しかったろうねェ伍兵ヱさん。これこの通り、憎い辰五郎は死ンじまった。弥助さんが呼んだのサ」

徳右衛門が続ける。

「まあ天網恢恢疎《てんもうかいかいそ》にして漏らさずというのも強ち《あなが》嘘じゃない。この野郎も、今は真面目に修行していたらしいから、白状すれば許してもやろうと又さんとは話していたんだが」

「ちょ、一寸待ってください。あなた方は、その——」

百介が怪訝《けげん》な声を上げると、御行が厳《おごそ》かに答えた。

「この円海という男は、出家する前は辰五郎という名の破落戸《ごろつき》で、この山を根城に雲助山賊の如き荒事を働いていたんでさぁ」

「辰五郎ってのは——その、こちらの、備中屋さんの——」

百介は書きつけた帳面を捲《めく》る。昨夜ここで話された怪談話は凡てこと細かに記しておいたのである。その名は記されていた。

「——慥か番頭さんの名じゃあ」

御行は笑った。

「備中屋——そんな店はねえんで。この親爺はね、事触《ことぶ》れの治平《じへい》という名の——そう、小悪党でさァ」

小悪党に小悪党呼ばわりされたかねえなァ——と、昨夜徳右衛門と名乗った初老の男は言った。口調が違っている。

「こいつだってね、今でこそコンな抹香臭《まっこうくせ》ェ身態《みなり》をしているが、この間までは小股潜《こまたくぐ》りの又市と二つ名を取る名代の嘘吐《つ》き、江戸一番の法螺《ほらふ》吹き男だったんじゃ」

小股潜りとは甘言《かんげん》を弄《ろう》して他人《ひと》を謀《たばか》るというような意味である。

「ど——どういうことです？」

百介は完全に混乱している。何が何だか解らない。

御行——小股潜りの又市——は、複雑な表情で百介を見て、少し戸惑った末にこう言った。

「この辰五郎は丁度十年前、この伍兵ヱ父っつあんの愛娘《まなむすめ》のおりくさんにね、横恋慕をしたンでさァ。だが、おりくさんは祝言が決まっていた。そこでこいつァ、無理にも懸想を遂げようと、こともあろうにおりくさんを婚礼の晩に拐して、この小屋に監禁しちゃァ、七日七晩、陵辱し続けたンだ」

「おりく——そりゃあおぎん殿の姉様——ああ、あなたも」

おぎんは艶めかしく笑った。

「アタシは江戸の生まれで御座ンすよ。見りゃあ解るでしょうに。こンな垢抜《あかぬ》けた田舎モンは居ませんのさ。そう、おりくさんってェのは、こちらの伍兵ヱさんの娘さんなのサね。まあ夕んべお話ししました通りの、そりゃあ綺麗な娘さんだったようですけれどね。山猫ならぬ山犬に咬《か》まれちまッて——」

おぎんが言葉を濁したので又市が先を続けた。

「この小屋で見つかった時にゃあ、おりくさんはもうすっかりいけなくなっていたンだそうでね。言葉も解らず、何も答えず、白無垢《しろむく》のまま——で、おりくさんはそのまま、この小屋を出ずに、ここで亡くなったンですよ」

「それでは昨夜の話は——」

矢張り原典はなかった。

しかしそれは実話でもなかった。

それは実話を巧妙に作り替えた、寓話《ぐうわ》なのであった。

「何と——まあ」

つまり、おりくという娘が山猫に化かされた挙げ句に閉じ籠《こも》った小屋というのは、本当はこの場所この小屋だったということになる。しかもそのおりくは山猫の魔力に誑《たぶら》かされたのではなく、ならず者に攫《さら》われた末に拉《ら》致《ち》監禁されていたというのである。

百介は思わず小屋の中を見渡す。

祝いの晩に奇禍に遭い、辱《はずかし》めを受けた娘は精神に変調を来してこの小屋に立て籠り、食事も摂らずに衰えて死んだのだ。又市は円海の死骸を見つめている。この、ここで死んでいる僧侶こそが——。

「下手人は解らなかったンでさァ。否、この辺の者ァこの辰五郎を下手人と疑ってはいた。でも証拠がねェ。狡賢《ずるがしこ》いこの野郎は、足のつくような下手ァ売らなかったンだ。しかしね」

「しかし？」

「弟である弥助さんが、辰五郎を見ていた——そうでやすね？」

又市の問い掛けに、伍兵ヱは下を向いたまま頷いた。

「弟——ですか。おお、弥助といえば」

架空の大店《おおだな》備中屋の小僧の名である。

「そう。ただ弥助さんは、少しばかりその」

「ああ」

今度は又市が言葉を濁した。

多分、弥助というのは昨日徳右衛門——治平が話したような童だったのであろう。

ならば幾ら目撃していても埒《らち》が明かない。

「この伍兵ヱさんは、なンとしてもおりくさんの仇が討ちたかったんだ。でも弥助さんにはそンな、修羅の道を歩んで欲しくなかッたんでサぁ。そこでね、弥助さんが十八になった五年前に、近くの古寺——円業寺に入れたんですよ」

「円業寺——そりゃあ、あなた」

「そう。この円海——いや、辰五郎の居た寺でさァ」

「それじゃあ——」

治平が円海の亡骸を見下ろすようにして言う。

「昨日儂が話した通りでな。和尚は朴訥で純真な弥助——出家して後は日増《にちぞう》というていたのだが、その日増を豪《えら》く可愛がっておったようだな。小豆の数を当てるてェ話も真実《まこと》だったそうでなあ。その所為《せい》もあって中中重宝もされとったようだ。しかしな、何といっても驚いたのはこの円海——否、辰五郎よゥ」

「何だって——この男はまた寺になんか？」

又市が答えた。

「辰五郎はね、おりくさんが死んじまッたもんで、流石《さすが》に己の仕出かしたことの重大さを知って、罪の意識に苛《さいな》まれたんでしょうよ。それで出家していたンでさァ。まァ、寺をほとぼりが冷めるまでの隠れ蓑《みの》に使ってただけかもしれねえンだが。そこに、目撃者である弥助がやって来た。こりゃあ――いつバレるかと気が気じゃアねェ」

「それで――」

そうサ――とおぎんが言う。

「日増さんはねェ、ここの上流の、鬼の洗濯板のところで小豆を磨いでいるところを何者かに突き落とされて、頭を割って死んじまッたンですよ。本当に哀れな話サ。ねェ又さん」

「おうよ。その岩ってェのは、おりくさんと弥助さん姉弟の幼ェ頃からの遊び場だったんだそうでね。多分辰五郎はその場所でおりくさんを見初めたんだ。そして、同じ場所でね、弥助さんまで殺しちまった――」

オウ、と伍兵ヱは声をあげた。

又市は憂えの籠った視線を伍兵ヱに投げ掛けた。

「この円海という男は、この伍兵ヱ父っつぁんの子をふたりまで殺した男だ。父っつぁんは色色調べて、どうやらそうだと当たりをつけたはいいが、証しがねェ。そこでひと芝居打ったのよ。円海は先日寺の用で江戸に出た。その帰り道、何処かで罠を仕掛けようと、ずっと尾行《つけ》て居たンだが、昨日の雨は――お誂《あつら》え向きだったぜ」

又市はそう言って立ち上がった。

「あの雨はおりくさんと弥助さんが降らせたんじゃろうて」

治平も立ち上がる。おぎんも倣《なら》った。

「それでは昨夜のことは凡てあなた達の――仕掛けた罠で」

ならば何と巧緻《こうち》な罠であろうか。

婚礼の晩に消える。小屋に立て籠って死ぬ。小豆を正確に測る。同宿の者が小豆を磨いでいる最中に殺害する。まるで別の話なのに部品だけは同じだ。様相からして違う話なのに、多分固有名詞を含む細部は全く同一なのだ。

円海は、おりくという名に反応し、弥助という名に震え、辰五郎という名に戦慄《せんりつ》したのだろう。

事情を知らぬ者には一切脈絡がない。

それは下手人以外には知り得ぬ共通項なのである。そして円海はそれら細部の悉《ことごと》くに、いずれも反応したのだ。ならば。すると。

――おのれ、貴様達は何者だ、何の企みだ。

――そうじゃ、拙僧じゃ。この儂じゃッ。

あの乱れよう。あの言葉、あの物腰。

なる程、そうした意味であったのか。

真実、下手人は円海だったのであろう。そうでなければああした態度は執るまい。おぎんが口を開いた。

「まァねえ。偶然を利用したンですけれど。でもこの円海がこの小屋に来るかどうかは賭けだったンですよ。それに、先生も含めて、あんなに大勢が路頭に迷ってるたァ――アタシが伍兵ヱさん連れてここに来た時ゃあ、雨宿りはもう四人も居ましたからねェ。これで又さんがこれを連れて来なけりゃあ、今回は見送りの手筈《てはず》だったのサ」

おぎんは円海の骸を見ている。

又市が言った。

「却説《さて》。どうなさいますか考物の先生。俺達ゃこれで引き揚げる。まァお好きにされるが宜しいか。ただね、円業寺の日顕という坊様は何も御存知ねえんで。だから伍兵ヱ父っつぁんも何かと累が及ぶことを嫌っていたんだが――その」

解っていますよ――と百介は答える。

「凡ては小豆洗いの所為で良いのでしょう」

「そう。小豆磨ごうか人獲って喰おか――」

又市はそう言って優しく手を差し延べて伍兵ヱを立たせた。

それから、川を渡るなら上流に丸木橋がありやすから、そこを行くのが安全ですぜ――と言って、にこやかに笑った。

白蔵主《はくぞうす》

白蔵主《はくぞうす》の事は
狂言《けうげん》にも作《つく》り
よく人《ひと》の知《し》るところなれば
こゝに畧《りやく》しつ

絵本百物語・桃山人夜話／巻第壱・第一

1

甲斐《かい》の国に夢山《ゆめやま》という名の山がある。

紅葉《もみじ》の紅《あか》と松の緑と、影と光と霞《かすみ》と雲と、とりどりの彩《いろ》が渾然一体《こんぜんいったい》となり、山だか夢だか、真《まこと》に朦朧模糊《もうろうもこ》として、仰《あお》ぐ者見る者は、一様に夢夢《くらくら》と彼岸《ひがん》を感得し、分け入る者歩く者は、ただ眩眩《くらくら》とするうちに、生き乍《なが》ら隈路《くまじ》に誘《いざな》われたが如き心持ちになる。昼尚昏《くら》き闇こそないが、其処此処《そこここ》の現世《うつしよ》と幽世《かくりよ》の境が蕩《とろ》けていて、故に夢山と呼ぶのである。

その麓《ふもと》。

樹樹《きぎ》ただ鬱蒼《うっそう》と繁茂する杜《もり》がある。

巨《おお》きなものではない。とはいえ、林と呼ぶには密である。而《しか》して森とするには狭過《せま》ぎる。名を狐杜《きつねのもり》という。中程には小振りな塚があり、何を祀《まつ》ったものであるやら、矢張り小さき祠《ほこら》が建っている。

弥作《やさく》はその塚に腰を下ろしている。

急ぎ旅の途中である。二日間ろくに休まずに歩き通し歩いて、脚《あし》の芯《しん》から丸太棒の如くに固まって、漸《よう》く休んだところである。

道程《みちのり》は残すところ僅《わず》かだから勢いに任せて突っ切ってしまおうかとも思ったが、保《も》たなかった。

杜は湿っていた。

しかし弥作は乾いていた。

かさかさに、燥《かわ》いていた。

却説《さて》喉《のど》でも潤そうかいと竹筒を取り出だし、口に当ててはみたものの、ふと掌《てのひら》が汚れているのに気付き、弥作はまず手拭《てぬぐ》いで両の手を拭った。

汚れは落ちなかった。

ひと度《たび》腰を下ろして仕舞《しま》うと、立ち上がることが大層億劫《おっくう》に思えた。弥作は困憊《こんぱい》していたのだ。臀《しり》の下は草だか土だか、堅いような柔らかいような、じわりと湿った感触で、普段であれば不快な筈のそのひんやりとした感触が、やけに心地良かった。

そして弥作は投げ遣りな気分になる。もう何処《どこ》へも行きたくなかった。ここに居たかった。

弥作は五年前までこの杜に棲《す》んでいた。

――何が。何が、何処で――。

何が何処で違ってしまったか。

――この手で。

あの女を。

視線《まなざし》を上げる。歯朶《しだ》が生《は》えていた。

細かな葉先に草露を蓄えた歯朶である。

葉先が撓《しな》って雫《しずく》が一粒零《こぼ》れた。

干からびた弥作の乾いた眼《まなこ》の奥に、ほんの少しだけ潤いが蘇《よみがえ》る。

——狐公《きつこう》。

叢《くさむら》の蔭に一匹の狐《きつね》がちんまりと佇《たたず》んでいた。

——怨んでいやがるか。

狐は止まっている。その黒き眼は奈落《ならく》に開いた穴の如く、何も映してはいない。当然のことである。最初《はな》から畜生《けだもの》に怨む念などある訳がなく、そう見えたならそれは弥作に疾《やま》しい想いがあるからである。

弥作は狐釣りの名人だった。

餌《え》は熊の脂《あぶら》で烹《に》た鼠《ねずみ》。狐罠《きつねわな》。

それは、面白いように釣れた。

釣っては殺す。釣っては殺す。

喰いもした。だが喰うため釣るのではない。

売るためである。狐は、死ねば銭に化けた。

皮を剝《は》いで市に出せば面白いように売れた。

だから。

この杜の狐は、弥作が粗方《あらかた》獲ってしまった。

雄も牝もなく親も子もなく、この杜の、狐という狐は弥作が殺した。そう思っていた。

狐は暫《しばら》く弥作を視ていた。

正しくは弥作の居る方に鼻先を向けて止まっていた――というべきか。弥作もまた、動きを止め、のみならず息を殺し、皮膚《はだ》をぴんと張って止まっていた。

――あれは。

弥作が杜を離れた五年のうちに、何処からか渡って来た狐か。それとも獲り残した狐の裔《すえ》なのか。

――屠《ほふ》った狐の亡霊かもしれぬ。

畜生に魂などあるものかどうか、弥作はそんなことは知らないけれど。きっとそんなモノはないとも思うのだけれど――。

いずれにしろ弥作は、狐公に忌み嫌われる覚えならあるが、好かれる因縁はない。

狐はまだ弥作を見つめている。

弥作も狐から視線を外せない。

――報《むく》いか。

この有様は、狐を殺した報いか。

――何を気弱な。

だが。

――そうか。この場所か。

弥作は思い出した。
あの時も、弥作はこうして祠を背にして弧座《すわ》っていたのだ。そして、あの坊主は――。
丁度狐の居る辺りに倒れていた。
仰向けに。額からは、どくどくと。
血が。
お願いじゃ。もうお止めくだされ――。
生業《なりわい》が立たぬのは承知しております――。
銭一貫目でその狐罠を売ってくだされ――。
拙僧に出来ることならば、何なりと致す故――。
畜生と雖《いえど》も、親子の情愛は御座《ござ》ろうて――。
殺生の罪は来世の障《さわ》りと相なり申す――。
お願いじゃ。もうお止めくだされ――。
狐を――。
――殺さないで――か。
狐は漆黒の瞳で弥作を視続けている。
否、視ているように弥作には思える。
その瞳に映るのは、弥作の救い難い罪業である。
――殺生。

――親子の情愛。

歯朶の雫が零れた。

音などする筈《はず》もないのに、ぴちゃりという水音が頭の奥で聞こえた。一瞬のことである。

狐は、居なくなっていた。

「旦那《だんな》さん、江戸から来なさったね」

突如。声が響いた。

わあ、と声を上げ、前倒しに突いた手を軸にして半身を返し、声の方向――背後を見る。祠の蔭に何やら白いものが居る。ずくずくと心の臓がわなないて、弥作は両手を地べたに突いたまま身構える。

――狐。

祠の後ろから尖《とが》った耳が覗いた。

すう、と狐の顔が出る。

腰が抜けた。

突然あハハハと脳天を抜くような笑い声がした。

――狐だ。神使《みさきがみ》のお狐か。

――この祠は――もしや。

「アア可笑《おか》しい。こりゃ、なンとも気の弱い――」

弥作は声が出ない。

「――まあ、本当に魂消《たまげ》たてェご面相で御座ンすねェ。やれ、あたしにしちゃァ趣向が下司《げす》だった」

狐の顔がぽとりと落ちた。

――面だ。

それは張り子の狐面だった。

祠堂の横から、今度は女の顔が覗いた。

透《す》けるような白面の細面《ほそおもて》である。

切れ長の、縁がほんのりと赤い眼《まなこ》を下弦《かげん》の月の如き形にし、鮮やかな紅を注《さ》した朱唇《くちびる》を綻《ほころ》ばせて、女は笑っている。

――人か。

弥作は気付かなかったのだが、荒れた祠の丁度真後ろに、女が撓垂《しなだ》れて横座りになっていたらしい。驚かせちまったねェ――そう言い乍《なが》ら、女は身軽に立ち上がり、祠の横手に出でて総身を露《あらわ》にした。

派手な江戸紫《えどむらさき》の着物に、草色の半纏《はんてん》。

切って貼った如く景色に馴染《なじ》んでいない。

近在の者とは思えないし、旅仕度とも思えない。

――ならば矢張り。

ぞっとする。そんな訳はない。狐でも狸でもある訳がない。

禽獣《きんじゅう》が人様を化かすなど、弥作はそんな妄言は信じていない。それでも——。

否、それは。

独り切りだと思うていたに、突如《いきなり》人の声がしたために怯気《びく》りとしただけだ。そうなのだ。

判っても尚、未だ声は出なかった。

「何だい何だい。狐に抓《つま》まれたみたいなご面相じゃないかさ。あたしの顔はそんな怖いかえ」

女はそう言うと、少し滑るようにして塚を下り、一度跳ねるようにして石を跨《また》ぐと、弥作の目の前まで来て止まった。仕草が狐染みている。

「嫌だねェ。真逆《まさか》おまえ様ァ、このあたしを、本当に狐公か何かと思うておいでじゃあるまいね——」

——透けるような白い顔だ。

「——おっと旦那さん、真自《まじ》顔で御座ンすね。幾らここが狐杜だからッて、それじゃあどうにも笑わせる。見下げた肝《きも》の細さじゃないかえ——」

女は再び笑った。

そして愛想良く微笑み乍ら右手を差し延べ、サアサア立っておくんなよゥ——と言った。

弥作は何故か両手を懐に仕舞った。

見られたくなかった。

汚れているからだ。

弥作は取り立てて可笑しくもなかったから付き合い笑いはせず、無言で立ち上がった。

「——まァ、場所が場所だから仕方が御座ンせんよ。気を悪くなさったンなら謝りましょう。ナニね、あたしァ江戸からずっと、おまえ様の少し後ろを歩いていたのさね。別に道連れ気取った訳じゃァないンですけどね、ずっと前に居られちゃァ、急ぎの脚にも見慣れちまうでしょう。後ろ姿を目が覚えちまった。それが山道に差し掛かると何処で如何《どう》はぐれたか、姿が見えないンです。まァ行く先が違ったのさとそう思い、そこの祠の裏で休んでましたらね、見慣れたおまえ様がひょいと現れたって寸法さ」

江戸から——。

真実《ほんとう》か——弥作は訝《いぶか》しむ。弥作は相当に足早だった。果たして女の足で追い越せるものだろうか。

そのご面相ァまだ信用してないッて面で御座ンすねェ——と、女は細長い眉《まゆ》を歪ませた。

「別に獲って喰おうッて了見じゃありませんよ。あたしは御覧の通りの傀儡師《かいらいし》、しがない山猫《やまねこ》廻《まわ》しで御座ンすよ。鬼でも蛇でも御座ンせんよォ」

それはそうだろう。しかし。

——何の魂胆が——もしや。

弥作は一層に訝しむ。慥《たし》かに奉行所や八州回りの手の者ではあるまい。しかし火盗改めの同心は子飼いの手下《てか》に町下の者を召し抱え、密偵にしていると聞く。女だからといって安心は出来ぬ。

——だが。

よもや追手がかかったとも思えなかった。あの女は心中の片割れとして始末されている筈である。弥作を疑う者は誰ひとり居ない筈だ。

あの女——。

——登和《とわ》。

三月追い掛けた。そして。

三日前。

主様《ぬし》は妾《あたし》を——真逆この妾を——。

妾は誰にも、何も言っておりませぬ——。

許して。命だけは。子供が、子供が——。

ずぶり。

血。

人間の血。

手が。手が汚れて。

——厭《いや》だ。厭だ厭だ。

どうしたんです旦那さん——と女が呼んだ。

「尋常な顔色じゃあ御座ンせんよ。おまえ様、江戸から歩き詰めで御座ンしょう。大分疲れておいででしょうに。この寒空にその汗は——」

「否——」

本当に眩暈《めまい》がした。

女が手を差し出す。

「いやじゃア御座ンせんよ。コンなところでこのまんま、行き倒れてお陀仏《だぶつ》じゃあ、こっちの後生が悪ゥ御座ンすよ。野晒《のざら》しンなッちまってから後で怨まれたって、あたしが嫌で御座ンすよ。さアこっちへ」

女は塚の方へ弥作を誘《さそ》った。

誘《いざな》われるままに塚に歩み寄り、女の手を借りて弥作は腰を下ろす。女は放り投げてあった竹筒を拾い、まあ水でもお飲みな——と言って寄越した。

手渡す際に女はおぎんと名乗った。弥作は名乗らなかった。

名乗る義理などなかったからだ。

筒の水は零《こぼ》れてしまっていて、嘗《な》める程しか残っていなかった。放った折りに栓が外れたのだろう。

それでもひと心地はついた。

元元座っていた場所だ。歯朶が見える。

歯朶の向こうに、先程は狐が居たのだ。

弥作は思い直す。何を慌てることがあろうか。

こ奴はたかが旅芸人である。怖れることなどないではないか。何を知っている訳でもあるまいし、何か知っていたところでどうということはないのである。

ならば仮令《たとえ》この女が火盗の犬であったとしても、或《ある》いは強請《ゆす》り集《たか》りの類《たぐい》であったとしても、もしそうならば——。

——殺してしまえば良いのだ。

嫌ですよォ——と、おぎんは言った。

「——そんな及び腰であたしに悪さしようったってそう上手くは行きませんからねェ」

殺意を見透かされたような気がして、弥作は急激に萎《な》えた。

どうもいけない。女の立ち居振る舞いに乗せられて調子が狂ってしまっている。

寧《むし》ろ適当にあしらった方が良いのかもしれぬ。それに——。

——本当に狐だったら。

「モウ、狐じゃあ御座ンせんッてば——」

弥作は息を呑《の》んだ。

心を読まれている。

——これが世にいう悟りの怪か。

ならば——。

おぎんは再び笑った。

「オヤまあ。どうやら図星だったようで御座ンすねェ。どうせまだ疑ってたンでしょうよ。何ですよそのトンマな顔は」

「あ——あんた」

「ハテ——もしやおまえ様、あたしがおまえ様の心中を読み取ったとでも思うていなさるのかえ。嫌ですよォ。あたしは魔物じゃァないって、何遍言えば信じて貰えるンでしょうね」

「しかし——あんたは——」

——これはただの旅の女だ。

相手にするな。気にするな——。

弥作はどんどんと乱れる。目が眩《くら》む。

弥作の動揺した様子を見て取ったのだろう、おぎんは愉快そうに塚に足をかけた。

「旦那もとんだ腰抜けだ。強情を捨て、却説《さて》はと疑う一念も持っていなきゃァ、鬼神と雖もその心持ちを察することなんザ出来ゃしないでしょうよ。況《まし》てやあたしゃア御覧の通りの半端者。おまえ様のご様子から、ヤマを掛けての知ったり振りさ。中《あ》たったとしたッてまぐれ当たりさァね」

おぎんは二歩三歩塚に登る。

弥作は視線で後を追う。

「——殿方相手にして生意気なこと言うようで御座ンすがね、あやかしなンてのは、有りはせぬかと疑う時には必ず顕《あらわ》れるし、ないと思えば決して出ますまい。恐いと思えば古傘《ふるがさ》だって舌出して手招きしましょうし、枯れ木に掛けた古草鞋《ふるわらじ》だって笠の裡《うち》を覗きましょう。世に奇ッ怪と称《とな》えるもンは、全て人が自《みずか》ら呼び寄せるもンなんで御座ンすから、自《おのずか》ら祓《はら》い落とせるものでも御座ンしょうよ——」

それはそうだろう。そんなことは十分に解っている。だが弥作には――嫌という程に――疑う理由《わけ》も怖がる子細《わけ》もあるのである。仕方があるまい。

疑心暗鬼とはこのことである。

そうでしょう――と笑顔で振り向くおぎんのその顔は、やけに人懐こくて、眼にも邪《よこしま》な光りはなかった。それもその筈、凡《すべ》ては先程の狐と同じことである。相手の瞳に何かあやかしが映るなら、それは己の疚しさ故である。この女はそう言っている。

弥作は観念した。

「これは――あんたの言う通りだ。折角気に掛けて貰うたに、すまぬことをした。あんたの言う通り、儂《わし》はあんたを狐かと疑っておった。それもこれも儂が疚しい気持ちを持っていたからだ」

「疚しい――気持ち」

「そうよな。何を隠そう――儂は元猟人《かりゅうど》でな。この辺りの狐公どもは皆儂が殺した。久し振りに通りかかって、親の怨敵《かたき》よ子供の仇《あだ》よと、狐の奴が化けて出たかと、そう思うたのじゃ」

それは真実だ。しかし――。

そいつァ慥かに背徳《うしろめた》いねェ――と女は言った。

「まあねェ。いずれ殺生ってのは後味が良くないものさァね。しかし生業《なりわい》となりゃ話は別で御座ンしょう。猟人が獣獲るのは世の習い。釣られる狐も観念してるで御座ンしょうよ。いちいち化けて出るよな無粋なお狐は居りませんでしょうに」

「そうかもしれぬ。まあ、儂が臆病なのだろうよ」

いけねぇな——と弥作は己を哂《あざわら》った。

情け容赦なく。

殺した。

何人も。

「否、そうじゃあねぇなぁ」

——何が臆病なものか。

肚《はら》の底で弥作は再び己を嘲《あざけ》り笑う。

「儂はその昔——狐の生皮を剝ぐ時に、哀れじゃなどと思うたことはただの一度もなかったわい。これで幾価《いくら》じゃ、やれ儲かったと、そう思うておった。親狐子狐、情け容赦なく釣っちゃア殺し、釣っちゃア殺ししていたもンでなア。だから臆病というより——非道が過ぎたということなんじゃろうな」

非道が——過ぎた。

「でも辞めちまったンだろ」

おぎんは祠《ほこら》を見上げて尋《き》いた。

「哀れだと思うたから辞めたんじゃアないのかえ。可哀想だと思うたから止《よ》したんだ。そうなんだろ」

——そうじゃあねェ。

「何のこたアねェ。儂の乱獲を見咎《みとが》めた、さる御坊に戒められてな。殺生の罪は来世の障りとなると、そう申されて——まあ、その気になった——」

——嘘だ。

それは嘘だ。弥作はそんな殊勝な男ではない。

それは弥作自身が一番善《よ》く知っている。

猟師を辞めたのは——それは。

——坊主。

普賢《ふげん》和尚。

お願いじゃ。もうお止めくだされ——。

生業が立たぬのは承知しております——。

畜生と雖も、親子の情愛は御座ろうて——。

拙僧に出来ることならば、何なりと致す故——。

狐を——。

「——滔滔《とうとう》と説かれてな。言われてみりゃあ非道だったと——まあそう思うた。言われなくちゃァ気がつかねえような男だった」

「言われて解りゃ上等サ」

「そうかもしれねェがな」

——解っちゃいねェ。何にも解っちゃいねえ。

「だから狐は——一寸《ちよいと》な」

いいかえ旦那ァ——と改まって言って、おぎんはその白い顔を弥作に向けた。

「——獣てエものは隙を狙うもの。隙のない者に魔が差すこたァないンで御座ンすよ。そんな隙を見せちゃァ、ホントに化かされ兼ねないよゥ」

「そうかもしれねェが」

ご用心なさいな——そう言ってからおぎんは腰の印籠《いんろう》より丸薬を取り出だして弥作の手に摑ませた。

「これはね、精のつく薬さ。こいつを飲んで、少し休んでからお発《た》ちなさいな。何処まで行くのか知りませんけどね。そうすりゃ少しは」

「これは——何とも——何、儂はその、儂を諭《さと》した御坊の御座る、この夢山のすぐ裏手の寺まで行くだけだ。道行きは残り僅かな——」

「裏手の寺ってなァ宝塔寺《ほうとうじ》かい？」

そりゃいけないよォ旦那さん——と、おぎんはひと際通る声でそう言った。

「ほ、宝塔寺に——何か」

「今、宝塔寺の辺りは大騒ぎサ。代官所だか何だかが大勢出張ってて、とても行けたもんじゃァないってサ」

——代官所。

「何だって——代官所が」

「捕物だッてさァ」

「捕物とは——何の」

「何のって、そりゃあ悪党だよォ。盗賊だか山賊だか——この辺を通る旅人を取っ捕まえちゃ身包《みぐる》み剝いで、それで殺して——追剝《おいはぎ》より質《たち》が悪い奴サ」

——殺して。

「そ——それが宝塔寺の——ふ」

普賢和尚。

——ぬかったか。

殺す前に——登和が口を割っていたのか。

どうしたのサ、大丈夫かえ——とおぎんは眉根《まゆね》を寄せる。

労《ねぎら》う声が遠くなる。

普賢和尚。あの男が。

あの、あの男が。捕まったのか——。

「何故——」

「何故って——おかしなことを尋く人だねェ。何でも五年ばかり前まで江戸大坂《おおざか》を荒らし回ってた茶枳尼《だきに》の伊蔵《いぞう》とかいう盗賊の頭目が、そのお寺にいたんだとかいう話サね。オオ、桑原桑《くわばらくわ》原《ばら》。まだ手下が捕まってないっていうし、近づかない方が身のためサ」

——茶枳尼の伊蔵。

まだまだ俺の運も地に落ちちゃいねェなぁ――。

こりゃいいものを見させて貰ったぜ――。

却説《さて》どうしたものかのう――。

役に立って貰おうか――。

狐と同じよ――。

おい猟師――。

猟師――。

「どうしたのサ。旦那さん。ホラ、薬を――」

口に含む。

苦い。

弥作は夢夢《くらくら》と夢山の夢に飲まれて、狐杜の祠の前で、露に濡れた歯朶に囲まれ、静かに己を失った。

2

気がつくと板間に寝ていた。

眼を開けると太い、真っ黒い梁《はり》が、のったりと、煤《すす》けた微昏《うすぐら》い天井に浮かんでいた。どこもかしこも煤けている。ぼうと煤けて、霞《かす》んでいる。

己の眼にも、霞がかかったようだった。

横を向く。黒光りした床が続いている。

どうやら百姓家のようだった。

男が弧座《すわ》っている。

おや気がついた——とその男が言った。

弥作は身を起こし二度三度頭を振る。

首の付け根から頭の芯の方に向けて刺すような痛みが走る。

まだ起きちゃいけませんよ——男はそう言って弥作の肩に手を掛ける。若い男である。田舎者ではあるまい。侍ではないが身態《みなり》はきちんとしていた。

弥作は躰《からだ》を返して、俯伏《うつぶ》せになった。

治平《じへい》さん治平さん、お水を持ってきて下されと、男は大きな声を出した。

その声が耳から侵入《はい》って頭を掻《か》き回した。酷《ひど》い頭痛《あたまやみ》である。そのうち、小柄な老人が茶碗《ちゃわん》を持って這入《はい》って来た。ほれ水じゃ――と茶碗を差し出す。欠けた粗末な器である。

――あの女。

おぎんか。おぎんは。

茶碗を受け取る。

「気分は如何《いかが》かな」

老人が言った。

「儂は――」

口を開いたものの上手く喋《しゃべ》れなかった。顎《あご》を動かすと耳の付け根が攣《つ》るように痛かった。水を口に含み、顔を顰《しか》めて嚥下《のみくだ》して、弥作は突っ伏した。

半刻《はんとき》はそうしていた。

若い男と老人は、ずっと顔を伏せた弥作の傍《かたわ》らに弧座《すわ》っていたようだった。

――ここは何処だ。

やおら顔を起こして弥作は尋いた。

俺《おら》の家だと老人が言った。若い男が続けた。

「あなたは狐杜の白蔵主《はくぞうす》神社の前に倒れていたのですよ。そこを私が偶偶《たまたま》通り掛かって」

「偶偶――」

偶偶通る場所とも思えない。

弥作は何も言わなかったのだが、多分かなり怪訝《けげん》な顔をしたのだろう。若い男は独り合点で弁明をし始めた。

「否、私は怪しい者じゃないのです。私は江戸は京橋の山岡百介《やまおかももすけ》という者ですが——と、いっても御存じあるまいなあ。まあ駆け出しの草双紙書きとでも思うてくだされ。今でこそ子供の手慰《てなぐさ》み、考物《かんがえもの》など作っております故、考物の百介などと呼ばれておりますがね。まあそのうちいずれは——」

「百物語かね」

横の老人が揶《から》かうような口調で言った。

「そんなモノぁすぐに廃《すた》れるわい。お前さんが一人前になる頃ァ、もう流行《はや》っちゃァいねェだろうて」

百介は露骨に嫌な顔をした。

「治平さんはそう仰《おつしや》るが、いつの世にも怪談噺《ばなし》はあるもンだ。こればッかりはなくなりませぬぞ。私なんぞは怪談こそが読み本語物《かたりもの》の王道だと考えておる程です。で——ああ、その——そんな訳で私は、諸国を行脚《あんぎゃ》して、まじない迷信、怪しき噂《うわさ》珍しき話を蒐集《しゅうしゅう》しておるのですよ。それでその——狐杜の古い祠にも足をば伸ばした、と——」

「昔の話じゃわい。今更行って何とする」

小柄な老人はすぐに茶茶を入れる。

「何とする――となァ。お蔭でこの人を見つけた」

「それもお狐様のお導きじゃと言いてェか。馬鹿にしておる。あの杜の言い伝えてなァこの治平が生まれる前のこったわい」

――杜の言い伝え。

弥作は知らなかった。

弥作は元元上州の生まれである。

甲州に流れて来たのは十年ばかり前のことだ。だから昔の話は知らぬ。狐杜に棲《す》み着いた頃にはもうあの堂は朽ちていたし、参る者も居なかった。ただ狐だけはうじゃうじゃと居た。

「それは――」

「おお。すまぬ。で――」

「いや、そうじゃねェ。儂は」

お前さん猟師だろ――治平と呼ばれた老人が素っ気なく言った。

「憔か四五年前まであの杜に小屋を建てて棲んでおったな。いつの間にか居らんようになってしもうたようだが――お蔭で最近狐が増えて迷惑しておる」

「儂を――知っていなさるか」

弥作がそう問うと老人は口を尖《とが》らせて、知らいでか――と言った。そして弥作の手から茶碗を取り返して、俺《おら》ァもう五十年からこの土地に棲んでおるんだ――と結んだ。

そう言われても弥作には見覚えのない顔だった。

尤《もっと》も土地の者との付き合いは殆《ほとん》どなかったのだが。

「あの杜の——あの祠はいったい」

弥作が尋ね終わる前に、治平は無愛想《ぶあいそ》に答えた。

「そりゃお狐様を祀っておるのよ」

「狐——を」

知らなかった。

——ならばあの女は。

「ではありゃあ稲荷《いなり》の社——」

違う違う、と言って治平は手を振った。

「あの塚はなァ、白蔵主というて、齢《とし》を重ね古狐の墓なのだそうじゃ。あの杜の主《ぬし》じゃな。あそこに狐が多く居るのもそのご加護のお蔭なのだそうじゃ。だからあの杜で狐釣るなァ、本来はご法度《はっと》よ」

「そんな——」

弥作はその杜で狐を獲り続けていたのだ。

祠の前でも何匹も狐を殺した。

——罰当たり——か。

治平はしょぼくれた眼で弥作を注視《みつめ》ている。

「怖《こえ》ェか」

「——え」

「怖ェかよ。狐杜のこたァ、お前さん知らなんだのじゃろうて。知らいで狐獲っておったのじゃろう。白蔵主の祟《たた》りやら怨みやら——」

——そんなものは。

そんなものは怖くはない。ただ。

「お前さん、何であんなところに寝ていた」

「それは——」

「化かされたんじゃァねェのかね」

——化かされた。

あの女——おぎんは——。

矢張り——いや、しかし。

——そんな馬鹿な。

「お、女が——」

「白蔵主ってなァ実は牝だ。牝狐《めぎつね》よゥ」

——牝狐。

じゃあ、あの女が——。

「で、でも、儂は——」

治平は急に、底が抜けた如くに笑った。

「お前さんも肝の細《こま》けェ猟人だなぁ。なアに、心配ご無用だわい。畜生は畜生だ。人に祟るかよ。あんなモノに誑《たぶら》かされるのは精精《せいぜい》臆病な女子供か、余程の愚者《おろかもの》じゃ。五常《ごじょう》の道を知る者ならば狐狸の類は手出しは出来ぬ」

五常の道。

仁。義。礼。智。信。

——儂にはあるか。

「それに何度も言うがな、白蔵主の話ァ大昔の話じゃわい。この百介は何でもかんでも真《ま》に受ける粗忽《そこつ》者の腰抜けだが、俺ァ違うぞ。この夢山の麓《ふもと》に五十年棲んでおるがな、化かされたことなどただの一度もないわい。大体あの狐どもァ畑ェ荒らしよるからな。お前さんが来て、貴奴らを皆殺しにしてくれたお蔭で、俺ァ随分と助かった」

——皆殺し。

弥作は痙攣《けいれん》を起こしたように自《おの》が掌を確認した。

——汚ェ。

泥と、枯れ草と、汗と——血。

「矢張り儂ァ、化かされたのかも——しれやせん」

弥作はそう言った。それを聞くと治平は困ったような顔をした。当然だろうと思う。弥作とて今日の今日まで狐が化かすなどという馬鹿げた話を真に受けるような男ではなかったから、これが人ごとだったら同じような顔をしていただろう。

「――へえ。まあ儂だって狐が化かすたァ思わねえです。ただ儂ァ、治平さんとやらの仰《おお》せの通り、五年前《めえ》まであの杜で、狐を釣っちゃァ生皮剝いでた男だ。ですからね、そう、今のお言葉ァ借りるなら、儂には五常が欠けていた。だからあそこで、あの杜で、昼間ッから夢幻を見たんでしょうよ。凡ては儂の――」

「まあ待ちないィ」

治平が止めた。

「お前さんがどんな目に遭うたかァ知らねエがな。そう何でも彼《か》でも夢よ幻よと決めつけちゃァ目も曇ろうぞ。その女だってもしや生身で、何か魂胆でもあったかもしれんじゃろう。追剝とかな――」

――追剝。

代官所の手入れ。お頭《かしら》――。

「そう、あの――宝塔寺――」

「宝塔寺――宝塔寺が何じゃ」

「いや――その」

「あなた、宝塔寺と縁がおありなさるか」

百介が驚いたように眼《まなこ》を丸くして問うた。問われても、真実《ほんとう》のことなど言えぬ。だから弥作は答えを濁し、逆に尋ねた。宝塔寺がどうしたというのか。

「いやあ、ですからその、白蔵主ですよ」

「狐——が何か」

「オウ。その古狐がな、宝塔寺の坊さんに化けて五十年から住職を勤めたという法螺《ほら》じゃよ。そんな馬鹿な話ァねえじゃろうが、まあ昔昔の夜語りじゃ」

「狐が——宝塔寺の住職に——なりすまして」

坊主なら安全よ——。

「そ、それは——」

だから昔話じゃ——と治平は顔を歪めた。

ご興味がおありかな——と百介が尋いた。

「まあ——それは」

——どうなっている。何故宝塔寺が。

そんな昔話聞いても詮ないぞ——と治平は憎らしそうに言った。百介は苦笑した。

「この治平さんは作り話と簡単に小馬鹿にするが、まあ諸国を巡り歩けば類似の説話は沢山ある訳ですし」

「だから余計に嘘なんじゃろう」

「すぐ腰を折る。では掻《か》い抓《つま》んでお話ししますとね、その昔——どのくらい昔なのかは明確に伝わっていないのですが、まあ治平さんの生まれる前だそうだから、五十年百年前のことでしような。あの杜に、矢張り猟師が居た。それが狐を獲る」

「猟師なんだから当たり前じゃ」

「まあまあ。で、その猟人も、あなたと同じようにその、まあ乱獲をした。それで、杜の主《ぬし》、齢経《としふ》りし古狐の生んだ多くの子狐を、悉《ことごと》く獲ってしまったというんですな。古狐は大いに悲しんで、それで宝塔寺の住職に化けて、猟師の許に赴いた——と」

「何故——その宝塔寺の」

「宝塔寺の住職、これは猟師の叔父《おじ》だった。この僧がそもそも白蔵主という名だったらしいのですが」

「ああ——」

「その白蔵主に化けた狐は猟師に会うと、何処からくすねて来たものか僅かばかりの銭を与え殺生を戒めたのだそうですな。殺生の罪業は来世で其方《そのほう》を苛《さいな》むであろう、と説教をした——」

お願いじゃ。もうお止めくだされ——。

銭一貫目でその狐罠を売ってくだされ——。

畜生と雖も、親子の情愛は御座ろうて——。

殺生の罪は来世の障りと相なり申す——。

狐を——。

——あの御坊は——。

普賢和尚。真逆、あの御坊も。

そんな馬鹿なそんな馬鹿なそんな馬鹿な。

弥作は背筋が冷える。

「しかし猟師も狐釣りを止して仕舞っては生計《たずき》が成り立たぬ。貰った銭などすぐに尽きてしまった。そこで宝塔寺に出向き、叔父の白蔵主に会って、再び狐を獲る許可を得るか、さもなくばより多くの銭をせしめようと思い至った。狐は困った訳です」

百介はそこで懐から帳面を出して眺めた。

「そこで古狐は、宝塔寺に先回りをして本物の白蔵主を謀《たばか》り誘《おび》き出して——喰い殺してしまった」

「浅ましい——」

畜生のすることじゃわい——と治平は面白くなさそうに言った。しかし浅ましいというならば、それは猟師の方である。猟師の方が遥《はる》かに多くの命を奪っている。否、何より浅ましいのは——。

——儂じゃ。

百介は帳面を捲《めく》った。

「狐は再び白蔵主に化けて猟師を追い返し、その後五十年間、宝塔寺の住職として暮らしたという訳です。五十年の後、倍見《へみ》の牧《まき》で鹿狩りが行われ、それを見物に行った際に、ええと——佐原藤九郎《さわらとうくろう》という郷士の飼い犬である鬼武《おにたけ》、鬼次《おにつぐ》の二匹に正体を見破られ、喰い殺されたと伝えられる。白銀の針の如き剛毛に覆われた、真っ白い老狐だったといいます」

「真っ白な——」

——あの女。山猫廻し。

「その骸《むくろ》を埋めたのがあなたの居たあの塚なんだそうで。白蔵主は祀り上げられて杜の鎮守となった。それ以来あの杜で狐を獲る者はいなくなった——」

「お前さんが来るまではな」

治平は嗄《しわが》れた声でそう結んだ。

狐を獲ってはならぬ杜——。

狐の数が多かった道理である。弥作はだからこそあの杜に棲み着いたようなものなのだ。

百介が再び帳面を捲り、続けた。

「爾来《じらい》、狐が法師に化けるのを白蔵主といい、狐の如き愚かな振る舞いをする法師のこともまた白蔵主と呼ぶと——私はそう聞いている。能狂言の『釣狐』はこの話が元になっているという説もある」

弥作はかなり混乱している。否、錯乱といってもいい。

水で少少潤った喉を震わせて漸く声を出す。

「そ、その話は——」

出来過ぎている。その昔話の猟師はまるで弥作にそっくりだ。

それが昔から伝わる話なら——弥作の半生などないに等しい。

昔話をなぞったような人生など、笑わせるではないか。

「——真実《まこと》か」

百介がまた帳面を捲る。

「はあ。どこまで実話かは、勿論《もちろん》確認出来ぬのですが——ただ宝塔寺にもこの話は伝わっておるのですよ。事実あの塚と祠は十年ばかり前までは宝塔寺が管理していた。私はお亡くなりになったご住職にもお会いして、お話をお伺いしたが——」

「なんですと」

——この男は伊蔵に。

「あんた、あ、あの住職に——会ったのか」

百介は狼狽《ろうばい》した弥作の顔を不思議そうに見た。

「会いましたよ。もう少し遅ければ、間に合わぬところでしたけれど——」

「間に合わぬ——とは」

——代官所の——手入れか。

「間に合ったてェなら、いつ、いつお会いに」

「はあ、十日ばかり前ですが。この治平さんの家にご厄介になってすぐでしたから——」

——十日前。

「で——それで、それで何を」

「はい。何でも、何代か前に白蔵という名のお坊様は実際にいらしたんだそうで、寺伝にも記されているのだそうですね。その御坊は片足の狐を可愛《かわい》がっていたのだそうで、それがその話の元ではないのかと、そう仰っていましたが」

「そうじゃァなくッて、その——」

百介は一層不可解な顔になった。

「はあ、この独脚の狐というのはですね、唐国《からくに》に類似の伝承が残っていましてね。片足で博学の老狸が――こちらは狸なのですが」

「そうじゃァねェ」

心の臓が脈打った。

「いや、すまねェ。そ――そうじゃねェんで。儂の尋いておりますのは――その」

ああ、と百介は手を打った。

「お尋ねは宝塔寺のことですか。あのお寺は、その昔は栄えていたようですが、御存知かどうか、今はご住職が独りいらっしゃるだけで――まあ寂《さび》れておりました。ご住職はええと、慥か白玄様《はくげん》――通称普賢和尚、普賢菩薩《ぼさつ》の生まれ変わりとまでいわれたお方ですが――はあ、もしやお知り合いで」

弥作は下を向いて、まあ――と答えた。百介はやや神妙な顔つきになった。

「いやァ、私がお話をお伺いに参った折には、ま、矍鑠《かくしやく》としてお元気でいらしたのに、真逆、あんなことになろうとは――ねえ、治平さん」

治平はつまらなさそうに頷《うなず》いて、脇に置いてあった鉄瓶から先程の茶碗に水を注いだ。

「あんなこととは――手入れですか」

「はあ？」

百介は口を開けた。

「捕まったンでやしょう。和尚は」

「亡くなったんですよ」

「死罪――いや、その場で――手打ち」

「はあ。どうも話が嚙み合わないなァ」

百介は頭を搔いた。

「私はですね、その唐土《もろこし》の伝説と宝塔寺の話が善く似ているものでね、是非詳しく知りたいと申し上げたんです。何でも文書が残っているとかいうことなので、閲覧《えつらん》を願い出た。和尚さんは快く承知して下さって、経蔵《きょうぞう》か庫裏《くり》か、探しておくからと」

「あの――和尚が」

――そんな馬鹿な。

「和尚さん三日後においで、と申されて。それから三日経って――ですから、そう、丁度六日前ですか。行きましたらね、呼べど叫べど出て来ない。這入《はい》ってみれば、本堂で――亡くなっていた」

「六日前――」

「はい。私はもう、吃驚《びっくり》したの驚いたの、こけつ転《まろ》びつ大急ぎでこちらに馳《は》せ戻り、治平さんに頼んで近在の村の衆に報せて貰うて」

「本山が何処だか宗旨が何だかもよう知らんのでなあ。葬式も難儀じゃったわい。まあ隣村の寺から坊さん呼んで来て形ばかりはなア」

――伊蔵が死んだ。

否、そんな筈はない。昨日か今日か、代官所が手入れに入ってそれは大変だと――。

――儂は。

「儂はいったい――」

儂はいったい何日寝ていたのだ――喉がからからに乾いて声が嗄れた。

「どうしなすった。酷ェ青ッ面じゃ」

治平が背を摩《さす》り、茶碗を差し出す。弥作はそれを一気に飲み干して、それからあの女――山猫廻しのおぎん――の話したことをふたりに告げた。

「あ――あの寺には、盗賊の頭がいて――」

寺てぇなァ良い隠《かく》れ蓑《みの》にならァ――。

「この夢山辺りを通る旅人を――」

追剝より質が悪いッて――。

「捕らえては殺し――」

殺して――。

治平は半ば呆《あき》れたように、そりゃあお前さん本当に化かされたンじゃなァ――と言った。そんな女ァ居る訳がねェやな、そりゃ狐だ――治平の言葉が遠くで聞こえている。何を言いやがる、お前達ふたりこそ狐なんじゃやねェのか、そうでねェとは。

そして弥作は――ゆっくりと気を失った。

3

りん。
鈴《りん》の音が聞こえたような気がした。
薄く眼を開ける。白い。黒い。明瞭《はっきり》しない。
梁がない。天井が抜けて。空——空か。
どうした。ここは。柔らかい湿った。
首を曲げる。あの老人は。若者は。
湿った土の。アア湿った臭いが。
緑色。白。光。歯朶《しだ》と——雫。
「弥作。弥作——」
誰かが弥作を呼んでいる。ああ、御坊。
歯朶の向こうに僧侶が居るようだ。
御坊は狐だったのですね。
しかし儂は御坊を殺してしまった。

狐みてェに、槌《つち》で殴り殺してしまった。

「弥作。弥作」

——違う。

弥作は覚醒《かくせい》した。

塚だ。ここは狐杜の塚だ。

あれは普賢和尚じゃない。

「お頭——」

飛び起きる。歯朶の向こうの叢《くさむら》の蔭に、法衣を纏《まと》い錫丈《しやくじよう》を持った大柄な老人が立っていた。

荼枳尼《だきに》の伊蔵である。

「逃げたかと——思うておった」

「お頭、お頭は」

儂は何故ここにいる。

「登和は——殺《や》ったか」

——登和。登和は。

「こ——殺しました」

本当かッ——胴間声《どうまごえ》が杜に響いた。

——儂は何故——ここに居るのだ。

「ほ、本当でごぜェやす。儂が——」

「——俺の目は節穴じゃァねェんだぞ。おい弥作。人釣り弥作と二ツ名をとったてめェが、高女ひとり殺るのに三月もかかる訳がねェだろう——」

伊蔵はじゃらじゃらと錫丈を鳴らし乍ら弥作に近付いた。木洩《こも》れ日がゆらゆらと斑《まだら》になって顔に降りかかり、その面相はゆらゆらとして一向に明瞭《はっきり》しない。ただ、それが伊蔵であることは、それでも間違いなかった。否、間違いないように思えた。

「居所が——知れなかったンで」

「示し合わせてたンじゃァなかったのかい。落ち合ってとんずら決め込むつもりだったんじゃねエのかよう」

「め——滅相《めっそう》もねェ。儂は現にこうして」

「フン——登和はてめェの子を宿しておったのだろう。それをてめェ——その手で殺したッてエのかい——」

主様《ぬし》は妾《あたし》を——真逆この妾を——。

妾は誰にも、何も言っておりませぬ——。

許して。命だけは。子供が、子供が——。

ずぶり。

「殺しやした」

儂が、儂がこの手で。

「狐を——殺すようにか」

「狐を殺すようにでやす」

「何故」

「言い付け通り」

伊蔵は大声で笑った。蔑《さげす》むように、腹の底から笑った。弥作は手で土を摑《つか》み、凝乎《じっ》として笑い声を遣り過ごした。

「ふん。先程な、韋駄天《いだてん》の政から早飛脚の報せがあったわ。品川の宿で心中者が上がった。女の方は間違ェねえ、登和だったと——な」

「矢張り儂に——見張りを——」

てめェなんかを信用するかよッ——と怒鳴ると、伊蔵は錫丈で弥作を打った。

弥作は塚から転げ落ちる。

「儂は、儂はお頭の言い付けを守って——」

当たり前だッ——伊蔵は弥作を蹴りつけた。

「儂は——儂はこの手で自分の子まで殺したンだ。この手で——」

掌を見る。汚れている。泥と、枯れ草と。

血——。

この血は我が子の血だ。

「ふふふ、だからよ。何で殺したかと尋いている」

「お頭が——申し付けたんじゃ」

「それが了見違《りようけんちげ》ェだって言ってるんだ」

　弥作は腹を強く蹴りつけられて丸くなった。

「てめェが登和ァ始末するなァ当たり前《めえ》のことなんだ。俺が言い付けなくッたってよ。おい弥作——てめェ、頭の女と出来てよ、それで命があるだけマシだと思わねえのか。おい。本来ならな、てめェの命ァねえところなんだぞ。俺の女と出来ただけじゃねえ。引き込み先から女ァずらからせて、仕事も駄目にしやがった。それでのうのうと俺のところに来て足洗うなンて巫《ふ》山戯《ざけ》たこと抜かしやがってよ。餓鬼が出来ましただァ。笑わせるンじゃねえよ」

　弥作は絞り出すように声を出す。

「そりゃァ——お——かしら」

「何でェその目は。そりゃあ登和は元はてめェの女だろうよ。だが、それはてめェが堅気だった頃のことだろうが。てめェ五年前、ここでどういう肚《はら》の括《くく》り方ァした。てめェは俺に魂売ったんだ」

　錫丈が振り上げられる。

「お——女売った覚えはねェ」

　馬ッ鹿野郎——鉄の棒が背に打ち下ろされる。

　ぐう、と息が洩れる。口の中が苦い汁で満ちる。

「畜生仕事ばかりの外道盗賊が堅気の女と所帯持てる訳がねェじゃあねえか。俺はこう言った筈だぜ。この商売に情けは邪魔だ、女たァ切れろ——」

言ったろう、言ったじゃねえかと、伊蔵は幾度も弥作を打ち据えた。

「で――でやすから、儂ァ登和たァ別れたんだ。それが――お頭が、と――登和を引き入れ役に使うてるなンて――儂は知らなんだ。聞いちゃアいねェ」

「いちいちてめェにご注進する謂《いわ》れァねェんだよ。何様だと思って居やがるか。ありゃアな、向こうから言って来たンだよ。お頭の女にしてくだせェ――ッてな。何でもするから使ってお くれとこう言いやがった。だから使ってやったまでのことよ。それがどうだ。可《お》ッ笑《か》しいじゃねぇか。てめェ等、焼けぼっくいに火が点《つ》いたのかよ。笑わせらァ。何が足ィ洗いてェだこの木偶《でく》の坊が――」

顎《あご》を蹴り上げられて弥作は仰向けになった。

歯朶の露が綺羅綺羅《きらきら》と光っていた。

息が苦しい。

――こいつは。

夢じゃないのか。

そういえば何だか、辺りがゆらゆらしている気がする。木洩れ日か。樹樹が揺れて、夕日が揺れて。

否――。

百介は言っていた。

宝塔寺の住職は六日前に死んだ――と。

否——。

あれは夢だ。でも。

おぎんは言っていた。

宝塔寺に代官所の手入れがあった——と。

それも夢か。否——。

そもそも、五年前のあの出来事が夢だったのではなかったのか。普賢和尚など居なかったのだ。

あれは狐だ。ならば——。

あれが夢ならこれも夢だ。

皆、狐の見せる幻覚だ。

弥作は懐に手を入れる。

そもそも、伊蔵は何故、たったひとりでこんなところに居るのだ。あの用心深い伊蔵が護衛の手下も連れずに狐杜などに来るというのはおかしい。

弥作は顔を向ける。

空を背負っている伊蔵の面相は、陰になっていて善く見えぬ。これは——。

——これは。

そもそもこれはあの五年前と全く同じ光景ではないか。

弥作は、矢張りここで、こうして——。

否——そもそもこれは。
言い伝えと同じなのか。
これは凡てまやかしなんだ。
儂を戒めるために狐が——。
——伊蔵は死んでいるんだ。
今、罵《ののし》りながら蹴りつけているのは狐だ。
凡てがまやかしだ。狐が化けているのだ。
弥作は懐の中で己の得物を握る。
もう手にすっかり馴染んでいる得物だ。
弥作の獲った狐の生皮が高く売れた理由。
それは皮に傷のないこと——。
鉄砲傷も刀傷もない。熊脂で烹《に》た鼠《ねずみ》を餌《えさ》に——。
生け捕った狐は、皆この槌《つち》で——。
弥作は躰を丸めて飛び起きる。地べたを回転するように相手の懐に飛び込んで、
怯《ひる》んだ隙に。
眉間《みけん》に一撃。
——ああ。あの日と同じだ。
血。

僧形の男は仰向けにゆっくりと倒れて行く。

法衣がふわりと風を受けて膨らむ。

がしゃん、と錫丈が投げ出される。

わさりと音がして、墨染の布が広がった。

弥作はそのまま後ずさりして、塚に行き着くと、斜面にぺたり、と座った。

──全く同じだ。

坊主は額から血を流して仰向けに倒れている。

手前には歯朶が光っている。

この情景から凡ては始まったのだ。

五年前。

前触れもなく訪れた坊主が、卑屈なまでに頭を下げて、狐を殺さないでくれと頼んだのだった。坊主は命の貴さを説き、殺生の罪深さを語った。弥作は聞く耳を持たなかった。弥作は銭が欲しかったからだ。登和と──所帯を持つつもりだった。

そう言うと坊主は僅かな銭を出した。

何でもすると言った。しかし、そんな端金《はしたがね》では埒《らち》が明かぬと弥作は突っ撥《ば》ねた。だが坊主は執拗《しつこ》かった。振り払っても振り払っても追い縋《すが》って来た。

そして、最後は錫丈を振り上げた。

喝《かつ》ッ。そう言った。

反射的に。
弥作は槌で坊主を打ち殺していた。
同じ光景である。
そして――その時。
背後の、祠の蔭から出て来たのが伊蔵だった。
こりゃいいものを見させて貰ったぜ――。
却説《さて》どうしたものかのう――。
役に立って貰おうか――。
狐と同じよ――。
おい猟師――。
猟師――。
りん。
鈴の音。
弥作は振り向いた。
――狐。
祠の後ろから尖った耳が覗いた。
そんな訳はない。
「だ、誰だッ」

荒れた祠の真後ろ。

すう、と白いモノが立ち上がる。

「何者だッ――」

尖った耳。長い尾。白い顔。

「き――狐かッ」

勿論――それは錯覚だった。行者包《ぎようじやづつ》みの木綿の結び目が畜生の耳に見えただけだ。後ろに垂れ下がった帯の先が尻尾に見えただけだ。つるりとした男の白面が狐面に見えただけだ。それだけのことだ。

それは――白装束の男だった。

胸に大きな偈箱《げばこ》を戴いている。

――人の振りをしおって。もう騙《だま》されぬ。

弥作は槌を構える。

「貴様――狐ッ。狐だなッ！」

男は何やら悲しそうな眼差しで、弥作と、そして多分弥作越しの骸を眺めた。

「殺しちまったか――」

「オウ。殺したサ。殺したがどうした！　儂ァ猟人だ。狐殺すのに躊躇《ためら》いはねェぞ。かかって来るか」

この狐めッ――弥作は前に出た。

「おッと待ちナい。奴《やつがれ》はこれこの通り、魔除け厄除け方位除け、お札まじものを撒《ま》き歩く、諸国行脚《あんぎや》の御行乞食《おんぎようこじき》で御座居やすよ。あやかしもののけの類ならこんなモノは持ちゃしねェでしように」

男は胸に提《さ》げた偈箱から、護符を何枚か出して放った。ひらひらと紙は舞って、幾枚かが弥作の足下に落ちた。

弥作はそれを踏み躙《にじ》った。

「煩瑣《うるせ》ェ！　もう騙されねェぞ」

弥作は吠《ほ》えた。

「貴様ァ狐に違いねェ。貴様だけじゃねェ。あの女もあの爺ィもあの若ェ男も、否、その伊蔵も、あの坊主も――全部狐だな。みんなまやかしだな。そうだ。儂は化かされていたンだ。五年なンて歳月《としつき》は経っちゃいねェんだろ。全部嘘だろ。畜生にしちゃァ上等だ。手の込んだ真似してくれるじゃねェか！」

弥作は槌を振り上げた。

男――白狐は動じない。

「流石《さすが》は――人釣りの弥作さんだ。中中の身の熟《こな》しでやすねえ。だが奴《やつがれ》を殺《や》れますかい」

「けッ。いい度胸だ。解った。もう解った。貴様達の気持ちゃァ解ったぜ。子供殺されちゃァかなわねえよなァ。畜生でもよう。子供――」

涙が。

「儂ァ子供ォ殺したよ。貴様らの。許してくれ——たァ言わねェやい。儂はもう何匹も殺しちまったんだ。しかし、もう殺生は止める。だから術を解け。今すぐ解け。儂は——この地を離れて、登和と暮らす」

もう沢山だ。夢だろうが幻だろうが、人殺しはもう嫌だ。嫌だ嫌だ。弥作は疲れている。早く日常に戻りたいのだ。だが——白装束は胸に染みるようなやけに落ち着いた声で明瞭《はっきり》と言った。

「登和さんは——もう居りやせんよ」

この狐、まだ田舎芝居を続けるか。

「黙れッ。騙されねえと言ったろう」

「騙しちゃアいねェ。登和さんは」

「もう——解った。茶番は止めろ」

「おめェがその手で殺したんだ」

「解ったって言ってるだろッ！」

弥作は槌を放り投げた。

「ほらもう狐ァ殺さねェよ。夢だろ。夢だと言え」

「夢じゃアねェ」

「何だと」

「この五年間——おめェが盗賊の手先として暮らした五年間は本当のことだ」

「嘘だ。騙されねェぞ！」

「逃げるなァ止せ。おめェは狐を殺すことは止めたが、代わりに人を殺したンだ。五年の間に何人も何人も――挙げ句の果てに、自分《てめえ》の子供まで――」

「止せ。止せ止せ」

「万物の長たる人様を、禽獣が化かすことなどあり得ねェ。正に笑止千万。化かされるのは己の所為《せい》」

「わ――悪い夢だ。これは――」

「夢じゃねェやい。手を見てみろ！」

弥作は掌を見る。

子供の血。

「あああああああッ。あああああッ。あああああ」

弥作は崩壊した。虚実は綯《な》い交《ま》ぜとなり、地と図は反転した。男は手にした鈴を弥作の鼻先に掲げ、

りん、と鳴らした。

「御行　奉為《したてまつる》――」

弥作はがくりと膝を突いた。

「弥作。おめェの見聞きしたこたァ全部真実だ。おめェは慈悲深ェ普賢和尚を殺し、罪もねェ旅人を殺し、押し込みの急ぎ仕事で大勢の人を殺し、終《つい》には自分《てめえ》を慕う女と自《おの》が子供まで手に掛けた。その罪ァ生涯消えるもンじゃねえ。否、あるかどうかは知らねェが、来世でだって背負わなきゃいけねェ程に重てェもンだろう。ただな――」

「た――だ」

「その――伊蔵だけは狐よ」

緩慢《ゆっくり》と振り向く。

法衣の盗賊が倒れている。

白装束はその傍らに進み、りん、と鈴を振った。

「悪さが過ぎたな。古狐」

歯朶の葉が揺れて、雫が散った。

「だ、だが、それは――す、凡てが真実だったなら、そいつも狐の訳ァねェ。そいつはこの儂が――この手で、たった今――」

殺したのだ。

「普賢和尚こと荼枳尼《だきに》の伊蔵は六日前に死んだ――若い男はそう言ったンだろう。それはそれでいいじゃァねェか」

白装束はそう言い放つと矢庭に屈み、手慣れた手つきで、伊蔵の死骸から丁寧に法衣を剝《は》ぎ取った。

「この衣はコンな畜生の着るものじゃァねェんだ。これは普賢和尚の衣——否、白蔵主の衣だからな。さあ弥作——」

法衣を放る。

「お前が今日から白蔵主だ。それを着て、頭を丸めて宝塔寺へ行け。そして死ぬまで自分が手に掛けし者どもの菩提《ぼだい》を弔うンだな」

「ほ——宝塔寺」

「誰もいねェよ。皆お縄になった」

「お縄に——」

「早く行け」

弥作は法衣を鷲摑《わしづか》みにして、夢だか山だか判然とせぬ夢山の隈路《くまじ》を、一目散に駆け去った。

4

猟師がすっかり見えなくなってから、考物の百介はやっと祠の後ろから出ることが出来た。

塚の上から見下ろすと、白装束の小股潜《こまたくぐ》りの又市《またいち》の背中越しに、襦袢《じゅばん》姿の禿頭《とくとう》の大男が大の字になって倒れているところが見えた。

「又市殿――」

呼び乍ら百介は塚を駆け降りる。

杜《もり》の木蔭から山猫廻しのおぎんと、もうすっかり百姓姿の扮装《ふんそう》を解いた事触《ことぶ》れの治平が現れた。

「あいつァ大丈夫《でえじょぶ》かいな――又さんよ」

「大丈夫だよ」

又市は腕を組む。

「弥作と――この伊蔵を除いて、茶枳尼《だきに》組の一党は夕べから今朝にかけての捕物で根刮《ねこそ》ぎ捕まったよ」

治平は又市の言葉を聞いて尚、心配そうに猟師の駆け去った方向を眺めた。

「そうは言ってもよ、あの猟師だって組内の者にゃァ違ェねェ。罪状だって軽かァねェぞ。義理も掟《おきて》もねェ畜生仕事の連中だ。奴等ァお縄になった途端に仲間ァ売るぜ。そうでなくとも詮議は厳しかろう。折角落ち延びても——元の根城の宝塔寺に居たンじゃあ、いずれ知れよう」

「ナニ。あいつァ死んだことになってンだよ」

「ほう——どういう仕掛けだ」

治平の問いに又市が答える前に、百介が尋いた。

「又市殿。今回は——その、どういう筋の——いったいこの度の仕事はどんな仕組みになっとるのです？」

百介は何も報されていないのだった。

おうよな、急拵《きゆうごしら》えの仕掛けでな——そう言って、又市は行者包みを取り、顔を拭った。

「——考物の先生にゃァ悪いことをした。いきなりの加勢で、さぞ驚かれたでしょうな」

「そんなことはいいんだが——」

百介がそう言うと、又市は珍しく悲しそうな顔をして、ナニ、お登和さんに頼まれたんでさァ——と、短く素っ気なく答えた。

「お登和といえば——さっきのあの猟師の許婚《いいなずけ》だかそこな伊蔵の女だか——という女かね？」

そうよ——と、今度は治平が答えた。

「あの女《ひと》ァ可哀想なことをしたわい。万が一と思うて品川まで逃がして匿《かくも》うておいたのじゃがな——」

「匿った？」

「ああ――あの弥作という男ァ思ったより凄腕《すごうで》だ。あっという間に見つけ出しよった。俺が駆けつけた時にゃァ、登和さんは掻《か》ッ消えておった」

解りませんね――と百介は言った。脈絡が皆目摑めない。又市が相変わらず神妙な顔で答えた。

「そうよな――順を追って話しゃあな――五年前、あの弥作はこの杜で狐ェ釣って暮らしておった」

それは百介も聞いている。

「――で、市で登和さんと知り合った。弥作は所帯を持つつもりだったらしい。そこで、まァ気張って狐を釣ったんだァな。そンなところにな、宝塔寺の住職の白玄という奇特な御坊が戒めに訪れた。宝塔寺ってなァ先生も知っての通り、もう廃寺寸前の山寺なんだが、その白玄様てェご仁は本心慈悲深ェお方だったようだな。ところが何を諭しても弥作が聞く耳を持たねェのでな、流石《さすが》の普賢菩薩も一変憤怒相《ふんぬそう》、一喝を食らわせるつもりが何の拍子か――」

「死んじまったのサ――」

おぎんが続けた。

「――あの猟師、殺すつもりゃァなかったろうさ。打ちどころが悪かったか突きどころが良かったか、こりゃあ偶然なンだろうねェ。でもねェ、不幸な偶然てェのはあるものサ。丁度殺したその時に――今センセェが隠れてたあの祠の裏手にね――」

おぎんは倒れている伊蔵の骸を見下ろした。

「――この野郎が居たのサね」

百介も死骸を見る。

茶枳尼《だきに》の伊蔵。悪鬼羅刹《あつきらせつ》の如き非道な所業で天下に轟《とどろ》く大悪人――盗賊の頭だそうである。

しかし倒れているのは鬼でも蛇でもない、死んで尻尾の出るでもなかった。別にどうということはない、死んでいるのはただの禿頭の老人である。

又市は伊蔵の顔を覗き込むようにして言った。

「こいつァな、先生。盗人の中でも下の下てェ野郎なんだ。犯す殺すの畜生仕事で、盗賊仲間からも忌み嫌われていた。それがな、上方ァ散散荒らし回って終《つい》に居られなくなり、江戸まで流れて来て、遣りてェ放題殺し捲《まく》って、とうとう江戸でもやばくなって、こんな甲府くんだりまで都落ちしてたのよゥ。こいつァな、偶偶《たまたま》弥作の殺しを見て、それで弥作を請強《ゆす》ったンだ。苦し紛れさ。それがよ――」

この外道は上手《うめ》ェことを考《かんげ》ェたんだ――と治平が言った。百介には善く解らない。

「殺人を見逃すから手下になれ――ですか？」

そんな簡単なことじゃあねェよう――と治平は怒ったように言った。

「まあ、平ッたく言やァそうなンだがな。まあこいつァ悪事に関しちゃ目も利くし鼻も利く。この野郎はな、多分、弥作ってェ猟人が相当の使い手であることを――というより、弥作に人殺しとしての天賦の才があることを、ひと目で看破したンだわい」

人殺しに才能のあるなしなどがあるものか。

あるとすれば——それは技術ではあるまい。

百介は考えるのを止める。

治平は続けた。

「それからこの悪党は、殺された方——死んでる坊さんにも目をつけたんだわい」

「目をつけたとは」

「自分がその坊主になり代わることを考えたのよ」

「ああ、なる程——しかしそう上手く行きますか」

盗賊ならずとも——誰であれ、僧籍にない者が簡単に僧侶に成り代わったり出来るものだろうか。

百介がそう言うと、又市は苦笑いをした。そしてそりゃ場合に依りますァ——と答えた。

「人様と付き合いの多い者に化けようと思ゃァ、こりゃ坊様でなくたって難しい。反対に、坊主だろうが医者だろうが、人付き合いがなきゃァ成り代わるなァ簡単なこッた。その頃、宝塔寺にゃア小坊主が幾人かいたらしいンだが、その行方が知れねえ。酷《むげ》ェこッたが——全部殺した——否、弥作に殺させたンでやしょうよ。それにあんな荒れ寺だ。檀家なんてなァ、まあ数も少ねえだろうし、簡単に騙せると踏んだんだなァ。この伊蔵は人里離れた宝塔寺を盗人宿にして、散らばっていた手下を徐徐に集め束ねて、また仕事を再開しようと目論《もくろ》んだンで」

おぎんが続ける。

「それでサァ。ま、先立つものが要るだろう？　そこでこの外道はね、弥作さんに追剝やらせて銭金を集めちゃァ、近隣の手下に配ってサ。良からぬ企みごとォし始めたって訳サね」

「弥作さんは——弱みを握られていたとはいえ——何故そんな仕事に甘んじたのですか」

何といっても人殺しである。

普通なら出来ぬと、百介は思う。

それが——人殺しの才だとでもいうのか。

——そんな才など——あるか。

治平が答えた。

「あいつァ——何か業を背負ってやがったンだろうな。外道の理屈は簡単だ。ひとり殺るもふたり殺すも一緒だ、十人が百人でも一緒だ——と、こう言ったんだろうぜ。自棄糞《やけくそ》になったかどうなのか、二年がとこで弥作は一端《いっぱし》の殺し屋になった。人釣りの弥作の名は江戸にまで聞こえたぜ」

「殺し屋——追剝じゃなくて？」

「散らばっちまった盗賊連中を束ねるにゃあ、銭も要るが力も要るのよ。茶枳尼《だきに》の伊蔵を裏切る奴《やつ》ァ、誰であろうと命がねェぞと——睨《にら》みを利かす必要があったンだ。要するに弥作は、粛清のための道具に使われたンだわい」

「じゃあ——」

おぎんは伊蔵を睨みつけた後屈み、可哀想なはお登和サンさあ——と、言った。

「すッかり変わっちまった弥作サンを何とか救おうと色色探って宝塔寺を探り当てたまでは良かったが、逆様《はんたい》に取り込まれちまッたのサね」

「しかしおぎん殿。この伊蔵は先程、登和さんは自分から言い寄って来たようなことを――」

おぎんは鼻先でふん、と百介をあしらって、

「手込めにされてされるが儘《まま》――に決まってるじゃないかサ。こいつみたいな外道にしてみりゃ、わざわざ訪ねて来た女はみンな自分《てめえ》の女さね」

と投げ遣りに言った。

「結局――登和さんは引き入れ女にされちまッた。しかし弥作への想い忘れ難く――まあ不自然な形で縒《よ》りは戻ったンだが――伊蔵は黙っちゃいねェや」

「それで今回の――」

そうだ――又市は頷く。

「ややが出来たンだ。自分《てめえ》の境遇《さま》を鑑みても、弥作のこと案じても、況《まし》て腹の子ンこと想うても、こりゃあ遣り切れねェでやしょう。お登和さんは何もかも嫌ンなって姿を晦《くら》ましたンだ。晦ましたはいいが、残る弥作のことを考えると居ても立ってもいられねェ。自分だけ生き延びたって幸福《しあわせ》アねェでしょう。弥作にどんな制裁《おさばき》が下されるか、それを思うと気が狂いそうになって、それで――」

「小股潜りに頼んで来たのですか」

だが遅かった――と又市は悔しそうに言った。

「奴《やつがれ》も、伊蔵が弥作自身を刺客に放つたァ思わなかった。弥作の方も、真逆お登和さん殺しを承知するたァ計れなかったしな――弥作の闇は思ったより、ずっと深ェもんだった訳だ」

「最初は弥作を除く一味を一網打尽にして貰おうてェ腹積もりだったのよ。そこでな、先《ま》ず、荼枳尼《だきに》の一味に偽の回状を廻したんだわい。連中の居所はお登和さんが弥作から聞き出しておったからな」

「偽の回状?」

「そう――三日前に頭の伊蔵は頓死《とんし》した――盗み貯めた金は宝塔寺にある――と吹いたンで。そうなりゃ早ェ者勝ちだ。欲に目が眩《くら》んだ連中は、我先にと集《たか》って来やがると踏んだンだ。まあ、読みは的中《あた》って、後ァ伊蔵を誘《おび》き出して寺を空《あ》けさせ、代官所に根回しでもすりゃ済んだところだったんだが――」

なァとッつぁん――と又市は治平を見た。

「オウ。そこで番狂わせよ。さっきも言った通りお登和さんが拐《かどわか》されちまってな。おまけに翌日――男と腕ェ括《くく》り合って――浜に上がっちまッた」

「偽装――心中ですか」

奴等に抜かりはねェンですよ――と又市は言う。

「お登和さんの亡骸《なきがら》見た時ゃァ、この又市も少少慌てやしたがね。だが――こっちだって弥勒《みろく》三千《さんぜん》の小股潜りだ。黙ってられるもンか。だから逆手に取ってやったンですよ。奴《やつがれ》ァ、弥作の見張り役の政吉って三下《さんした》を――騙してやった」

どう騙した、何と言い包《くる》めたンだ小股潜り――と治平は又市を質《ただ》した。

「あれァ――浜に上がった心中者は、弥作とお登和さんだッて――そう思い込ませたのよ」

「なる程。それで弥作は死んだことに――」

「そうサ。政吉ァすぐに報せに戻ったが、透かさずそこを指してやった。品川出る前《めえ》にご用になッたからな。今頃はご詮議の真っ最中だろう。一党のこたァ洗い浚《ざら》い吐《は》かされてるに違ェねェ。人釣りの弥作は死んだ――と申し立ててる筈だ」

「じゃあ、この――伊蔵が受け取った早飛脚というのも？」

「こっちで拵《こしら》えた贋物《にせもの》でやすよ。昨晩、登和は弥作が取り候《そうろう》、今朝程心中見立てで送りし由、確《しか》と見届け候――但し登和その筋に訴へ出し様子あり、追手のかかる畏《おそ》れありとか、子細は弥作に託し候《そうら》へば、狐杜へとお出で願ひたく――」

「ははあ」

「こっちも慌てて図面を引き直しだ。一分狂っても失敗《しくじ》ッちまう綱渡りでさァ。一味がひとりでも伊蔵弥作と鉢合わせしちまッちゃ元も子もねェし、仕掛ける前に弥作が伊蔵と会ッちまってもお終《しめ》ェだ」

「だから又さんは伊蔵にへばり付きで、あたしが弥作にぴッたり付いてサ。あの旦那《だんな》――そりゃァ脚が早くッて、流石《さすが》のおぎん姐《ねえ》さんも草臥《くたび》れッ辛《から》しサね。自分からこの杜に入ってくれたから良かったけれど、真っ直《つ》ぐ寺に行かれてたらと思うと冷や汗が出ちまうよゥ――」

そう言っておぎんは脚を摩《さす》った。

いつものこと乍ら——百介はこの小悪党どもの手際の良さには感心してしまう。百介などは治平に呼ばれて来たはいいが、事情も解らず、結局小さな嘘を仕込まれただけで、後は素《す》でいただけである。

宝塔寺の住職に会った話こそ作りごとだが、白蔵主の言い伝え自体は真実《ほんとう》に、以前この辺りで聞いた説話を書き留めておいたものなのである。

百介の動き方などこの連中にはお見通しなのだ。

百介は複雑な心境で盗賊の屍《しかばね》を見下ろした。

悪党は草露に濡れ、完全に息絶えている。

百介は弥作の気持ちを考える。

どうしても。

どうしても解らなかった。

「又市殿」

骸の顔を見たまま百介は問うた。

「あなたは——弥作さんが——ここで伊蔵を殺すことも——お見通しだったのですか」

そのための仕掛けだったのか。

百介は顔を上げ又市を見る。

「どうなんです。弥作さんに——弥作さんの手でこの伊蔵を始末させたくて——」

「そいつァ——」

又市はそこで言葉を切った。

「——先生、そいつァ違う」

「どう違うのです」

百介は無性に悲しくなる。

そして更に問うた。

「この仕掛け、他にどんな決着があったというのですか。弥作さんは——あれで救われたのですか？」

弥作はこれから——。

どんな想いで——。

又市は答えず、歯朶《しだ》の葉を突いた。

代わりに治平が答えた。

「先生よ。この伊蔵も弥作も、もう後戻り出来ねえとこまで来てたのよ。言われるままに殺しを続けるくれェなら——本気で嫌なら——伊蔵ひとり殺りゃあ済むこったろ。弥作程の腕なら殺ろうと思えばいつでも殺せた筈だわい。しかし、あいつァコンなになるまで伊蔵を殺さなかった。そりゃ何故だ？」

何故だよ——と治平は百介に質した。

その問いに百介は答えられなかった。

治平は死んでいる伊蔵に一瞥《いちべつ》をくれて、悔しそうに言った。

「弥作ァ——この男を責められるかい。命じたのはこいつでも、お登和さん刺したなァ自分《てめえ》なんだぞ。生まれてもいねェ餓鬼ィ送ったなァ弥作の手なんだ。申し開きが利くかよ」

それは——。

「だから——この伊蔵は、ここでくたばってる悪党は、弥作自身なンだ。自分《てめえ》の子を孕《はら》んだ女まで殺っておいて、言い付けられてやりましたじゃァ言い訳にゃならねェだろうさ。だから二《に》進《ち》も三《さっ》進《ち》も行かねェのよ。先生の言う通り、こいつが死ぬか弥作が死ぬかしか、決着のつけようはなかったのさ。俺達ァ血腥《ちなまぐせ》ェなァ好みじゃねェが、こりゃあ仕方がねェことなんだ。弥作がお登和さん手にかけちまった段階で——こっちゃア負けてたンだわい」

それじゃあ。

「それじゃあこれは——この趣向は、何かの意趣返しなのですか。それとも見せしめですか。否——当事者同士で殺し合わせるという、非理法の仕置きなのですか。慥かにこの伊蔵も、弥作さんも、お縄になれば磔獄門《はりつけごくもん》は間違いない。ここで死なずとも、いずれお上が裁いたことでしょう。だから——」

そいつァ了見が違いやす——と又市は言った。

「俺達ァお上の犬でもねェ。義賊でもねェ。人を裁くとか、悪を討つとかいう大義名分たァ縁がねェ。悪党だから死んでもいいなンていううざってェ小理屈も俺達にゃァ関係ねェ——」

そこで又市は言葉を切った。

「——裁くだなんて烏滸《おこ》がましくて、笑っちまうじゃねえか。そうでやしょう先生——」

又市は——ゆっくりと。

夢山を仰ぐように顔を上に向ける。

そして、悲しいねえ——と言った。

それから百介を見て、悲しいじゃねェですか——と、念を捺《お》すように繰り返した。

百介も山を見る。

山だか夢だか、真《まこと》に朦朧模糊《もうろうもこ》として、
百介は彼岸を感得する。

「どうやら生きるも死ぬも、この山の前じゃァあまり変わりがねェようでやすよ。あの男はこの山で、狐に——白蔵主に化けたンですよ」

又市はそう言った。

一瞬。

歯朶が揺れた。水滴が散った。

狐が一匹——杜の中に消えた。

「聞いていたンだ」

おぎんが言った。

「あの狐——」

騒がしい——馬鹿な奴等と思うただろうねェ——おぎんは誰に向けるでもなくそう言って、くるりと背を向けた。そして、どうすンのさ——と言った。

「この野郎はこの塚にでも埋《うず》めるのかい」

「こいつも一応白蔵主だからな。たった五年しか保たなかったが——」

治平は大儀そうに立ち上がる。

百介は問うた。

「弥作さんは——白蔵主になれましょうか」

「盗賊が五年、狐が五十年勤められたンだ、弥作にだって勤まるでしょうよ——」

又市はそう言って鈴を振った。

舞《まい》首《くび》

三人《みつたり》の博徒勝負《ばくちうちせうぶ》のいさかひより
事《こと》おこりて公《おほやけ》にとらはれ
皆死《みなし》罪《ざい》になりて
死《し》がいを海《うみ》にながしけるに
三人《みつたり》が首《くび》ひとゝころによりて
口《くち》より炎《ほのほ》をはきかけ
たがひにいさかふこと
昼夜《ちうや》やむことなし

絵本百物語・桃山人夜話／巻第五・第四十四

1

伊豆《いず》の国に巴《ともえ》が淵《ふち》という名の淵がある。

山深く水も冷たき清流の、その源近くであるにも拘らず、水面は凡《およ》そ静謐《せいひつ》とは言い難く、騒《さわ》騒《さわ》と波立ちおどろおどろと渦を巻き、獣類《けだもの》は疎《おろ》か飛ぶ鳥すらも呑みこまんとしているかのようであった。

淵の真ん中には地獄へ抜ける穴があるのだといわれていた。

山肌の赤土を溶かした色紅き流れと、雨水の黒き濁り水と、透《す》き通った湧清水《わきしみず》が、互いに混《ま》じり合うことなく淵の中心に向けて渦を巻き、恰《あたか》も三つ巴の紋様の如きに映るが故に、巴が淵と呼ぶのである。

勿論《もちろん》人の通わぬ場所である。

この巴が淵の辺《ほとり》に、粗末な、板葺《いたぶ》き屋根の小屋がある。

誰がいつ、何のために建てたものかは誰も知らない。

いつの頃からか、その小屋に鬼虎《おにとら》の悪五郎《あくごろう》という荒くれ者が棲《す》みついて、里の者を脅かしていた。

この悪五郎という男、火縄《ひなわ》を使わせれば跳ねる兎《うさぎ》の朱眼《あかめ》を打ち抜き、弓矢を使わせれば空翔《そらかけ》る隼《はやぶさ》をも射落《い》とすという天下無双《むそう》の腕前で、おまけに人並み外れた大力でもあり、人の背丈程の大岩を軽軽と動かし、山刀一本で巨木をも伐《き》り倒すと、その評判は遠国までも聞こえた程であった。

容貌も、その二ツ名の通り、鬼とも虎ともつかぬ凶《おそ》ろしげな面構《つらがま》えで、身の丈《たけ》こそそう高くはないが、剛毛に覆《おお》われた太《ふと》り肉《じし》は石のように堅く、仮令《たとえ》隙を見て斬りつけたところで、なまくら刀では歯が立たぬだろうとまでいわれていた。

猟師とも樵《きこり》ともつかぬ風体《ふうてい》で、山賊だとも野盗の頭《かしら》なのだとも噂されていたが、本当の処は誰も知らず、果たして何をして暮らしているものか、酒好きで、年柄年中大酒を食らい、月に何度か里に下りては博打《ばくち》を打ち、女を漁《あさ》った。

ただ、凶ろしい男ではあったのだが、博打場での悪五郎は口性《くちさが》ない博徒《ばくと》連中に比べれば遥《はる》かに寡黙で、勝てば喜び負ければ萎《しお》れ、酔って管《くだ》を巻くこともなく、乱暴も働かず横車も押さず、実に綺麗《きれい》に遊んだ。何故か銭だけは持っていて、だから何かを型《かた》に札を張るようなこともせず、ただ有り金を叩《はた》いて遊び、持ち金がなくなれば退散した。どんな時でも賭《か》け事だけはやめられぬといつも口にしていたという。

儲《もう》かった日は一斗樽《いっとだる》で酒を買って、担いで山に帰った。酒屋でも取り立てて狼藉《ろうぜき》は働かず、銭の足りぬ日はある分だけしか買わず、酒代を踏み倒すこともなかったという。

問題は女だった。

悪五郎の女癖の悪さは尋常ではなかった。

初めは飯盛《めしも》り女などを買っていたようだった。しかしそのうちそれでは物足りなくなったらしく、悪五郎は旅の女を捕らえては嬲《なぶ》ることをし始めた。やがて町家の娘をも狙《ねら》い始めたのである。

気に入った娘が居ようものなら、辻《つじ》取り宜《よろ》しく力任せにかっ攫《さら》い、自《おの》が小屋に連れて帰っては、延延と辱《はずかし》めるのである。

攫われた娘の多くは三日程で戻されたが、戻らぬ者もあり、戻った娘も大方は満身創痍《まんしんそうい》、息も絶え絶えで、気が狂《ふ》れていたり、瞽《めしい》ていたりもした。だから戻ったところで、殆《ほとん》どの娘は幾日と保《も》たず、結果首を縊《くく》ったり、身を投げたりして果ててしまうのである。

返せ戻せと押し掛けたところで詮もない。巴が淵の小屋の前には、山刀を構えた悪五郎が眼を血走らせ歯を剝《む》いて、仁王立ちで待ち構えているのだそうである。

そうした時の鬼虎は博打場とは打って変わった凶暴さで、己の淫気《いんき》が果つるまで、娘には指一本触れさせぬと、閻魔《えんま》も怯《おび》える見幕で、話すは疎か近づくことも出来ぬ有様。十人でかかろうと二十人でかかろうと敵うものではない。歯向かおうものならば、足はへし折られる腕はもぎ取られるの惨状となる。

正に悪鬼羅刹《あっきらせつ》の所業であるが、そこまで強くては詮方ない。最早悖《さから》う者とて誰もなく、年頃の娘の居る家は、鬼虎の山より来たる報せを聞けば、昼であろうと朝であろうと雨戸を下ろして震えていた。

毒牙にかかった娘の数は、この一年で十人をくだらなかった。娘を獲《と》られた家の者は泣いて泣き切れず悔やんで悔やみ切れず、幾度も幾度も鬼虎誅罰の訴えを出したのだが、どうした訳か一向に埒《らち》が明かぬ。代官所が腰抜けなのか鬼虎が強過ぎるのか、討つどころか捕らえることすら出来ぬという為体《ていたらく》。幾ら強いといっても相手は一人、取り方の二十人も出張ってくれたなら、幾ら何でも如何《どう》にかなろうと、それは誰でもそう思うのだが、そこは山深い田舎のこと。人手がない手練《てだれ》が居ないと、明けても暮れても弁明《いいわけ》ばかり。最早神頼み仏頼みより他道はないと、里の衆は朝に夕に、鬼虎が許に天罰の下らんことを祈り、仏罰の当たらんことを願ったのだが、祈れども念ずれども霊験《れいげん》の顕れる気配は全くなかった。

結果鬼虎は、可惜《あたら》罪もない娘達を幾人も拐《かどわか》し、辱め、死に至らしめておいて、堂堂と大手を振って往来をのし歩いていた訳である。

その悪五郎が、ほぼひと月振りに山から下りて来たのは、二日ばかり前のことだった。

その時悪五郎は荒れていた。

不機嫌なのはその顔相を見ればひと目で解った。

針金のような髭《ひげ》で覆われた頰《ほお》は震え、眼は濁り血走り、小鼻は膨らんで、酒臭い、荒い鼻息は、まるで千里を駆けた馬の如くに猛猛《たけだけ》しかった。

里の者は蔀戸《しとみど》の隙間から、異形《いぎょう》の山人が自《おの》が家の前を通り過ぎるのを、固唾《かたづ》を呑んで見守った。何ごともなく行き過ぎた後には大きな溜《た》め息が次次と洩《も》れた。

その日、悪五郎は真っ直ぐ賭場《とば》に向かった。

そして珍しく悶着《もんちゃく》を起こしたのである。

初めは黙黙と張っていたが、どうにもいけない。

張っても張っても裏目に出る。

半刻《はんとき》もすると鬼虎の面相は益々凶悪になり、負けも込んで来て、終《つい》には懐の金も尽きた。普段ならそれで上がるところなのだが、どういう訳かその日に限り鬼虎は、張り方が汚ねェぞと怒鳴り散らし、客の一人を捕まえて文句をつけ始めたのである。

文句をつけられたのは為八《いはち》という破落戸《ごろつき》で、この為八は小悪党の癖に威勢だけは良かったから、こともあろうに猛《たけ》り狂う鬼虎に盾突《たてつ》いた。悪五郎は平素博打場では温順《おとな》しかったから、嘗《な》めてかかった故の愚行なのではあろうが、それにしても身の程知らずもいいところである。

黙りやがれこの山猿、鬼だか虎だか知らねェが手前に丁半は百年早ェ——と、景気良く啖呵《たんか》を切ったまでは良かったが、振り上げた為八のその腕は、上げたまま遂に振り下ろされることはなかった。

腕はごろりと転がった。

為八の右腕は、悪五郎の山刀によって文字通り一刀の下に、根元から切断されたのだった。

丁も半もなく、賭場は真っ赤に染まった。

その賭場を仕切っていたのは黒達磨《くろだるま》の小三太《こさんた》という田舎俠客《きょうかく》で、これもまた一筋縄では行かない悪党だった。

その黒達磨、温温《ぬくぬく》と女の膝で酒を啜《すす》っていたところに鬼虎錯乱の報せを受けた。

強きを挫《くじ》き弱きを助けるが俠客の俠客たる所以《ゆえん》――とはいうものの、それは建前《たてまえ》。

この達磨、子分衆の数も多く、一度に十五人は叩き殺せる腕っ節と評判の怪物だったが、豪気な噂の割に吝嗇《しみつた》れで、他人の痛みは一向に解らぬ癖に、己のものとなると塵《ちり》ひとつでも惜しいという守銭奴《しゆせんど》であった。それまでは、仮令《たとえ》鬼であっても蛇であっても、賭場の上客には違いなかろうなどとほざき、鬼虎の悪行三昧《ざんまい》にどれだけ堅気《かたぎ》の衆が泣こうとも、一向に腰を上げずに居たというから、俠客の風上にも置けぬ外道である。

それがどうにも勝手なもので、己の賭場が荒らされたと聞くやすっかり鶏冠《とさか》に血が上り、集められるだけの三下を掻き集めて、おっとり刀で駆けつけた。

暴徒と外道俠客がここに相目見《あいまみ》えた訳である。

大混乱になった。

長物を振り翳《かざ》して襲いかかる博徒の群れに対し、鬼虎は賭場の柱をば切り倒し、それを振り回して暴れたというのだから並の諍《いさか》いではない。

鬼虎は強かった。

しかしどれだけ強かろうと多勢に無勢、形勢不利と見て取ったのか、騒ぎが続けば幾ら腰抜け役人とて捨ておきはしまいと、そう考えたものか、丁丁発止《ちようちようはつし》の大立ち回りの挙げ句、悪五郎は退散した。

なンの鬼虎、強いといっても所詮は山猿、この黒達磨の大親分に畏《おそ》れを成したか――と、小三太は大見得を切ったという。

慥《たし》かに役人でも搦《から》め捕れない大暴漢を、取り敢えず追い払ったのは真実《ほんとう》ではあるから、褒めて褒められぬこともないのだが、五十人からいた黒達磨の子分どもの半数は足腰の立たぬ程に痛めつけられていたというから、矢張り鬼虎恐るべしと取るべきである。

　報せを受けた役人が二三人の小物を引き連れてもたもたと到着したのは、騒ぎが収まってから一刻《いっとき》も後のことで、その頃はもう悪五郎の姿など影も形もなく、博打場は元の形が知れぬ程に打ち荒れて、死んだ者こそなかったが、至るところに指だの、肉片だのが散乱し、酸鼻《さんび》を極める惨状であったそうである。

　幾ら追い払ったと喜んでみたところで、これでは何とも仕様がない。賭場は壊される子分はやられるでは丸損だと、如何《いか》に逆上《のぼ》せた悪党でもそのくらいの道理は解ったらしい。

　小三太も、一度は勝ったと喜んだものの、すぐにその血の気の多い達磨顔を赤くして、地団駄を踏んで悔しがった。

　このまま放っておいたのでは黒達磨一家の沽券《こけん》に関わる、木ッ葉役人なんぞには任せておけぬと、残る手下を掻き集め、そこら中を捜し回ったが、天に上ったか地に潜ったか、悪五郎の行方は杳《よう》として知れなかったのだという。

　そして——。

2

「それが——一昨日の夜か」

朦朧《ぼんやり》とした男の影が、唐突に言った。

彼誰刻《かわたれどき》。巴が淵の辺《ほとり》の藪《やぶ》の中である。

「——その後、その鬼虎とかいう巫山戯《ふざけ》た野郎は夜陰に紛《まぎ》れて、こともあろうに爺ィ、貴様の店に押し入ったと、こう申すのだな」

そう問われて、もうひとつの影はへえへえと答えて、まるで餅《もち》でも搗《つ》くかの如くに躰《からだ》を屈伸させた。

問うたのは着流しの浪人風の男で、答えたのは前掛けを締めた町人風の小柄な老人である。

二人は最前より藪の蔭から小屋の様子を窺《うかが》っている。

「で——丸一日立て籠《こも》った訳か」

そう問い乍《なが》ら浪人は、薄明の中、赤松の枝越しに老人の姿を確認した。

老人は幾度も幾度も頷《うなず》く。

「い、生きた心地もせなんだです」

未だ震えが止まらないらしい。老人はがたがたと歯を噛み鳴らすようにした。

「虎には肉でも出したのか」

「ご、御冗談を、そ、その」

「了解《わか》っておるわ。それでその虎は、さんざ飲み喰いした挙げ句、あり金全部を奪い、孫娘を攫って、日暮れを待たずにあの小屋に舞い戻った——と」

「さ、左様で御座ります」

フン——と浪人は鼻を鳴らした。

「それが本当ならば——爺ィ、貴様、善《よ》くぞ命があったものよな。聞けばそ奴《やつ》は博徒五十人を向こうに回して傷ひとつ負わぬ化け物だそうではないか」

「へ、へえ。無駄な殺生はしねえとか」

「けッ。殺生に無駄も糞もあるものか。いけ好かねェことを吐《ぬ》かす野郎だ——」

浪人は鼻の上に皺《しわ》を刻んだ。

この男。駿州浪人、石川又重郎《いしかわまたじゅうろう》——またの名を首切りの又重——という。

その名の通り、人斬りを生業《なりわい》とする無頼《ぶらい》の剣客である。剣客といっても又重郎の場合、斬る相手は誰でも良い訳だから、寧《むし》ろ単なる人殺しといった方が良いかもしれぬ。女子供でも頼まれれば斬る。又重郎は兎《と》に角《かく》人が斬れれば良い——という男である。

何の躊躇《ためらい》もない。

先月駿河《するが》で二人斬って遁走《とんそう》し、伊豆に潜匿《せんとく》して十日目になる。

又重郎の剣は、刃を交すことなど眼目に置いていない。ただ殺すことにだけ長《た》けた殺人剣である。その殺気に満ちた太刀筋はどの流派のそれとも違う。謂《い》わば我流である。否、我流というより寧ろ天性のものといった方が良いやもしれぬ。相手の技量を見切る以前に既に手は動いており、次の瞬間相手の息の根は絶えている。出会い頭に横に薙《な》ぎ払《はら》う一刃は相手の喉笛《のどぶえ》を切り裂き、首をも落とすといわれる。

首切りの異名を取る所以である。

生来的にそうした太刀筋を体得してしまっている又重郎には、当然道としての剣など身につく訳がなかった。矯正出来るものではなかったのだ。結果又重郎は、幾つもの道場を破門された。そうしたけだもののような剣は、人殺し以外何の役にも立たぬ。剣術ならぬ殺人術であるから、剣術使いとしての又重郎は最初から道を踏み外していた訳である。

それでも又重郎は、江戸に居た頃は用心棒やら道場破りやらを繰り返すことで、辛《かろ》うじて己を保っていた。抜けば斬ってしまう。一度斬れば病みつきになる。それは判っていたから、又重郎は決して鯉口《こいくち》を切らずに過ごしたのだった。

しかし、五年ばかり前――又重郎は詰まらぬ諍いから中間奴《ちゅうげんやっこ》を三人斬ってしまった。ただ斬ったのではない。三人のうち、二人の首を刎《は》ね飛ばし、残る一人も滅多斬りの膾《なます》にしたのであるから、誤って殺したなどと言える状況ではない。惨殺である。

諍いの原因は、今や全く覚えていない。肩が触れたとか腕が触ったとか、本当にそうした、つまらぬことだったのだろうと思う。

しかしひと度《たび》抜いてしまったら、もう抑制はなかった。

勝つとか負けるとか、そうしたことも関係がなかった。

ただ斬りたくて斬りたくて、ただひたすらに斬りたくて——。

それで相手を斬ったのだと——それだけは明瞭《めいりょう》に覚えている。

そしてその日から一切の歯止めは失われた。

又重郎は取り敢えず身を隠した。隠遁《いんとん》中に金は尽き、金子《きんす》を奪うため追剝《おいはぎ》を試みた。

しかし——。

脅かすとか怪我をさせるとか、そうした半端なことは出来なかった。見合った瞬間、又重郎は相手の首を斬り落としていた。

もう追剝ではなかった。辻《つじ》斬りである。斬った序《つい》でに金も貰ったが、二度目からは最早、斬るのは金のためではなくなっていた。斬るために斬る——これは業《ごう》である。衝動を押さえるのは難しかった。斬りたくて殺したくて、又重郎は斬り続けた。

見境はなく、斬る度に後戻りは出来なくなって行った。そしていつの間にか——当然のように——又重郎は人斬りを生業にするようになっていた。

夜の世界で首切り又重の名が広く知られるようになるのには、そう時間はかからなかった。

だから——。

だから又重郎には、無駄な殺生などという言葉を吐《は》く奴の気が知れない。殺生に無駄も有益もない。ひとごろしはどんな時でも人殺しで、それ以下でもそれ以上でもない。

お家のため名誉のため正義のため、義理人情のため、如何《いか》なる大義名分があろうとも、人を殺せば人殺しには違いない。どんな理由があろうとも、人殺しは全部駄目だという主張なら判らぬでもないが、あちらが良くてこちらが悪いなどと言われても到底納得が出来ない。

——山出しの下司《げす》野郎の癖に格好つけやがって。

皆殺しこそ似合っているというものだ。

又重郎はどうどうと渦を巻く巴が淵を眺めた。

——皆殺しか。

三年前。又重郎は盗賊に雇われ、両国の油問屋に押し入って、その店の者を皆殺しにした。子供だろうが女だろうが容赦はせず、悉《ことごと》く斬り殺した。

そして又重郎は江戸を捨てた。幾ら何でも江戸には居られなかった。元元流れて吹き溜《だ》まるように居ついた街だったから未練はなかった。

逃げたのではない。

又重郎が江戸を出たのは、もっともっと人が斬りたかったからだ。その頃既に、首切り又重の悪名は町方や火盗にも知れ渡り、剰《あまつさ》え面まですっかり割れていた。それでなくとも殺した中間の雇い主やら潰した道場の門下生やら、兎に角又重郎を追う者は市中には数多く居た訳だから、身動きも取れなかったのである。江戸を出た又重郎は諸国を渡り歩き、宿場宿場で人を斬った。依頼があろうとなかろうと斬りたくなれば斬った。止められなかった。

駿河で斬ったのは、役人らしかった。

刀が欲しかったのである。

人の血脂《ちあぶら》は刃を錆《さ》びさせる。骨を断てば刃毀《はこぼ》れもする。刀身も曲がる。ひとり斬ったら即座に手入れをせねば、刀はすぐに駄目になる。しかし、刀の手入れは殊《こと》の外《ほか》難しいのだ。研ぎ師にはその得物が何を斬ったかなど、ひと目で判ってしまうからである。

するとそこから足がつく。

旅先では、一層に難しい。

そこで又重郎は、斬った相手の腰のものを戴くことにした。それが手っ取り早かった。

その役人は、分不相応にいい刀を持っていた。ぼんくら役人の腰に下がっていたのでは生涯抜かれることはなかろうと、又重はそう考えた。刀が可哀想になって、だから役人を斬った。

奪った刀は、見立てた以上に良い刀だった。

——こいつが。

一刻も早く血を吸いたがっているのだ——又重郎は柄《つか》に手を掛けた。

又重郎は、もう十日も人を斬っていない。斬りたかった。背後の爺ィがこんなことを頼んでいなければ——我慢ならずに爺ィを斬っていたかもしれぬ。

「おい」

又重郎は老人を呼ぶ。老人はへいと答える。

「本当に——そいつは、あの小屋に居るのか」

小屋の向こうには巴が淵が渦を巻いている。

又重郎は小屋を注視《みつめ》る。耳を澄ませる。

淵の音が邪魔をして気配が散る。

居りやす――と老人は答えた。

「しかしそのような大騒ぎを起こした張本人が、のこのこ己の棲み処《すか》に戻るものであろうか。役人どもは腰が引けておるのであろうが、その、逆上《のぼ》せた田舎やくざは執拗《しつこ》かろう。俺も道道血相変えて誰かを捜し廻っておる、それらしい連中を見かけたが」

「で、でも――慥かにあそこに」

「貴様、その屁っぴり腰でそ奴の後でも尾行《つけ》たと申すのか」

「そりゃあ、ま、孫が、あ、あの――」

「もういいわ。まあ真逆《まさか》騒ぎの最中に女連れで舞い戻るとは誰も思わぬのだろうからな――では――今あの掘っ建て小屋の中には――貴様の自慢の孫娘とやらも――居る訳だな――」

――居るか。

慥かに中に人は居るようだ。常人には判らずとも又重郎には判る。それにしても――。

――どうにも気配が乱れている。

慥かに誰かは居るようなのだが、それだけの暴漢が潜んでいる割には邪気が感じられない。

お吉、お吉ィと老人は手を伸ばした。

又重郎は手を翳して諫《いさ》める。

「爺ィ」

「へい」

「貴様の話だと――その山猿は、女を攫った後は、あの小屋の前に突っ立って、藪睨《やぶにら》みで見張っているそうではないか。今は――見えぬようだがな」

「へ、へえ。た、多分中で――お、お吉」

老人が尚も前に出ようとするのを、又重郎は鞘《さや》の先で止めた。

「――なる程な。ことの最中であれば見張りも出来ぬであろうて。ならば今、貴様の孫はその色気触《いろかぶ》れの山猿に組み伏せられておる訳だな――フン、それでは――終わるまで待つとしようか」

又重郎は松の根元に腰を下ろした。

老人は慌てて又重郎を見る。

「そ、そんな、お武家様――は、早く」

「俺に指図《さしず》をするな。番《つが》っている最中を襲ったりしたら貴様の孫娘の首まで刎ねてしまうわ。それでもいいのか」

「それは、それでは――」

「ふン。鬼だか虎だか、そんな外道に穢《けが》されて、それでも生かして戻したいのか。戻ったところでそんな傷物どうにもなるまい。嫁の取り手もなかろう」

老人は猿のような顔を歪《ゆが》ませた。

「孫平《まごへい》――とか申したな」

「へ、へい」

「貴様——俺が怖くはないのか」

「それは——」

老人は下を向いた。

「昨日の女は——俺の正体を知って、尻を捲《まく》って逃げて行ったわ。見ておったであろう。折角引っ掛けた上玉だ。寝るまでは保つかと思うておったが、惜しいことをした。貴様は——俺が怖くはないのか」

怖いに決まっているのだ。

昨夕のことである。

又重郎は、十日程前に峠《とうげ》で拾った鳥追いの女がせがむので、仕方なく宿場の外れの一膳飯屋に這入《はい》ったのだった。女の連れは道中の隠れ簑《みの》になる。だから又重郎は善く旅の女を騙《だま》す。邪魔になれば殺せば済む訳で、そう思うと引ッ掛けるのも楽なものだった。だが——這入った店は荒れており、真ん中には壊れたかのように、忘我の老人が突っ立っていた。

又重郎の顔を見るなり、老人——後ろで震えている爺ィ——は、走り寄り、すがりつき、土下座をして、涙乍らに懇願したのだった。

お武家様、お武家様、お願いが御座《ござ》ります——。

鬼虎を退治してくだせえ——。

孫娘を取り戻して——。

奴を殺して――。

事情を知らぬ又重郎は、流石《さすが》に面食らった。

そしてこう問うたのだ。

この俺を石川又重郎と知っての頼みか――。

それを聞くなり、鳥追いは悲鳴を上げた。

そして、あンたが首切り又重――と叫ぶや否や、転げるように逃げ出したのだった。

「あの女が逃げたのも無理はないのだ。俺は――お尋ね者の人殺しだ。見境なく人を殺す、気の狂《ふ》れた男だ。考えようによってはその鬼虎より質《たち》が悪い」

「で、でも、お武家様は強いので御座りましょう」

「フン。そんなことは判るまい」

「し、しかし」

孫を救ってくださるならば、どんなお方でも構いませんわい――と、老人は擦《かす》れた声で言った。

「まァ良いわ。それより爺ィ。そうまで言うなら、貴様なぜ役人や、その、やくざに報せなかったのだ。そうすれば何も――虎の子を出すまでもなく――」

役人は当てにならねえ――老人は珍しく決然《きつぱり》とそう言った。

「今までだって、何度も頼んだで」

「やくざは」

「あいつらァ屑《くず》だ。あいつらに泣かされてる者も大勢居るんだ。弱味なんか見せたら、どんなことになるか判らねェ。だいいち、あいつらァ——元よりお吉を狙《ねら》っていたです」

「お前の孫——をか」

「へい。あの達磨の奴は、お、お吉に横恋慕して、妾《めかけ》に欲しいと言って来たです。断れば力ずくで店ェ潰すというて」

「断ったのか」

「断っただ。奴等、何だかんだと難癖つけて儂《わし》等を追い出して、あの辺りに女郎屋建てる気ですだ」

興味がないな——と、又重郎は言った。

「そもそも貴様、真実《まこと》に二十両もの大金を持っておるのか。たかが飯屋の親爺が懐に温めているにしては、ちと額が多いような気もするがな」

「こ——」

老人は斜面を少し滑って又重郎の前に出た。

そして懐を探り、薄汚れた胴巻きを摑《つか》み出して、掲げて見せた。

「ここに、これこの通り、金は持っとります。五十年、食うや食わずで働いて貯めた、これが儂の——」

「年寄りの繰り言などを聞く耳は持たぬ。あれば良い。慥かに——ずしりと重そうではあるがな——」

又重郎は腕を伸ばす。老人は慌てて胴巻きを引っ込め、両腕を胸の前で組み合わせて身を護る体勢を取った。そして、まだ駄目だァーと言った。

「ほ、本当に孫を助けてくださいましたなら——そん時ゃァ必ず、必ず差し上げますで」

「用心深いな」

「な——」

「だが所詮は町人の浅智恵だ。愚かよ」

「な——何をお言いなさる」

「いいか親爺。俺も一寸《ちよつと》は知られた悪党だ。貴様も——それを承知の頼みごとであろうて。ならば、何故に金など見せるのだ」

「そ、それは——」

又重郎は鯉口を切った。

老人は蒼白《そうはく》になって後退《あとじさ》り、尻餅を衝いて三尺程斜面をずり下がった。か、勘弁、御勘弁、と右手を突き出す。

「だから愚かだと申すのだ。その鬼虎とかいう暴徒を斬るよりも、貴様の皺首《しわくび》を刎ねる方が数倍楽ではないか。いずれその金は——俺のものになる」

一瞬刃が光り、赤松の枝がわさりと落ちた。

老人は開けた口を二度程慄《わなな》かせた。

又重郎は笑った。

「冗談よ。俺は金が欲しいのではない。斬り甲斐《がい》のある者を斬りたいだけよ。貴様なんぞでは役不足だ」

そう。

――斬りたいだけだ。

あふあふ、と老人は口から空気を漏らした。歯の根が合わぬらしい。又重郎は鼻で笑って、坂を緩緩《ゆるゆる》と下り、老人の前に立った。

それにしても――。

――邪魔な水音だ。

女を抱いているような気配もない。

「爺ィ。己の話に嘘偽りはなかろうな」

「う、嘘とは」

「鬼虎は本当に――そんなに強いか」

「つ、強いなんてものじゃあ」

「相解った」

又重郎は斜面を下りた。

――殺してやる。

殺してやる殺してやる殺してやる。

殺意が漲《みなぎ》る。殺戮《さつりく》の愉悦は一瞬の昂《たか》ぶりにある。

筋肉の収縮と解放。間合いと気迫。
じわじわと高揚して、刹那《せつな》頂点に達し、凡《すべ》ては終わるのだ。
坂を下り切る。一歩踏み出す、その歩幅が生死を分かつ。だから慎重に歩を進める。
小屋に至った。蔀戸《しとみど》は閉まっている。
——居る。
妄念だ。戸板一枚隔てて、妄念が渦巻いている。
——なる程。
警戒するが故に気配が沈静していたのか。
戸板に手を掛ける。
——ぬ。
抜け。
又重郎の凶刃が光った。
——はぁッ。
手応えはあった。ごろごろと首が転がった。
次の瞬間。

3

黒達磨の小三太は、先《ま》ず袈裟《けさ》掛《が》けで斬りつけた。

振り向き様に斬りつけられた侍は、口を開け、空を掻《か》き毟《むし》るようにしてから腰の大刀に手を掛けた。しかし小三太は反撃を許さず、右の肩口に二刀目を浴びせ、最後に胸をひと突きして止《とど》めを刺した。侍は膝を突き、前のめりに倒れて絶命した。

侍は悲鳴一つ、発することがなかった。

——他愛もねえ。

首切り某《なにがし》が聞いて呆《あき》れる。

小三太は屈み、突っ伏して死んでいる侍の元結《もとゆい》を攫《つか》んで引き上げ、その死に顔を見た。間抜けな面だった。自分が何故死ななければならないのか、全く解っていなかったのだろう。

——この首ッ玉が五十両か。

小三太は叩《たた》きつけるように乱暴に元結を離し、それから戸口に立って外の様子を窺った。

どうどうと、巴が淵の音が聞こえた。

——煩瑣《うるせ》ェ。

戸を閉める。

小三太は再び屈み、脇差《わきざ》しの血糊《ちのり》を侍の袴《はかま》で拭《ふ》き取り、それからそれを死骸の頸《くび》に当てて、引いた。

切り難かった。

——座らせて打ち首にした方が楽じゃあねェか。

そう思った。

じゅうじゅうと音を立てて血潮が噴き出た。

——これが済んだら次はそこの鬼虎の首だ。

造作もねえやな——そう声に出して言い、小三太は侍の頸を切り続けた。

ぬるりとした液体が白木の柄《つか》を紅く染めた。気持ちの良いものではないが、既に小三太のそうした感覚は麻痺《まひ》してしまっている。

そして——小三太は思い出す。

その鳥追いが小三太の所に掛け込んで来たのは、昨夜遅くのことである。

親分さんに内密のお話が御座ンすのサ——。

やけに仇っぽい目つきのその女は、三下の乱暴な応対に物怖《ものお》じもせず、艶《つや》のある声でそう告げたのだという。

その頃小三太は、丸一日捜しても鬼虎が見つけられぬ無能な手下どもを詰《なじ》り、小突き回し、怒鳴り散らし、八ツ当たりに当たって、大荒れに荒れていたのだった。

縦になっても横になっても臓《はらわた》が煮えるような忌《い》ま忌《い》ましさが込み上げて来て、酒を食らおうが女を嬲ろうが、どうしても収まらなかった。何であれ凝乎《じっ》としていられなかった。損をしたとか恥をかいたとか、その時はもう如何《どう》でも良くなっていて、兎にも角にも憎き悪五郎の不細工な首が欲しくッて、ただ欲しくッて、それだけで小三太は荒れていた。

小三太という男は昔からそうだった。

何か欲しいものがあると、仮令《たとえ》それがどんなにちっぽけなものであっても、手に入れるまでは夜も眠れぬのである。

例えば夜半に何かが欲しくなったとする。それが翌朝になれば簡単に手に入れられるものであったとしても、夜が明けるまでのその僅かな間に、欲しい欲しいが高じて小三太は気が狂いそうになるのだ。

餓鬼の時分——近所の娘の髪に挿してあった安物の櫛《くし》が真夜中に急に欲しくなって、それでどうにも堪《たま》らなくなって、寝ていた母親を痣《あざ》が出来る程蹴ったことがあった。朝まで蹴り続けて、朝になってその娘の家まで行き、寄越せと言ったら寄越せと言って散散捩込《さんざんねじこ》んで手に入れた。

その櫛はまだ持っている。

小三太はまた、一度手に入れたものは何が何でも手放したくない、という質の男でもあるのだ。だから小三太は異常なまでに執拗に所有権を主張する。

それは尋常ならぬ執着心の持ち主なのである。

長じてから小三太が喧嘩渡世《けんかとせい》の道に入ったのも、欲しいものを手に入れるためだった。ものを手に入れるにも、世間には手順というものがある。その手順を踏むのが小三太はどうしても嫌だったのだ。働いて稼いで貯めて買うなどという気の遠くなるような間怠《まだる》っこしい手順を踏むことは、小三太のような質の男には出来る訳もなかった。

手段を選ばず欲しいものは奪う。それが一番小三太の性に合っていた。

ただ、盗みは駄目だった。人目を忍んだり策を弄《ろう》したり仕掛けを施したり、そんなしち面倒臭いことをするくらいなら普通に働いた方がまだマシだと思った。何も考えず欲求のままに生きるためには極道しか選択肢はなかったし、それも、上り詰める以外になかったのである。子分手下でいるうちは、極道と雖《いえど》も何の魅力もなかった。

だから、力ずくで奪った。

大恩ある安宅《あたか》の十蔵《じゅうぞう》を謀殺《ぼうさつ》し、小三太が今の地位を獲得したのは三年前のことである。腕っ節だけは人の数十倍強かったし、性質も凶暴で、取巻きも同じく乱暴な連中が固めていたから、最早盾突くものはいなかった。盛りのついた狂犬に好んで手を出すような愚か者は、仮令やくざと雖も誰ひとり居なかったのである。

だから――。

鬼虎の悪五郎などという不埒者《ふらちもの》を、黒達磨の小三太は絶対に許せないのだ。存在自体認める訳には行かぬ。悪五郎は小三太の賭場を壊した。小三太の子分を壊した。小三太のものを奪った。力だけが存在理由である小三太と互角に闘い、まんまと逃げ完《おお》せた。

考えれば考える程許せない。憎しみは刻一刻と肥大して、如何《いかん》とも抑えが効かなくなっていた。小三太は、顔が歪む程手下どもを打ち据えた。

そこに——その女はやって来たのである。

「親分さんに内密のお話が御座ンすのサ——」

女はそう告げたという。

奥で兄貴分が叱責《しっせき》されている最中であるから、応対は邪険だった。この女寝惚《アマねぼ》けやがって、ここを何処《どこ》だと思っていやがる、泣く子も黙る黒達磨一家だぞと、三下はいつになく絡《から》んだようだった。

「その黒達磨親分に話があンのサ——女と思って嘗めてかかると痛い目に遭うよ——雑魚《ざこ》はどいときな——」

威勢のいい、それでいて艶のある声が奥まで届いた。

そしてその女——鳥追いのおぎん——は、奥座敷まで這入《はい》って来たのだった。

色が抜けるように白い。切れ長の眼の、その眼の縁がほんのりと紅い。荒《すさ》み切っていた小三太は、あまりにその場に似つかわしくない女の登場に、ほんの一瞬だけ我を忘れた。小三太を見て、花の蕾《つぼみ》の如き朱唇《くちびる》をほんの少し開けて、女は微笑んだ。

「黒達磨の親分サンですね——」

鈴が転げるような声だった。

何だ手前《てめえ》は——。

子分どもは一斉に片膝を立てた。

それでも女は怖気《おじけ》づくこともなく、抜け抜けとこう言った。

「随分と御丁寧なお持て成しで御座ンすねえ。でもあたしはこちらの親分サンおひとりに話があるンで御座居ますよゥ。子分衆は、一寸外《ちょいと》しちゃ貰えませんかねェ——」

何をゥ——と吠《ほ》えて、子分のひとりが匕首《あいくち》を抜いた。女はすうと三味《しゃみ》を翳した。

「おやまあ、信用出来ないンで御座ンすかい。それもまァ無理は御座ンせんけどね。それにしたって皆さんは、喧嘩渡世にその名も知れた、黒達磨一家で御座ンしょう。そこに坐《おわ》すは赤鬼も、裸足で逃げ出す小三太親分じゃァないンですか。仮令あたしが賊だとしても、女ひとり相手にして勝てない訳もないじゃァ御座ンせんか。それとも——」

女に隙はなかった。

「もしもそちらの親分サンが、たかが女ひとりを怖いと仰せなンなら——裸に剝《む》くなり何なりして、どうぞお調べになってくださいましな。神懸けて疾《やま》しいところは御座ンせん。もしも何かが出たならば、首なと腕なと取って結構。煮るなと焼くなと好きにしておくれ——」

吐《ぬ》かしやがったなこの女《アマ》ァ——と、一人が女に手を懸けた。

小三太はその子分を張り飛ばした。

欲しくなったのだった。その鉄火肌の女が。

小三太は子分を座敷から追い出した。

そして女と差し向かいで座った。

御無礼致しました——と丁寧に侘《わ》び、女は頭を下げた。

そして、おぎんと申します鳥追いで御座居ます——と、名乗り、続けて、

「あンな風でも申しませんと、親分サンと二人切りにはなれまいと、女達《だてら》に肚《はら》を括《くく》りましたのサ。こればッかりは子分衆にも聞かれぬ方が良かろうと、そう思いましたもンですからねェ」

と言った。

何の話だ——小三太は問うた。いずれ回り苦《く》呶《ど》いのは嫌いだった。おぎんはするすると畳の上を擦り寄り、小三太の耳元に口を寄せるようにして、
鬼虎の悪五郎のことで御座居ます——。

と言った。

何をゥ——小三太は眼を剝いた。

「居所を存じておりますのサ——」

おぎんはそう言って、更に身を寄せた。

何処だ、何処に居るッ——小三太が大声を出すとおぎんは細い指を小三太の唇にそっと当てた。

「これからが相談事で御座ンすのサ。お前様を黒達磨の親分サンと見込んでの頼みごと——」

そしておぎんはすうと身を引き、

「先《ま》ずはあたしの身の上を聞いてくださいまし——」

と言った。

小三太の返事を待たず、おぎんは語り出した。

おぎんという女は——三年前まで江戸は両国の井坂屋という油問屋に奉公していた女だそうである。

十の頃から八年間奉公したのだそうだ。

三年前のことだという。おぎんはその年の春、若旦那《わかだんな》に見初《みそ》められ、秋には祝言を挙げる予定になっていたのだ——と言った。気立ての良いのと器量の良いの、そして生真面目《きまじめ》なのと、主《あるじ》も大層気に入っていたのだそうだ。玉の輿《こし》である。

そんな旨《うま》い話があるものか——と、小三太は思った。他人の幸せは己の不幸こそが黒達磨の信条である。仮令気に入った女の昔話であろうと、そうした感じ取り方に変わりはない。

案の定——そんな旨い話はなかったようだった。

祝言まで残り三月という時期に、井坂屋に押し込みが入ったのだと、おぎんは語った。それは非道な仕事振りで、手代から番頭から女中小僧に至るまで一族郎党皆殺しにされたのだという。

おぎんはといえば、その前日、主の言いつけで八王子に住まう主の弟の家まで泊まり掛けで使いに出ており、間一髪命拾いをしたのだそうだ。

早朝に戻ったおぎんは——腰を抜かした。

軒先には耳が、帳場には足が、廊下には腕が転がっており、床の間には三月の後に夫となる筈《はず》の、若旦那の首が落ちていたのである。

文字通り血の海だったという。

折り重なって死んでいる小僧や女中にも、悉く首がなかった。女房は寝所で、主は土蔵の前で、それぞれ切り刻まれて死んでいた。秋には弟になる筈だった幼い子供達も、無残な骸《むくろ》になり果てていた。

盗人の名は知れなかった。しかし、お店《たな》の者を皆殺しにした男の名前は判った。

首切り又重――。

殺し屋だという話だった。流しの盗賊に金で雇われたのだろうと、後に役人が教えてくれたそうである。

そして――たった一人生き残ったおぎんは、その日のうちに火付盗賊改め方に捕まってしまったのだった。

引き込み役の嫌疑がかけられたのだそうである。

小三太は肚の底で嗤《わら》った。

世の中そんなものである。

弱い処に皺寄《しわよ》せが行く。それが嫌なら強くなって横車を押すしかない。他人を甚振《いたぶ》る以外、己の処に皺の寄らぬようにする手立てはないのである。

疑いの晴れるまでの一年間は、それは大変だったのだとおぎんは言った。娘としての夢も希望も何もかも、その一年で凡てなくしたのだそうである。

おぎんに残ったのは復讐心だけだった。

そして――おぎんは鳥追いに身を窶《やつ》し、諸国を巡って首切り又重を捜したのだという。

首切り又重――。

その名前は小三太も聞いていた。

神出鬼没、諸国を流れる人斬りで、凄腕《すごうで》だが、人さえ斬れれば金など要らぬという殺人狂だという噂だった。その首級には、慥か五十両がところの賞金が懸かっていた筈である。懸けたのは何処ぞの大名だという話だった。先月も駿河との国境《くにざかい》で韮山《にらやま》の代官所の役人を斬ったのだと、そう聞いている。

だが――。

それがなンだ、お前の身の上話とあの憎い鬼虎と一体何処で如何《どう》関わるンでェ――と、小三太は憎げに糺《ただ》した。如何《いかん》せん回り苦呶いのは嫌いなのだ。

女は、畏《かしこ》まって答えた。

「又重の奴は十日ばかり前にこの伊豆に入ったンで御座居ますよ。そして、こともあろうに土地の者を泣かす鬼虎の悪五郎殺しを――依頼されたンで御座居ます――」

――なる程そうか、そう繋がるか。

黒達磨は納得する。

だが――。

誰が頼んだというのだ?

小三太は、慥か又重の頼み金は法外に高いのだ――と、風の噂に聞いていた。

麓《ふもと》の三箇村、宿場町の町民達が金を出し合ったのだ——とおぎんは語った。おぎんは駿河に首切り又重現るという噂を聞き付け、もしやと思い伊豆に先回りをして、村村を回って網を張るうち、その話を聞き付けたのだという。

——それならば。

慥かにありそうな話ではある。思い起こせばその連中は、幾度も小三太にあの山猿を退治してくれと頼みに来ていたようだった。まるで興が乗らなかった故、耳に入ってもすぐ抜けて、小三太はまるで覚えていなかったのだが。

「あたしは漸《ようよ》う怨敵《かたき》に会えるかと逸《はや》り、村人に取り入って、サテ如何《どう》やって繋ぎを取るのか、こと細かに調べましてねェ。聞けば悪五郎って奴も又重に負けず劣らずの悪漢だてェ話じゃ御座ンせんか。ええ。昨日ですよ。慥かに頼む所も見たンです。金子《きんす》も渡していましたしねェ」

——それが本当なら。

慥かにいい勝負ではあるだろう。小三太がそう言うと、おぎんは形の良い眉を少し歪めた。

そして、

「いいンですかい、それで——」

と、妙に鼻にかかった、甘えるような声で小三太に問うた。小三太はおぎんに顔を向けた。

「話に聞けば昨日の夜、その鬼虎は親分さんの賭場を荒らして、子分衆に怪我を負わせたってェ話じゃァ御座ンせんか。そんなの許しちゃァおけないンでしょう、親分の気性だものねェ。むざむざあんな、又重なんかに斬らせちまッて、悔いの残らないてェ道理はない——」

それは——慥かにそうなのだった。小三太のむかつきは、悪五郎が死ねば収まるというようなものでは、最早ないのだ。

小三太はもう一度おぎんの白い顔を見た。

得体の知れぬ牝狐《めぎつね》は、にんまりと笑った。

そして言った。

「悪五郎はついさっき——巴が淵の自分の小屋に戻ったンで御座居ますよ——」

何だとッ——小三太は大声を出しておぎんの肩を摑んだ。それは真実《まこと》か——この期に及んであの山猿、真逆己の棲み処に舞い戻ろうとは、考えもしなかったことである。なる程見つからぬ筈である。

小三太の苛苛《いらいら》はそこに至って見事に復活した。

——虚仮《こけ》にしやがって。

何ごともなく——という意味か。黒達磨一家などまるで怖くはないのだと、そういう意志《きもち》の現れか。小三太は震えた。頭の芯《しん》が熱くなって、叫び出したくなったのだった。

おぎんは言った。

「それがねェ、あたしは詳しい子細《わけ》は存じませんから、昨晩から悪五郎の小屋の近くに身を隠して、様子を窺って居たンで御座居ますよ。勿論あたしは又重の奴を待ってたのサ。頼まれた以上、怨敵又重は必ず鬼虎を襲うでしょうからねェ。ところがどうも小屋は蛻《もぬけ》の殻《から》さ——」

乱闘騒ぎのあった頃であろう。

「夜明かししてずっと待って、丸一日待ってねェ、帰ろうかと思った矢先、そいつが――鬼虎の悪五郎が、のこのこ帰って来たンで御座居ますよ――」

本当に見たのか――と、小三太は厳しい口調でおぎんを糾《ただ》した。

そりゃあ見ましたとも――と、おぎんは答えた。

「それがねェ、その鬼虎、足は引き摺《ず》る腰は曲がるの無様な格好で御座ンしてね。幾ら怪力無双だか知りませんけれど、相当参ってましたっけ――」

鬼虎が――参っている?

――そんな馬鹿な。

昨晩、博打場の壁を揺さぶり、畳を撥《は》ね飛ばし、悪五郎は鬼神の如き大暴れをしたのだ。挙げ句の果てに柱をへし折られて、建物は半壊したのである。子分どもの半分は腕を折られ、足を斬られて、手も足も出せなかった。今日になって三人死んだ。

――奴も無傷ではなかったということか。

小三太がそう呟《つぶや》くと、おぎんはそりゃそうで御座ンしょう――と言った。

「でなきゃ逃げ出しやしませんよゥ。負けると思ったから退散し、逃げ切れずに観念して舞い戻ったのに違いないのサ。顔だって血塗《ちまみ》れで御座居ましたからねェ、相当いかれておりましょうよ。あれならあたしにだって、討ち取れる――」

――そんなに。

傷は深いのか。

——それなら。

そう、そうなんですよゥ親分——と、おぎんはどこか悩ましげに言った。

「そんな有様で御座ンしょう。何も躊躇《ためら》うことなンかないじゃ御座ンせんか。鬼虎は簡単に討てましょうよ。親分程の腕前なら、もう小指一本で済むことで御座居ますよゥ——」

おぎんはそこで手を翳した。

「おっと、子分衆を連れて乗り込もうなんてお考えなら、そいつは一寸《ちょいと》ばかり待ってお呉《く》れ。いいかエ親分。今なら——そう、今だったら、鬼虎がそんなにやられてるなンてこたァ、あたしを除けば子分衆を始め、世間の誰もが知らぬこと——」

そしてその手を小三太の首に回した。

「だからこそ親分、これは内密な話なんで御座居ますよ——」

おぎんはそう言って、笑った。

——儂ひとりで討てというのか。

それは——中中良い考えだった。あの憎き山猿を散散甚振《いたぶ》ることを想うだけでも気持ちが弾むが、それに加えて、その愉悦をひとり占め出来るというのは——小三太にとっては何よりのことである。

代官所も手出しが出来なかった暴徒である。荒振るやくざ五十人がかかっても敵わなかった強敵である。大枚を叩《はた》いて殺人鬼を雇わねば始末の叶わぬ奸賊《かんぞく》である。それを——。

——儂が。儂一人が。

それでね親分——と言い乍らおぎんは再び撓《しな》を作り、小三太の脇に擦り寄った。

そして息がかかる程耳許に口を寄せて、

「肝心なのはここからですよゥ——」

と言った。

それから、

「鬼虎と又重——両方を討っちゃ如何《いかが》です——」

と、囁《ささや》くように言った。

なる程——それがお前の狙いかと、小三太は思わず膝を打った。

おぎんは己の怨敵を小三太に討たせる腹積もりだった訳である。

小三太は白い女の顔を間近に見据えて、
そう上手く行くと思うか——と言った。

おぎんは切れ長の眼を細めて、行きましょうよ、きっと——とほざいた。

「あいつの首には五十両の金がかかってるンです」

懐には村人の金が二十両、締めて七十両——親分なら楽に勝てるでしょうに——と、おぎんは拗《す》ねるような顔で言った。

「又重という男はね、慥かに強いのは強いンで御座居ますけれど、それもどうも、居合い抜きみたいなもので御座ンしてね。出会い頭の一撃を避けることが出来たなら、何なく勝てる相手で御座ンすよ。如何です、親分——」

――七十両か。

小三太には勝つ自信があった。

やっとうなど所詮は遊びだ――と、小三太は思っている。この太平の御時世に刀を抜くのは武士ではなくて専《もっぱ》ら侠客なのである。どれだけ熱心に竹刀《しない》を振っていても、人を斬るということが一体如何《どう》いうことなのか、武士の多くは知らない筈なのだ。でも小三太達はそれを善く知っている。実践は理論を凌駕《りょうが》する。又重がどれだけ強いか知らないが、武士の太刀なら容易に躱《かわ》せる。逆様《はんたい》に武士の方は、型に嵌《はま》らぬ攻撃には滅法《めっぽう》弱いものなのである。

小三太は達磨のような顔を赤くした。

女も、やや上気しているようだった。

「そうそう親分。例えば鬼虎と首切りを争わせて、勝った方を親分が殺す――ってのは如何で御座居ます――」

おぎんはそう言った。

それならそれでいい。それも実に小三太の嗜好に合致した、周到で卑怯《ひきょう》な計画だった。そして――。

黒達磨の小三太は、身支度を整え、おぎんを伴って巴が淵に赴いたのだ。

どうせ眠れぬのは判っていた。朝まで待つことなど出来る筈もなかった。

不審がる手下どもには、報せがあるまで何があっても動くなと、そう伝えた。

待たせておいて二つの首級を提げて戻れば、もう小三太の威信が揺らぐこともなかろう。

そう思った。

巴が淵に着いたのは丑三刻《うしみつどき》を過ぎた頃だった。

夜明け前の巴が淵は、まるで地獄の端に立ったが如き風景である。

騒騒《さわさわ》と淵を渡る風は嫌でも気持ちを煽《あお》り、轟轟《ごうごう》という渦の音はおのずと戦闘意欲を掻き立てた。

儂に何かがあったなら、その時は組に報せに走れよと、そうおぎんに言い付けて、黒達磨の小三太は抜き身を引っ提げて、小屋に近づいた。

がさつな侠客は中の様子を窺うようなことはしない。だから突如《いきなり》戸を開けた。

先《ま》ず——小屋の隅で倒れている鬼虎の姿が目に入った。

続いて入口付近に立っていた侍が驚いて振り向く様を確認した。

そして——袈裟《けさ》掛《が》けに斬り下ろしたのだ。

何も考えなかった。

首切り某が聞いて呆《あき》れる。

息の根を止めて首を採《と》る。

——この首ッ玉が五十両か。

どうどうと、巴が淵の音が聞こえた。

そして小三太は、脇差しの血糊を侍の袴で拭き取り、死骸の頸に当てて、ごりごりと首を切り離し始めたのである。殺すよりも難儀な作業だった。

「済んだぜ——」

黒達磨は血塗れの両腕を侍の衣で拭い、漸く胴体から離れた首を持って、鈍鈍《のろのろ》と立ち上がった。半刻近くかかった。脇差しより鋸《のこ》か出刃の方がこうした作業には向いている。

——次はそこの。

小屋の隅を見る。

鬼虎が、襤褸屑《ぼろくず》のようになって倒れている。

——惜しいことをしたな。

自分の手で息の根を止めることこそ出来なかったが、こうなってしまった以上はもう已《やむ》を得まい。後は気が済むまで骸を辱めるだけである。

取り敢えずおぎんに報せようと、小三太は戸口に立った。その時——。

突然戸が開いた。

4

戸を開けて暫《しばら》くすると、小屋の隅にあの悪五郎が横たわっているのが確認出来た。

暫《しば》し呆然《ぼうぜん》とした。

真逆、本当にあの豪傑が死ぬなどとは、田所十内《たどころじゅうない》は思ってもいなかったのである。

しかし――。

十内は思案を重ねる。

慥かに――悪五郎はあの白装束の男の言う通りに死んでいた。だからといって、あのような下賤《げせん》な者の諫言《かんげん》を鵜呑《うのみ》にしてしまって善いものだろうか。

――あの男。

矢張り斬るべきだったか。だが。

――宿籠《はたご》では斬れぬ。

それなら後を追い、何としても仕留めるべきであったかと、十内は今更後悔をした。

――案ずることはなかろうが。

たかが旅の乞食坊主である。どこに行って何を語ったところで、誰も信用はするまい。

だが――。

その男が十内の許を訪れたのは、亥《い》の刻を過ぎた頃のことである。

ひと月振りの伊豆だった。

だからその刻限、十内はもう緩《ゆる》りと湯に浸かり、寝酒をたんと愉しんで、白河夜船でいたのである。夏にはまだ早いが、少し蒸し暑かった。だから細く障子を開けて、十内は微睡《まどろ》んでいたのだった。

りん。

と、鈴《りん》の音がした。

季節外れの風鈴よ――とそう思った。

再びりん、と音がした。

近い――十内は身を起こした。

障子がすう、と開いた。

何者ッ――枕元の刀に手を伸ばす。

「おっと物騒ななアなしだ――」

暗がりから声がした。

「こんな処から失礼しやすが、おっと奴《やつがれ》は白波《しらなみ》じゃあ御座ンせん――」

窓から侵入《はい》って来たのは頭を行者包《ぎょうじゃづつ》みにした白装束の男だった。

首から偈箱《げばこ》を提《さ》げ、手には鈴を持っている。

武器らしいものは携えておらず、白地《あからさま》に無防備な軽装である。

慥かにこんな風体の盗賊は居るまい。だから十内は——大層戸惑った。

——物《もの》の怪《け》か。

そう問うた。男はにやりと不敵に笑い、

「——見ての通りの御行乞食《おんぎようこじき》で御座居ます——」

と言った。

御行といえば、まじない魔除けの札を売り歩く僧形の物乞《ものご》いのことである。

慥かにその通りの格好ではあった。

その御行が何の用じゃ——十内は侵入者を睨《にら》み付けた。

仮令《たとえ》如何なる身分であろうとも斯様《かよう》な行いは無礼千万、即刻出て行け、行かずばどうなるか判っておろう——と、十内が捲《まく》し立てるのを、男は手で制した。

「お騒ぎあるな。代官所のお役人が来ちまッちゃいけねェや。それで困るなァ旦那の方じゃァねェんですかい——」

貴様ッ——何奴ッ——十内は一度戻した手を伸ばし、刀の柄《つか》に手を掛けた。

男はひらりと音もなく衣桁屏風《いこうびようぶ》の後ろに回り込んだ。

「おいおいそういうのはなしだ旦那。奴《やつがれ》は、寅五郎《とらごろう》さんの——否、今は悪五郎か。鬼虎の悪五郎の使いで御座居やすよ——」

男はそう言ってぬう、と立ち上がった。

十内は刀を手にして床の上で片膝を突いた。

御行は、止しておくんなせえ——と言った。

「奴《やつがれ》と鬼虎は博打仲間でしてね。実は鬼虎から旦那に言伝《ことづ》てがあるんでサぁ。就いては旦那と繋ぎを取るのをね、絶対に周囲に気取《けど》られないようにと、悪五郎の奴ァこう吐《ぬ》かしやがった。それで斯様な刻限に、大屋根の瓦《かわら》を伝い、慣れぬ忍びの真似事をしたと、こういう子細《わけ》で御座ンすよ——」

男は再び不敵に笑った。

「言伝てはふたぁつありましてね。先《ま》ず、明日からのお約束は守れぬということで——」

——約束が——守れない？

それはどういう意味だ、と十内は問うた。守れないで済む約束ではない筈である。この二年の間、あの木偶《でく》の坊は献身的に約束を守った。正に馬鹿としか言いようがなかったが、それもこれも——。

「鬼虎はね、死んだんです——」

男はそう言って、
りん、
と鈴を鳴らした。

死んだァ——と十内は叫んだ。

信じられぬ。

十内は以前一度だけあの鈍重な男に斬りつけたことがある。しかしあの男は死ななかった。死ぬどころか、痛くもなさそうな顔をしていた。

死んだんですよ――と御行は繰り返した。

「昨日、あいつァ賭場で悶着を起こした。そして黒達磨一家に膾《なます》にされたンでさァ――」

慥かに博打の好きな男ではあった。

御行は屏風の蔭からすい、と出て、傅《かしず》くような格好になった。

「奴《やつがれ》が死に水をくれてやったんで。幾ら豪傑とはいうものの、無法な俠客を五十人から敵に回して、勝てる訳がねェんです。百姓町人が鍬《くわ》だの包丁だの持って押し掛けて来たのたァ違いやしょう――」

それは――そうだろう。

十内は刀を置いた。ですから――御行はその十内の様子を具《つぶさ》に見て、続けた。

「お武家様とあの鬼虎にどんな約束があったのか、そいつは奴《やつがれ》の与《あずか》り知らぬところで御座居やすが、いずれくたばっちまっちゃァ守れねえ。だからそれが最初の言伝てだ。それからもうひとつ。情けのねえ理由で縁が切れるが、お武家様には今までも、何かと尽くして来たつもり、それに免じて妹のお吉を――許してやっちゃあくれまいかと、鬼虎の奴ァいまわの際にこう言った――」

りん。

御行は鈴を鳴らした。

「ただ──どうしても──許して貰えねェと言うのなら、それも仕方がねェことと──悪五郎は申しやした。そして、もしも許して貰えねェのなら、その時は、せめてこの馬鹿な兄貴の遺髪なりを形見と為して、お吉に渡してくだせェと──奴はそう言い残して死んだんで──」

そうか──死んだか──そう言って十内は、視線を男から外した。

御行の眼は俊敏に十内の落ち着きのない視線を捕らえた。

「何があったかは存じませんが──いい加減に許してやっておくんなせェ。でないとあの馬鹿が──化けて出ますぜ──」

御行はそう言った。

「まあ──込み入った理由は聞いちゃあいねえ。お武家様方にゃァ色色と、しち面倒臭ェ事情があるんで御座居やしょう──でもね──」

ひらりと身軽に跳んで、白装束は障子窓の敷居に乗った。

「せめて遺髪は届けてやっておくんなさい。行くなら夜明け前がいい。明朝にゃァ代官所の方に報せが届く。腰抜け役人も、生きてるうちは来なくても、死んだと聞きゃァ出張って来ましょうよ。そうなりゃ旦那は──行けねえんでやしょう──」

十内は立ち上がった。

この御行、口では知らぬと言い乍ら、必ず何かを知っている。このまま生かしておいて善いものか──今ここで。

りん。

男は鈴を鳴らした。

「お忍びでもその身態《みなり》。身分の低いお方とも思えねえや。あんまり非道なことォなさるッてェと、幾ら偉くったって罰は当たりますぜ。この世にゃア、神も仏もねえけれど、恨みが募《つの》ればあやかしも生《わ》く。涙が凝《こご》れば物の怪も生《わ》く。くれぐれも、用心された方が宜しいですぜ——」

そう言い捨てて、男は夜の闇に消えたのだった。

十内は、たっぷり一刻をかけて思案を重ね、挙げ句矢ッ張り狼狽《ろうばい》した。

鬼虎が死ぬなど、考えてもみなかったことなのである。だが——。

考えようによっては手間が省けたと——言って言えないこともないのだ。幾ら馬鹿とはいうものの、そうそういつまでも騙し完《おお》せるものではないのだろうし、もし騙していることが知れたなら、その時は始末が面倒だと、それは以前から考えていた。

——そろそろ潮時か。

そうも思った。しかし——。

あの怪しい御行の言葉をそのまま信じる訳には行かなかった。

本当かどうか確かめるなら、慥かに夜明け前に行くべきなのだろう。

——もし嘘だったとしたら。

いったい何の企みか。

いずれ黙ってはいられなかった。

そして十内はこっそり宿を抜けて、巴が淵まで来たのである。

小屋の戸を叩いても返事はなかった。

人気はなく、戸締まりもされてはいなかった。

板葺き屋根の隙間から僅かに洩《も》れる月光が、芒洋《ぼうよう》と小屋の内部を浮き上がらせていた。目が慣れるまでにかなり時間が必要だった。

——本当に——死んでいたか。

十内は腕を組んだ。悪五郎はそこに倒れている。

だが遺髪を届けるにしても、届ける相手は疾《と》うに無縁墓地の中である。二年も前に死んでいるのだ。

——化けて出ますぜ、か。

せめて同じ処にでも埋めてやろうか——そうも思った。しかし所詮情けをかけて如何《どう》なるものでもない。そんなことは馬鹿馬鹿しいことのようにも思えた。寧ろ代官所の連中に如何なる根回しをするかが問題なのだ。こんな馬鹿の死骸は放っておけば善い。

——だが、あの男。

本当にただの使いか——十内がそう思った瞬間。

乱暴に戸板が開いた。

5

報せを受けた黒達磨の子分どもが、何が何だかまるで事情の解らぬままに、漸《よう》う巳が淵の辺《ほとり》に着いたのは、昼四つを過ぎた頃のことだった。

子分どもは仰天した。普段は人気の全くない人里離れた悪所に、何人もの人影があったからである。

旅の者、百姓町人に雑《ま》じり、役人の姿もあった。

何だ何だ如何《どう》した如何《どう》したと、人垣を割って入って、子分どもはもう一度仰天した。

小屋の前、淵に面した一枚岩の上に、奇妙なものが置いてあったからである。

それは——三人の男の死骸だった。三人は足の方をば外に向け、頭の方を中心に寄せるようにして、三方に開いた形で寝かされていた。

しかし——。

三人の肩の稜線《りょうせん》は、それぞれに肩先で接し、歪《いび》つな三角形を描いていた。本来その中央にあるべき男達の頭は——なかった。

死骸は三人とも首が切り取られていたのである。

「こりゃあ——一体《いって》ェ——」

流石《さすが》の侠客どもも唖然《あぜん》とした。

陣笠を被った役人が困り果てた顔をして立っていた。その配下の者が遺骸を指して、これはお前達の親分黒達磨の小三太ではないのか——と、問うた。

やくざどもは一斉に死骸を見た。

一体は猟師が着るような毛皮の袖なしに、血濡《ちぬ》れた山刀を握り締め、もう一体は黒っぽい着流しに豪《えら》く立派な、これも血のついた大刀を手にしている。またもう一体は奥縞《おくじま》の着物の尻を端折《はしょ》った股引姿《ももひきすがた》、手には矢張り血塗《ちまみ》れの長脇差《ながわきざ》しを携えていた。

その奥縞は、慥かに見覚えのある生地だった。小三太が昨夜、鳥追いと出掛ける際に着ていたものである。

侠客達は一瞬呆《あ》っ気《け》に取られ、直様《すぐさま》大いに動揺した。それから親分、親分と口口に叫び死骸に近寄ったが、棒を持った小物がそれを阻んだ。

「検分が済むまで触れてはならぬ」

役人が怒鳴った。侠客が怒鳴り返した。

「検分だァ——何を寝惚けたことほざいていやがるこのヘボ役人。こりゃあの、腐れ外道の鬼虎の仕業に違ェねえんだ。一昨日の騒ぎを覚えてねェのか。何を今更——」

「ね、寝惚けておるのはお前達の方であろう。善く見てみろッ。小三太と並んでそこに仲良く寝ておるのは——その悪五郎ではないのかッ。とくと見てからものを申せ、この無礼者ッ」

やくざどもは三度《みたび》仰天した。慥かにそれは鬼虎の悪五郎のようだった。風体も同じだし握っているのは賭場を荒らした時に引っ提げていた山刀だった。

「じゃあ――これは――」

「そうなのだ――」

陣笠の役人が腕を組んで言った。

「もうひとりは――お尋ね者の首切り又重こと石川又重郎だ。その死骸が握っておる刀は先月奴に斬られて果てた拙者の同役、田中慎兵衛《たなかしんべえ》の刀に間違いない。役人を斬るなど不届き千万、鋭意捜索中ではあったのだが――十日ばかり前にこの伊豆に入ったと報せがあったものの、真逆――このような」

役人達は頭を抱えた。

「小三太と悪五郎には、先刻承知の確執があった訳でござろう。ならば小三太が又重郎を雇い入れ、悪五郎を殺させた――のでは――ない訳ですね」

「左様。悪五郎が又重郎を返り討ちにして、怒って小三太を討った――のでもないのだ。それだと悪五郎を殺すものが居らぬ」

「悪五郎と又重が連《つる》んでいたのだとしても」

「それは同じこと。これは三竦《さんすく》みだ。小三太の子分が仕業かとも思うたのだが、親分まで晒《さら》し者にする訳もなく、それに――どうやら違っていたようだ」

役人はやくざどもを情けない視線で見渡した。

やれ喧嘩渡世の極道者のと凄んでいるうちは兎も角も、こうした予測不能の椿事《ちんじ》には、からきし対応出来ぬらしい。荒くれ侠客どもは、案山子《かかし》のように突っ立っているだけだった。

「首は——」

やくざのひとりが言った。

「親分の首は、ど、どこに」

それよ——と役人は言う。

「報せを受けて出張って来てはみたものの——斯様《かよう》に奇態な骸は初めて見たわ。まあ、こ奴等の腕は互角であろう。三者切り結んで同時に果てた——という事態も考えられぬ訳ではない。しかし、それでも首がないのは怪訝《おかし》かろう。善いか、首がないのは一人だけではない。二人でもない。三人ともないのだぞ。三人目の首は誰が切ったのだ。何者かが切って捨てたのか。それとも宙を飛んで何処かに消えたのか——まだ争っておるとでも申すのか——」

野次馬が響動《どよめ》いた。

「首は——淵の中で争っておると——申す者もおったが」

役人は淵を覗いた。

水は轟轟《ごうごう》と渦巻いている。

「それは、舞首《まいくび》です——」

人垣の中から旅仕度の若者が一歩前に出た。

「その方は——」

「私は江戸は京橋に住まう物書きで山岡百介と申します。諸国を歩き古今の怪談奇談を蒐集《しゅうしゅう》致しておる暇人《ひまじん》に御座居ます。お役人様に申し上げたきことが御座居ますれば——暫しお耳を拝借出来ませぬか」

若者はすいと前に出て、三つの遺体を眺め、顔を顰《しか》めてから言った。

「先程から聞いておりますと、この三人は悪五郎、小三太、又重と申すとか」

「如何《いか》にも左様であるが」

そうですか——これはまた因果なこと——と若者は呟いた。そして陣笠の役人に問うた。

「この近くに——真鶴《まなづる》ヶ崎《さき》と申します岬があるのは御存じか」

「勿論存じておる。伊豆の国内だ」

「彼の地に、こんな伝説《いいつたえ》があります。寛元《かんげん》の頃といいますから、神君が江戸に幕府を開かれるずっと前のことですね。この頃、鎌倉検非違使《けびいし》の方便《ほうべん》が、方便と申しますのは、要するに軽刑の罪人ですな。これを手先として使う訳です。密偵のようなものですね。この方便が三人、この真鶴ヶ崎の祭りの宴で出合い、酒を食らって口論になったという——」

百介は、そこで鬼虎らしき屍体を指さした。

「ひとりは大力無双の大男だったそうです。散散の争いの末、二人が共謀してこの大男を殺そうということで話は纏《まと》まった。しかし大男、これをいち早く察し、まずひとりの首を切り落とす——」

百介は次に黒達磨を指した。

「畏《おそ》れをなしたもうひとりは山に逃げ込むが、大男は切った首をば手に提げて、どこまでも追い掛け、追い詰めて斬り合いになった。ところがこの大男、石に躓《つまず》いて仰《あおむ》け様《ざま》に転んだ。そこを――」

百介は又重郎を示した。

「追い詰められた男が肩先から乳の下まで斬り下げた。斬られた大男は反撃に出たが、組んず解《ほぐ》れつの挙げ句石間を踏み外し、二人とも海中に没してしまった。その際に、互いに刃を喉元《のどもと》に当てて、うんと一声――二人の首は掻き落ちた。そして海中でそのまま争い始めたのだそうです。大男の首がもうひとつの首に食らいつき、大男の躰より最初に斬られた首が躍り出て齧《かじ》り付き、三つ巴の争いとなったといいます。正に阿修羅《あしゅら》の如く、口からは火焔《かえん》を吐き、怒り罵《ののし》り、永遠に争い続けるのだそうです。これが妖怪、舞首の伝説です」

「そ――それは面妖《めんよう》な」

「その三人の方便の名は、悪五郎、小三太、そして又重《またしげ》と、そう伝えられております」

「何と――それは真《まこと》か」

役人は大いに驚いた。

役人だけではない。集《たか》っていた大勢の者どもは皆何やら神妙な顔をして、巴が淵を見たのだった。

「勿論、真の話――」

百介は続けた。

「――かの古《いにしえ》の三悪人が執念が、長き時を隔てこの悪党どもに転生し、前世の無念を遂げんとしたのでしょうか。将《はた》またこれは偶然の悪戯《いたずら》なのでしょうか。さても恐ろしきは因果応報。いずれ邪悪な者どもの末路とはいうものの、これは何とも酷《むご》いこと――」

その時。

どうどうと音を立て、不吉な風が水面を渡って衆人の間を駆け巡った。淵の水面は騒騒《さわさわ》と波立ち、三ツ巴の渦は泡を立て唸《うな》りを上げた。首じゃ、首が淵の中に――と誰かが叫んだ。役人も、侠客も、百姓も旅人も、一斉に淵の端に立って中を覗いた。

慥かに濁った水中には、それらしきものがくるくると回り乍ら浮き沈みしていた。

それは恰《あたか》も――争っているかのように見えた。

りん――と、鈴が鳴った。

「御行　奉為《したてまつる》――」

その一声と共に、幾枚もの札が撒《ま》かれた。

札は宙を舞い、水面に至り渦に巻かれて、やがて水中に没した。

再び、りん――と鈴が鳴った。

白装束の男が二人立っていた。

ひとりが、怖《お》ず怖《お》ずと言った。

「お役人様。この上は──これなる三体の仏をこの地に葬り、塚なりと建てて祀《まつ》り上げるが宜しかろうと存じまする。然《さ》もなくば如何《いか》なる祟《たた》り禍《わざわい》のあるものか──」

役人は、陣笠の紐《ひも》を結び直して幾度も頷いた。

「さ、左様だな。こ、これは相打ちだ。天下の大悪人が互いに争い相果てたのだ。お、おい達磨組。貴様達の親分は徒《いたずら》に世間を騒がせたのだ。せ、責任を取るが良い。速やかなる後始末を厳重に命ずる。今、こ、この者の申した通りにせい」

吐き捨てるようにそう言って、役人は大挙して引き上げて行った。大勢居た取巻きの有象無《うぞうむ》象《ぞう》も、それに合わせて潮が引くように姿を消し、巴が淵は瞬く間に閑寂を取り戻した。

首のない遺体を囲み呆《ほう》けたように立ち竦《すく》む侠客どもの様子を遠目で見て、考物《かんがえもの》の百介は苦笑した。

横には先程の、白装束の二人の男が居た。

「それにしても──今回はどういう仕掛けだったのですか。私は実のところ善く解らないのだが──」

白装束の男──御行の又市《またいち》は、それならあの二人に聞きな──と言って獣道の行く手を指差した。

そこには前掛けを外した飯屋の孫平こと事触《ことぶ》れの治平《じへい》と、鳥追い姿の扮装《ふんそう》を解いた山猫廻《やまねこまわ》しのおぎんの姿があった。

又市は言った。

「奴《やつがれ》はこの人を、急ぎ西国の寺まで連れて行かなくっちゃならねェんで。ですから――方向が逆だ」

白装束の見かけない男は百介に深く辞儀をした。

百介は二人を見送ってから、治平とおぎんの方に駆け寄った。

ご苦労さん――と治平は言った。

百介は早速に問い質した。

「治平さん。あの三姉みの首なし屍体ですが、一体どうやったらああなるのですか」

「何じゃ。お前さんまだ解らんのか。簡単なことだわい。又市の奴が脅して、先《ま》ずひとりを小屋に入れる。そこにこのおぎんが色仕掛けで誑《たぶら》かした達磨が入って先客を斬る。達磨は欲に目が眩《くら》んでおるから見境なく首を切り落とす。そこに儂が騙した首切りが行って、達磨の首を一刀の元に落とす。落とした瞬間、悪五郎が起き上がって」

「え?」

「何がエだ」

「悪五郎は――最初に死んだのじゃ」

違う違うと治平は掌《てのひら》をひらひらさせた。

「違うって、だって黒達磨が殺してるじゃないですか。違うのですか? じゃあさっきの、あの骸は――」

「あれは儂が着替えさせたのだ。本当の鬼虎にな」

「本当の鬼虎――って何です？」

おぎんは百介を横目で見て、含み笑いをする。

「先生ェ、今の俄《にわ》か御行――誰だとお思いさァ」

「えッ」

百介は振り向いた。

しかしもう、白装束の二人連れの姿はなかった。

「あの人がね、鬼虎の悪五郎こと、寅五郎さんサ。あの人は慥かに大酒呑みで、博打が大好きで、おまけに腕っ節は滅法強いけどね、そンな、鬼じゃ虎じゃと言われるようなご仁じゃァないのサ。顔だって髭《ひげ》を当たれば可愛《かわい》いもンじゃないか」

「し、しかし、おぎんさん。鬼虎というのは、その婦女子を攫《さら》って――」

それは命じられて嫌嫌《いやいや》しておったのだ――と治平が怒ったように答えた。

「命じられて？」

「そうだ。脅かされて――かな」

「誰に？　本当の――鬼虎に？」

「おう。田所十内という徒目付《かちめつけ》よ」

「それがさっきの――体の主ですか」

「おうよ。薄汚ェ野郎だ。あンなのと一緒にされたんじゃ鬼も虎も肚《はら》ァ立てるぜ」

治平は吐き捨てるようにそう言った。

「しかし——徒目付ともあろう者が——何をしたんです？」

「オウ。この十内が去年から忍び目付に任命されて、韮山の代官所の監査をしていたんだな。隠密《おんみつ》で伊豆を隈《くま》なく廻る役目だが——これがまあ、そちこちで悪呶《あくど》いことをしやがる。監査すべき代官所と通じて、あれこれ目零《めこぼ》ししてやる代わりに、何かと見逃して貰うておったのよ。これがまた、大の女好きと来ておる。のう、おぎん」

「病気サね。一日女断ちすりゃ鼻血が出る、三日断ちゃァ気が狂《ふ》れるってェ助平野郎で御座ンしてね。しかもその女扱いと来た日には、縛る叩くは当たり前、針は刺す火傷《やけど》は作る眼は潰すのご乱行で、ソノ最中に殺しちまうことも頻繁にあったってェ話だから、これはもう病サね。そんな奴のお相手がまともに勤まる女は居やしないよォ」

「それで——悪五郎さんに？　じゃあ悪五郎さんは女を調達させられていただけ？　攫った相手には何もしてないんですか」

「そうよ。あの人はな、無理矢理女攫わせられただけだ。そのうえ、ことが済むまで見張り番させられてたンだ。誰が来たって入れちゃいけねえてェ御命令よ」

「ああ。そういえば鬼虎は女を攫うと小屋の前に立ってたとか——考えてみれば——外に突っ立っていたのでは——何も出来ないですよね」

「延延三日三晩も続くッていうから、人間のすることじゃねえやな」

「しかし何故そんな命令を——金でも貰って？」

「手間賃は渡していたようだがな、それよりも」

妹さんサ——おぎんが言った。

「妹さんを人質に取られてる——って、あの人は信じ込まされていたのサ」

「人質？　その徒目付にですか？」

「そう——本当は二年も前に嬲りものにされて——殺されちまッてるってェのにさ」

おぎんが悩ましげに眉を寄せる。

「寅五郎の妹は名前を吉といって、両国の油問屋の令室になる筈の人だったのサ。それがあらぬ嫌疑を掛けられて、火盗に捕まっちまったンだよ」

「火盗改めに？」

「盗人の引き込み役と疑われたンだ。濡れ衣だよ」

「どういう手蔓《てづる》を使ったか、それを貰い受けたのが田所十内だ。田所は吉を無事に娑婆《しゃば》に出したかったらいう通りにしろと、寅五郎を脅しやがった。寅五郎はただ妹のことを思うていいなりになっていたが、根が温厚だから遣り切れなくなったのよ。しかも、妹はもう死んでいるのじゃないかと疑い出した。それでな——」

「小股潜《こまたくぐ》りの出番——ですか」

そうさ——おぎんは溜め息を吐《つ》く。

「そのね、お吉さんの不幸の、そもそもの元凶ってェのが、あの首切り又重なのさ。盗人に雇われてお吉さんの奉公先のお店に押し込み、一族郎党皆殺しにした男だからね。そのうえお吉さん、その引き込み役に間違われて捕まっちまったンだ——」

一日人を斬らなきゃ苛苛《いらいら》するって殺人狂だよ——と治平は言った。

「いつ斬られるか——冷や冷やしたわい。なあおぎん」

「とっつぁんはたった一日じゃないか。あたしなんか十日だよ。あれを伊豆まで誘《おび》き寄せるのに——十日もかかッちまったんだから」

「おぎんさんが——誘き寄せたんですか？」

「そうさ。それでね——ものの序《つい》でに、村人を泣かしてばかりいる極悪非道の黒達磨にも、一枚咬《か》んで貰ったのサね——」

「じゃあ、あの賭場の乱闘も——」

仕込みだよ——と治平は言った。

「あの黒達磨の賭場ァイカサマだそうだ。寅五郎はそれを承知で、我慢して遊んでたらしいがな」

「つ、つまり、一寸待ってくださいよ。ええと、先ず田所を又重郎と思い込んで斬ったのが黒達磨、その達磨を鬼虎と思い込んで斬ったのが又重郎、その又重郎を斬ったのが——」

「だから寅——否、悪五郎さ。悪五郎は最初《はな》っから死んだ振りをしていて、最後に又重郎が達磨を斬った、その間隙《かんげき》を狙う段取りだ。あの人ァ殺生を好まねェ人だが、又重は妹の奉公先皆殺しにした仇だ。子供殺すなあ許せねえと、その時も思ったンだそうだ。それに、又重程の凄腕を倒せる男は他には居ねえ。又重の首は吹っ飛んで、そのまま淵に——」

——舞首か。

百介は——もう樹影に紛れて見えなくなっている巴が淵の方向を眺めた。

そしてこう思った。

真相なんか知らなけりゃ良かった——と。

芝《しば》右衛門《えもん》狸《たぬき》

淡路国《あわぢのくに》に芝右衛門《しばえもん》といへる
古狸《ふるたぬき》あり
竹田《たけだ》出雲《いづも》芝居《しばい》興行《こうげう》せし折《おり》から
見物《けんぶつ》に来《きた》りて犬《いぬ》に食《く》はれ死《し》たり
然《しか》れ共《ども》廿三日が間《あいだ》は
姿《すがた》をあらはさゞりとなり

絵本百物語・桃山人夜話／巻第三・第二十

1

淡路《あわじ》の国に芝右衛門《しばえもん》という名の爺が居た。

金壺眼《かなつぼまなこ》の善《よ》く笑う好好爺《こうこうや》で、頭は辛《かろ》うじて髷《まげ》が結えるという程につるりと禿《は》げ上がり、残った髪は真っ白で、宗匠頭巾《そうしょうずきん》などを被り、芝殿芝殿と子等にも好かれ、近隣の者からも敬《うやま》われていたそうである。

家は代代の農家であり、豪農とはいえぬまでも暮らしは豊かだった。それも偏《ひとえ》に爺様のお蔭だと、一族郎党、誰に聞いてもそうした答えが返って来た。

実際、若い頃の芝右衛門は謹厳実直《きんげんじっちょく》を絵に描いたような男であった。その人生は、只管《ひたすら》田畑を耕し、雨が降ろうと風が吹こうとただただ働いて、働き詰めに働いて気がつくと老いていたような、そんな極めてつまらないものではあったのだ。しかし老境の芝右衛門に悔《く》いている様子はなかった。

同じように勤勉に働いても一生芽の出ぬ者は大勢居るし、どれだけ精進《しょうじん》していても、世の中いつ何時どのような禍《わざわい》が降って湧くとも限らない。年老いて縁者に囲まれ健《まめ》で達者《たっしゃ》で暮らせることが唯倖《ただしあわせ》と、芝右衛門という爺は善く知っていたのであろう。

斯様《かよう》に――真面目だけが取り得の如き芝右衛門ではあったが、その一方でこの爺、洒脱《しゃだつ》を解する風流人の顔も持っていた。田舎の百姓の割りには学があり、どこで覚えたか読み書きも大層得手で、人柄も温厚だったから、慕う者もまた多く居た。

肩を少少患《わずら》って隠居してからは、専《もっぱ》ら文人墨客《ぶんじんぼっかく》を気取り、日《ひ》がな一日縁側で茶を啜《すす》り、句のひとつも捻《ひね》っては、悠悠《ゆうゆう》と暮らしていた。

江戸や京からの客人が村を訪れる度《たび》、大喜びで招き入れ持て成しては、文化風俗の土産話《みやげばなし》を喜んで聞いた。読み本絵草子の類《たぐい》も多く手に入れ、これも善く読んだ。息子も孫も已に倣《なろ》うて生真面目《きまじめ》で、曾孫《ひまご》も生まれ、この世には何ひとつ心配事などないと――芝右衛門はそんな顔をして暮らしていた。

あやかりたい、芝右衛門殿の如くに老いたいものよと、皆が口を揃えて言ったものである。

そんな芝右衛門の許に、それこそ降って湧いたような禍が訪れたのは、まだ暑い最中《さなか》、夏祭の夜のことであった。

芝右衛門には子が五人、孫が十人あった。

宵《よい》の口、総領《そうりょう》の弥助《やすけ》の末の娘である、ていの姿が見えなくなったのである。

ていはその時九つの、可愛い盛りだった。

その日は村外れに人形浄瑠璃《じょうるり》の小屋が掛かっており、芝右衛門の一族は家族総出でそれを見物に行ったのだった。

淡路は人形浄瑠璃の盛んな地ではあるが、それでも年中見られるものではない。

元より芝居がかったものが好みである芝右衛門は、小屋が掛かる度に必ず観《み》た。演目はいつも同じだったけれども、そこは娯楽の少ない田舎のことであるから、芝右衛門ならずとも、それは村人にとっても数少ない楽しみのひとつではあったのだ。

小屋は混んでいた。

浄瑠璃の娘人形を見た芝右衛門が、アレは真実《まっこと》善く似ておる、まるでていのようじゃと囃《はや》し立て、大いに笑ったその後のことであった。ていはその時羞《はじ》らって袖で顔を隠し、アレ何と嫌な爺様じゃ——と言ったのだった。芝右衛門はそのあどけない仕草を在《あ》り在《あ》りと覚えている。

ていは、芝居の最中に憚《はばかり》に行くと言って座を抜けた切り、姿を消した。

さては先に帰ったかと、戻ってみても居ない。

広い村ではない。名を呼び探し歩くうち、やがて芝右衛門の孫娘行方知れずの噂は口伝《くちづて》であっという間に広がった。消えたのは他ならぬ芝殿の家族であるから、村は大騒ぎになった。村の衆総出で鉦太鼓《かねたいこ》を打ち鳴らし、夜っぴて探したが見つからぬ。ソレ拐《かどわか》しじゃヤレ神隠しじゃと捜索は朝まで続いた。

ていの骸《むくろ》が——芝居小屋の裏手で見つかったのは東の空が明るくなった頃のことである。

見つけたのは芝右衛門の遠縁にあたる治介《じすけ》という若い男だった。

治介は漠然と町の暮らしに憧れを持っており、いずれ大坂《おおざか》にでも出てひと山当てようなどと夢想している調子の好い男で、その所為《せい》か日頃から田舎離れした芝右衛門の人柄に強く魅《ひ》かれていたのだという。

だからという訳でもないのだろうが、治介は先陣を切って山も畑も沼も廻り、誰よりも熱心にていを探した。

それでも何の収穫もなく、やがて陽も上らんという刻限となり、取り敢えず一旦家に戻ろうと、思ったものの諦め切れず、もしや最初の芝居小屋に、居りはせぬかと思い立ち、家路を辿るその道を、大きく迂回してまで立ち寄ったのであった。ぐるりと周囲を回り小屋の裏に至って、そして治介は眼を瞠《みは》った。

薄明の中青青と茂った草葉の蔭、見覚えのある着物の柄が覗いていた。抜き足で近寄り、草の葉を掻き分けて——。

そして治介は腰を抜かした。

そこには惨《むご》たらしいていの骸が横たわっていた。

裾《すそ》は乱れていなかった。

ただ——。

愛らしい浄瑠璃人形のその頭《かしら》が、
唐竹割《からたけわ》りに割られていたのである。

真正面から斬り下ろしたのだろう。

まるで瓜でも切ったように真っ二つに。

報せを聞いて駆けつけた家人達は、変わり果てた娘の姿を見て息を呑み、ただ立ち竦《すく》んだ。

幼子の想像を絶する無残な姿に、言葉は疎《おろ》か涙も出なかったそうである。

日頃は取り乱すことのない芝右衛門までも、ていの骸の傍《かたわ》らに膝と両手を突き、額まで地面に押しつけて、土くれを摑んで泣いた。

普段笑顔を絶やさぬ好好爺だけに、その萎《しお》れようはひとしお哀れで、人人の涙を大いに誘った。

そのうちおっとり刀で役人が駆けつけ、小さな村は天地が引っ繰り返るような大騒ぎとなったが、騒ぐだけ騒いだだけで、結局何も判らなかった。

芝右衛門の村での評判は著しく良いものだった訳だし、その家族を悪く思う者もまた村には居なかった訳で、怨恨故の凶行とは考え難かった。況《まして》や殺《あや》められたのは九つばかりの娘なのである。てい自身が他人の恨みを買うということも考えられまい。身態《みなり》を見れば百姓家の小娘であることはひと目で判る。ならば物盗りの類でもなかろうし、年齢や手口から推し量るに痴情の線もあり得まい。

吟味《ぎんみ》の結果、近頃上方《かみがた》辺りで評判の辻斬《つじぎ》りだろうということで落ち着いた。

慥《たし》かにその頃――。

京から大坂にかけての一帯では、残忍非道な辻斬りが横行していたようだった。それに就いては芝右衛門も、風の噂に聞いていたことである。

聞けば――遺恨なく金品も盗らず、身分や男女の差を問わず、ただ夜陰に紛れ、行き合った者の息の根が止まるまで斬る――ただ殺す――その辻斬りはそうしたモノなのだそうである。

所謂《いわゆる》通り物という奴であろう。

その通り物は、一年ばかり前に京に現れ、やがて半年程で大坂に流れたのだという。犠牲者は京大坂合わせて十人とも十五人ともいわれるが、未だ下手人はお縄になっておらず、目星さえついてはいないようだった。

これが真実その辻斬りの仕業《しわざ》だったなら、動機の詮索は無意味といえる。彼《か》の者は謂《い》わば乱心者であるのだから、ならば齢端《としは》も行かぬ娘を出会い頭に斬り殺したところで別段怪訝《おか》しなことはないのである。役人に依れば、太刀筋も善く似ているということだった。

しかし——ひと口に辻斬りだと片付けられても、芝右衛門の得心は行かぬ。

何しろ二本差した侍の姿を見るのも稀な片田舎である。夜な夜な無頼の族《やから》が徘徊《うろつ》いているような都とは違って、乱心者の凶行と断じられても然然《そうそう》納得出来るものではない。

慥かに、辻斬りが大坂から兵庫津《ひょうごつ》あたりにでも流れたのなら、淡路はもう目と鼻の先ではある。渡って来ないという保証はない。

だが、その辻斬りの下手人は、誰とも知れていないのだ。つまり追われている訳ではないのである。追われてもいない者が逃げるとは思えない。逃げる必要もない者が何故淡路などに渡らなければならぬのか解らぬ。もし渡って来たのだとしても何故こんな辺鄙《へんぴ》な場所で娘など斬らねばならぬのか。

そんなことをしても目立つだけではないか——。

芝右衛門は、散散《さんざ》考え抜いた。

その挙げ句、引き揚げて行く役人に、お畏《おそ》れ乍《なが》らと申し立てた。

「これが辻斬りの仕業とは、どうにも儂《わし》には思えぬで――就いては、お役人様を疑う訳ではないのやが、もう一度最初からお調べを、やり直しては戴けまいか。もしここで、このまま詮議が済んだなら、それでもし、その辻斬りが下手人でなかったら――本当の下手人は生涯お縄になることはないやろう。それでは孫が浮かばれぬ、下手人がお仕置きンなるまでは、孫の成仏は叶わぬやろう――」

役人はその申し立てを聞き、素直に頷《うなず》いた。そして諭《さと》すようにこう言ったのだった。

「芝右衛門、その方の申し立て真《まこと》に以て尤《もっと》も至極。我等とて左様に思わぬ訳ではない。孫を失うたその方の心中を慮《おもんぱか》れば、憐憫《れんびん》の情は抑え難い。ただ、善く考えよ芝右衛門。もしも下手人が上方より流れ来た辻斬りでなかったのなら、その時はその方の住まうこの村の、村の衆の中に下手人が居るということになるのだぞ――」

芝右衛門ははっとした。

浄瑠璃を観ていた者の面は皆見覚えのあるものだった。そもそも小さな村のこと、余所者《よそもの》が侵入《はい》ればすぐにも判る。祭の夜は近在の郷からも人が来るが、それでも人数は知れたもの、混じっているのは皆何処其処《どこそこ》の誰誰と、素姓の知れた者ばかり。いずれ鍬《くわ》は持ってもだんびらは持てぬ者ばかりである。

後は人形浄瑠璃の市村《いちむら》一座の者しか居ない。

市村一座はもう十年から、夏ごとに小屋掛けする馴染《なじ》みの一座である。座長の松之輔《まつのすけ》は藩主様にもお目通りが叶うという謂《い》わばお墨付きの演者だった。

淡路では歴代の藩主が庇護《ひご》した所為もあり、人形芝居が殊更《ことさら》に盛んなのだが、今の藩主は取り分け人形芝居を好み、民百姓に至るまで大いに奨励している。淡路人形は今や名物となっており、村でも真似事をしている程である。つまり松之輔一座は、半ば上意を受ける形で巡回興行をしているのである。

疑う余地はなかった。

下手人は、その中には居らぬ。

否——居てはならぬのだ。知人縁者を疑うなどは以ての他のことではないか——。

ならば——。

孫を殺した鬼畜生は、外から来て、外に逃げたに違いないのだ。村の中に居ないのならば、それは誰であっても同じことであろう。辻斬りだろうが魔物だろうが、お役人に任せる以外に術《すべ》はないのだ。

芝右衛門は重重納得し、深く頭《こうべ》を垂れて非礼を詫びた。役人はその皺面《しわづら》を見て、天網恢恢疎《てんもうかいかいそ》にして漏らさず、下手人は必ず罪に問われようぞ、と嚙んで含めるように告げ、呉呉《くれぐれ》も気を落とさぬよう、屹度《きっと》励むが善いぞ——と結んだ。

芝右衛門はその言葉に深く打たれた。孫は憫かに不憫《ふびん》だが、だからといって泣いて居っても始まらぬと、そう思ったのだった。息子を含め、村人の中には納得の行かぬ様子の者もまだま だ居たのだが、当の芝殿がそう言うのならと、結局は皆引いた。

そうして——騒ぎは鎮静化した。

惨事が齎《もたら》した心の傷は中中癒えるものではなかったが、それでも毎日の暮らしもあり、ひと月ふた月経つうちに村はそれなりに秩序を取り戻し、虫の音が聞こえる頃にはすっかり元の様子に戻った。

辻斬りが召し捕られたという話も聞こえて来なかったが、さりとて凶行が繰り返されることもなく、忘れた訳ではなかったのだが、自然に人人はそれに就いての話題を口にすることを止めた。

秋のことである。

暑からず寒からず、過ごし易い夜のことだった。

その日、芝右衛門は中中寝つけず、りんりんと心地良く響く鈴虫の声などを聞くうちに、急に句が詠《よ》みたくなったのだという。

暫《しばら》くの間、そんな気は全く湧かなんだ。生来持った風流の血が騒いだか、将《はた》また胸を去来する孫の面影を吹っ切ろうとでも思ったか、老人はがらりと襖障子を開け放って、夜の庭へと出たのだった。

見事な満月だったという。

芝右衛門は暫《しば》しの間何も彼《か》も忘れ、庭中を皎皎《こうこう》と照らす美しき太陰《たいいん》に見蕩《みと》れた。

どれくらいそうしていたか。

ふと我に返り、庭の低木に目を遣ると。

そこに。

凝乎《じつ》と芝右衛門を注視《みつめ》るものがある。

黒い、小さなものである。禽獣《けもの》であろう。

暗がりに、煌《きら》りと二つの眼《まなこ》が光った。

その時。

芝右衛門殿——。

そう呼ばれた気がした。

何じゃと一歩踏み出すと、その黒いものは逃げもせず、するりと芝右衛門の前に出て、その姿を月明かりに曝《さら》した。

それは——一匹の狸であった。

「何や——驚かせよって——」

芝右衛門は顔を寄せたが、狸は逃げなかった。

それどころか狸は尖《とが》った鼻を爺の顔に向けた。

芝右衛門が屈むと、するりと寄って躰《からだ》を擦《す》る。

何かを強請《ねだ》っているような仕草であった。

「よしよし食い物が所望か」

芝右衛門は元より風雅を好む質《たち》であるから、こうした椿事《ちんじ》は大いに歓迎するところである。

酔狂な老人は、見事な月に免じて飢えた獣《けもの》に施《ほどこ》しを為さんと欲し、暫し待てと言いつけて一度家に上がった。

元より畜生に言葉の通ずる道理もない。待てと言って待つ獣も居ないだろうとは思うたのだが、そこはそれ。山の狸が言い付け通り、もしも待って居たならば、これぞ酔狂の極みであろうと――芝右衛門はそう思ったのだそうである。

厨房へと赴き、残飯《のこりめし》をば鉢へと移し、さても狸殿《たぬどの》、如何《いか》にあらん――と、戻ってみればその狸、庭の真ん中に鎮座して、行儀良く芝右衛門を待っていた。

「待って――おったか」

芝右衛門は破顔して庭に降りた。

狸は鉢の中身を平らげて、礼でもするように二度三度首を振り、それから夜陰に消えた。芝右衛門は暫く振りに気の晴れたような、やけに清清《すがすが》しい思いがして、獣の溶けた闇に向け、儂の言葉が解るなら明晩再び来るが良い――と言った。

それから月を見上げ、己を嗤《わら》った。

その翌日。

矢張り虫の音が鳴る夜だった。

芝右衛門は昨晩と同じ刻限に障子を開けた。

来ると信じた訳でもないが、来るかもしれぬとは思うていた。何とはなし、そうした不思議を信じてみたい、そんな心持ちだったのである。

狸は居た。

芝右衛門は大層喜び、再び飯を振る舞った。

そうしたことは四五日続いた。家人も隠居殿の素行が怪訝《おか》しいとは思ったらしく、それとなく遠回しに質《ただ》したようだが、芝右衛門は何も言わず、そのうちに会わせてやるわい——とだけ答えた。

狸は七晩続けて訪れた。

七日目の夜、芝右衛門は狸の頭を撫《な》でて、

「明日は昼に来るが良い。もしも言うた通りの刻限に、真実《まっこと》お前が来たならば、その時は尾頭付《おかしらつ》きでもしんぜようぞ」

と言った。

翌朝になって、芝右衛門は鯛《たい》を一尾買い求めた。家人は大層訝《いぶか》しんだが、芝右衛門はただひと言、

「友が来るのじゃ」

と答えた。

それから障子を開け放ち、縁側に座って、芝右衛門は昼を待った。午《うま》の刻丁度に狸は来た。芝右衛門は大いに喜び、野良に出ては家人を呼び集め、狸を見せて、これが我が友であると告げた。

狸はぞろぞろと人が取り囲んでも逃げもせず、物怖《ものお》じもせずに、まるで挨拶でもするかのように家人を見渡して、それから鯛を喰った。芝右衛門はそれを見ると自慢気にこう言った。

「よう聞いてくれ、この狸殿、畜生であり乍ら人語を解す変わり種やぞ——」

家人は一斉に奇異な目を向けた。芝右衛門は、その疑いの籠った視線がまた嬉しかったらしく、それまでのことを滔滔《とうとう》と語った。家人も最初は話半分と疑っていたが、見れば思いの他鯛を食らう狸の姿は可愛らしく、また如何にも人懐こい顔をしていたから、その場は芝右衛門の顔を立て、信用するようなことを言ったのだった。

狸は芝右衛門の家に迎えられた。

芝右衛門は狸を豪《えら》く可愛がった。

座敷に上げて話し相手にもした。

そうこうするうちに、家の者もその狸が大層賢い獣であるということを知った。言葉を解するかどうかは別として、慥かに躾《しつけ》た犬程に言うことは聞く。待てと言えば待ち、来いと言えば来る。仮令《たとえ》家に上げたとて、芝右衛門の座敷からは一歩も出ないし、悪さもしない。

やがて――隠居殿が言うのなら、言葉も解るものかもしれぬと、家の者はそう思うまでになった。

狭い村のことであるから、そうした話は何日もせぬうちに村中に広まった。家の者は信じ始めていたものの、流石《さすが》に他人はすぐには信じなかった。

垣根越しに覗くと、必ずや嬉嬉として狸に語りかける芝右衛門の姿を見ることが出来た。縁側の芝右衛門は、まるで人に接するように狸と接していた。菓子を勧め、差し向かいで膳についている時もあった。その姿は慥かに――普通の者の目には――まともな情景とは映らなかったのだった。

あの芝殿も遂にどうにかなったのか——と、村の者は一様に芝右衛門の正気を疑った。孫娘のこともある、表向き気丈《きじよう》にしていても矢張《やは》り参っていたのに違いないと、誰もが要らぬ気を回し、悪口こそ言う者は居なかったが、芝右衛門の狸のことを表向き口にする者は、村には誰ひとり居なくなった。心中を推し量り、身を案じた末の沈黙だった。

芝右衛門はそれが少少気に入らなかった。

しかし例えば村の衆の前に立ち、ただ力説をしたとても狂人と思われるが関の山。それは容易に察せられることだった。だから黙っていたのだが、どうにも居心地が悪い。余所余所《よそよそ》しい扱いが堪《たま》らない。芝右衛門は我慢ならず、狸にこう語った。

「お前様が人語を解すということをこの村の衆は誰も信じてくれぬわい。ものの本に拠れば、唐土《もろこし》は成宗《せいそう》の頃、坊門に狸が住み、支那の地理を善く弁じたという。その狸、後に禍福吉凶《かふくきつきよう》を占いもしたというやないか。ここの村の衆はそうした故事を知らぬのや。もしお前様に、何か芸でもあるのなら、人にでも化けて来てはくれんか——」

狸は黙って聞いていたが、そのうちすうと庭に出て、そのまま消えた。流石の芝右衛門も、真逆《まさか》化けるなどとは思わないから、その日はそのまま障子を閉めて寝た。

その翌晩。

その日は朝からまる一日、狸はその姿を見せなかった。芝右衛門は、自分が無理なことを言った故、もしや山に帰ってしまったのかと、そう思った。

そして少し果敢《はか》ない気持ちになった。

いつまで経っても狸は来ない。

肌寒い夜だったから、芝右衛門は障子を閉めようと、縁側に立った。

その時のことである。

芝右衛門はいつぞやの夜と同じ視線を感じた。

ふ、と庭を見る。

低木の下からぬっと影がせり出した。

一瞬狸だと思った。しかし影は狸よりずっと大きかった。

そこには狸ではなく、背の低い、五十過ぎの、身態《みなり》の善い老人がひとり立っていた。大黒頭巾《だいこくずきん》を被り、戎《えびす》色の袖なしに筒袴《つつばかま》を穿《は》いている。どことなく商家の主《あるじ》のような鷹揚《おうよう》とした風体《ふうてい》である。芝右衛門は息を呑み、それから頭を過《よぎ》るつまらぬ考えを捨てて、どちら様で御《ご》座《ざ》居《い》ますか――と、尋いた。

狸である訳はない。

老人は嗄《しわが》れた声で答えた。

「手前は堂《どう》ノ浦《うら》に住まう芝右衛門と申します」

「し、芝右衛門やと？」

「如何《いか》にも、旦那様と同じ名前に御座居ます。昨晩ご所望《しょもう》が御座居ましたので、今晩はこのような姿で参上《つかまつ》仕りました」

「な――」

芝右衛門はぺたりと縁側に座り込んだ。

「――じょ、冗談を申されるな。この芝右衛門、如何に耄碌《もうろく》しようとも、そ、そのような与太《よた》は――」

「何を申されます。旦那様は手前に甚《いた》く目をかけてくださいました。畜生である手前に尾頭付きまでお振る舞いくださった。恩あるご仁を誑《たぶら》かすなど」

「し、しかし」

「俄《にわ》かには信じられぬのも致し方御座りませぬか。もしお疑いなのでしたら、そう、今日までの間、旦那様がそこなる座敷で毎日毎日、手前相手に語りなさったお話を、今ここで申しても構いませぬが」

「お待ちくだされ――」

芝右衛門は手を翳《かざ》し、そして老人を座敷へと招き入れた。狸だろうと人だろうと、いずれ庭先で問答していても始まらぬと考えたからである。

芝右衛門狸は座敷に上がると畏《かしこ》まり、畳に鼻先を擦り付けるようにして、馬鹿丁寧に辞儀をした。

「お引き入れ戴き真に忝《かたじけの》う御座居ます。本来で御座りますれば、手前のような畜生は、一段低きところが分相応《ぶんそうおう》で御座りますのに、斯様に立派なる御座敷にまでお引き入れ戴きまして、恐悦至極《きょうえつしごく》に御座りまする――」

滑稽《こっけい》な程に恐縮している。

「ま、まあ頭をお上げくだされ。何や取り乱してしもうて申し訳ないが——その、そのような身態で遜《へりくだ》られると儂かて遣り難いですわ。堂ノ浦の——芝右衛門はんでしたか。見たところ儂と齢《とし》も変わらんやないですか」

当年とって百三十歳の古狸に御座ります——と、芝右衛門狸は答えた。

芝右衛門は皺面《しわづら》を顰《しか》めた。

「そ——それがほんまやったら、儂の倍やないですか。ならば礼を尽くすのは儂の方や。獣やろうと人やろうと、長く生きたもんは敬わないかん」

そう言って芝右衛門は笑った。

肚《はら》を括《くく》ったのである。

目の前の老人が狸公であってもそうでなくても、この期に及んでただ狼狽《うろた》えていたのでは、風流人の名が廃《すた》る。これがもし何か魂胆《こんたん》あっての狂言だったのだとしても、ただ酔狂な隠居を揶《からか》うだけの行動だったのだとしても、いずれこの男の言動が粋《いき》な計《はか》らいであることに違いはない。ならばここは——口車に乗らねば嘘である。

茶でも出しましょか——と芝右衛門は言った。

「——それともご酒が宜《よろ》しいかな。今まではお前様狸やったから、よもや酒は飲まんやろうと思うて出しませんでしたけどな」

芝右衛門狸は一層畏まり、何卒お構いなきよう、と言った。

芝右衛門は繁繁《しげしげ》とその姿を観た。

どこから見ても人間《ひと》である。

いや、そもそも狸が人に化けるなどということは、田舎と雖《いえど》もあり得ないことであるから、どうであってもこれは人間に違いないのだ。しかし——。

「しかし——よう化けはりましたなあ。尻尾も見えん、毛も髭も生えてない、牙もない。逆さにしても裏返しても、これは立派な人間様や」

狸は懐から手拭いを出して額を拭った。

「何ともお恥ずかしい限りで御座居ます。手前も狸の本場阿波《あわ》の出で御座居ますから、若い頃は町娘などにも化けたもので御座居ますが、この齢になりますと、どう器用に化けても姥桜《うばざくら》にしかなりませぬ。お見苦しい姿で出るよりは、この方が宜しいかと」

芝右衛門は再び笑った。

「なんのなんの。娘で来られちゃ却《かえ》って信用なりませんでしたわ。お前様が雄やいうことは、儂も最前より承知しておりましたからなあ。芝右衛門はん、ほれ、八畳敷《はちじょうじ》きは隠せませぬぞ」

狸はおうそうじゃ、と言った。

そして再び畏まり、

「本来であれば、手前ども狸は、このように、人様の前で正体を明かすような真似は致しません。しかし——旦那様は特別に御座ります——」

と言った。そして真顔で芝右衛門を見据えた。芝右衛門はどうした訳か実に愉快な気持ちになり、自分と同じ名だという狸の言葉を——信用した。

2

徳州公の覚えも禧《めで》た《た》き人形遣い、市村松之輔の屋敷に怪異が起きたのは、矢張り秋口のことである。

人形庫《くら》から啜《すす》り泣きが聞こえて来たとか——。

娘の人形が一人で歩いていたとか——。

頭《かしら》同士が語り合っていたとか——。

先《ま》ずはその手の話である。

弟子筋や出入りの者は揃ってうち震え、恐れ戦《おのの》いたが、その程度のことで松之輔自身が動じることは一切なかった。

別段不思議なことではない。

人形に生はない。しかし精はある。

人形造りが造り籠めるものか、人形遣いが注ぎ込むものか、依《よ》り憑《つ》くものか湧き出ずるものかは知らないが、慥かに精はある。だから人形を何年も扱っていると、これが動かぬ方がどうかしているというような、そんな気がして来るものである。

例えば。

一心不乱に繰《く》っていると、やがて己が人形を動かしているのか、人形が己を動かしているのか解らなくなる瞬間が訪れる。そしてそのうち、どちらでも良いような境地に行き着く。

そこまで行かねば、本物ではない。

例えば。

娘人形を操るとする。操る松之輔は勿論《もちろん》娘ではない。しかし人形の方は紛《まが》う方《かた》なき娘の形をしている。ならば人形に欠けているのは、動く力だけなのである。娘としての魂は既に形の方にある。そうなら、力を出しているのは松之輔だが、操っているのは人形の方だということになる。人形芝居は、人形を遣《た》って大夫《ゆう》が芝居をするのではない。人形が芝居をするために、大夫が力を貸すだけなのだ。主役は人形の方なのである。

仏師が刻めばただの木屑《きくず》が有り難い仏様になるではないか。仏像は木の塊に過ぎないが、仏の形を採ると霊験《れいげん》を顕すのだ。霊《みたま》は形に宿るのである。

人形は、人の形をしているのだから、有り難いご利益《りやく》こそないのだろうが、喋《しゃべ》るの泣くのくらいはするのである。某《なにがし》かの力が入れば歩きもしよう。

別段不思議がることもない。

松之輔の憂鬱《ゆううつ》は、寧《むし》ろ別のところにあった。

杞憂の種は、人形ではなく人だった。

その人物は——離れに居た。

夏よりはや三月、松之輔の屋敷の離れ座敷にはさるお方が身を隠して坐《おわ》すのである。そのお方が何処の何方《どなた》様なのか、何故淡路の辺境などに隠遁《いんとん》されておらるるのか、松之輔は一切聞かされていない。問うことも許されてはいない。ただ、貴いお方であるから呉呉《くれぐれ》も失礼非礼の振る舞いなきよう、誠心誠意お世話を致せ——と、申し付けられただけである。

申し付けたのは淡州支配の稲田《いなだ》九郎兵衛《くろべえ》だった。

城代からの呼び出しがあったのは、今年の春のことだった。市村一座、丹波《たんば》一帯で興行を打つに当たり、御城代直直《じきじき》にお言葉を下さる由、心して登城せよ——と、その時使者は口上を述べた。

悪い予感がした。

藩主蜂須賀《はちすか》公は人形芝居に対し大層理解があるようだった。ただ、城代となるとまた別である。

勿論、城代も表向きはそれを奨励している。しかし松之輔の感触では、城代は寧ろ人形芝居などお殿様の道楽と、蔭では顔を顰めているような——そんな節がある。藍やら塩やら、阿波の方には何かと財源があるが、己が仕置きする淡路には際立った特産がない。人形芝居がそれに代わる財源になるとは、松之輔あたりにも思えぬし、少なくとも今の支配はそう考えてはいないのだ。

お目見《めみえ》が叶うなり人払いがなされ、松之輔は直答を許されて、傍《そば》に呼ばれた。

内密の頼みごとがある——稲田はそう言った。

引き受けてくれようか——続けてそう言った城代の顔は酷《ひど》く不機嫌なものだったから、松之輔は否《いや》とも応とも答えられず、ただ生唾《なまつば》を飲み込んだ。

元より否とは言えぬことではあったのだが。

善き返答を聞くまでは頼みごとの中身は明かせぬのだと、重ねて返答を求められ、松之輔は已むなく身を後ろに引き平身低頭して、何なりとお申し付けくださりますよう——と恭《うやうや》しく答えたのだった。

すぐに済む用ではないぞ、それでもその方善いのかと、稲田はそれでも尚、念を押すように問うた。

幾度問われても松之輔に断れる訳がない。何といっても洲本《すもと》城城代——否、蜂須賀家家老職直直のお申し付けなのである。これはつまり、阿波国徳島藩主の命と考えるべきことなのだろう。何を横にどけても従うよりない。それは稲田も多分承知していることであろうから、つまりはこの一件、稲田自体が不本意な頼みごとなのだろうと、松之輔は了解した。

「日頃より大恩あるお上の仰《おお》せとあらば、この市村松之輔、一命を抛《なげう》ってでも果たす覚悟に御座ります——」

そう答えた。

左様か——と稲田は少しだけ表情を和らげて言ったが、すぐ言い澱《よど》み、少し間をおいて、暫く客人を預かって貰いたいのだ——と続けた。

そして少なからぬ支度金と、厳重に封をした書状とが渡された。

その際松之輔は、誓って中を覗くまいぞ、もしも封が切られていたならば、その方はその場でお手打ちとなるであろうと、戒められた。

それから城代はまた暫く間をおき、

「その客人は京都に坐《おわ》すのだ。丹波の興行を終えたなら、その方はその足で所司代《しょしだい》に赴くが良い。その書状を渡せば後は向こうで指示があろう――」

と言った。

松之輔はその間ただ面を伏せていた。稲田はつうと立ち上がり、松之輔の横に屈んで肩に手を掛け、頼んだぞ松之輔、と噛んで含めるように言った。松之輔は気持ちの整理も何も出来ぬまま、ただ忝《かたじけの》う御座居ますると答えたのであった。

ふた月後――松之輔はその客を化野《あだしの》で迎えた。

稲田の指示通り、丹波の興行の帰り道である。

所司代に書状を届けると、裏に回れと言われ、更に夜更けに化野某所に行けと指示されたのであった。

待っていたのは――供侍を三名程従えた、立派な身態の若侍だった。頰宛《ほおあて》頭巾で顔を隠しており、衣類にも持ち物にも紋所の類は一切ついておらず、どこの誰とも判りはしなかった。浮腫《むく》んだ、丸顔の初老の武士が一歩前に出て、深深と礼をした。礼をされて松之輔は戸惑ったのを覚えている。武士に頭を下げられたことなど、ただの一度もなかったからである。お顔をお上げくだされと、松之輔は半ば必死で取り成したのだ。

上げられた初老の武士の顔は、酷く倦《う》み疲れていた。

そして、何も問わぬというお約束で御座居ますな——と開口一番武士は言った。松之輔は逡《しゅん》巡《じゅん》した挙げ句、何とお呼びすれば宜しいでしょうかと、それだけを問うた。客として迎えるのなら、名を知らぬまま済ませる訳には行かぬからである。

初老の武士が振り向くと、若侍はひと言、

「殿と呼べ——」

と言った。

松之輔がはあ、と畏まると初老の武士は再び松之輔の方に向き直り、用向きは全て拙者が承る、彼《か》のお方と、直《じか》に言葉を交わすことのないように——と告げた。

再び、悪い予感がした。

どこがどうということはない。

その若侍が発する酷く厭な気配を敏感に感じ取ったのである。

難儀な道中だった。一座の者には予《あらかじ》め、一切何事も問うな語るな——と申し付けてはおいたのだが、それにしてもそのままの格好では如何《いか》にも目立った。

従者は兎《と》も角《かく》、若侍の格好は、人形芝居一座にはどうしたって馴染まない。座の者にでも扮装するが得策と、初老の武士が散散説得したようだが、若侍は聞き入れなかったらしい。自然に移動は人目を忍ぶ深夜となり、旅の行程は大いに遅れた。

摂《せっ》津《つ》から淡路に渡った時は、ほっとしたものである。

ただ、お蔭で戻るのが半月も遅れてしまった。

これには松之輔も困り果てた。

例年、夏場は淡路中を巡回することになっているのである。松之輔の人形芝居を楽しみにしている村は多くあるのだ。已《やむ》を得ず屋敷に着く前に、道すがら一箇所だけ小屋掛けをすることにした。

ところが――。

そこで騒ぎが起きた。

聞けば興行中に村の娘が神隠しにあったのだという。馴染みの深い村であったし、行方知れずになったのは松之輔も善く知る老人の孫であったから、一座の者にも探すのを手伝わせたりしたのだが、それよりも何よりも――松之輔は侍達のことを思うと気が気ではなかった。淡路に渡る前辺りから、ヤレ待遇が悪いの、斯様な扱いを受ける覚えはないのと、若侍は随分荒れていたのだ。三人の従者も閉口していたようだった。

その日も――興行の直前まで、若侍は怒鳴り散らしていた。演じ終えて戻ってみると騒ぎだけは収まっていたが、気拙《きまず》い沈黙が楽屋に充満《みち》ていた。

翌日――そのままの雰囲気の楽屋に――役人が入って来た時は、流石《さすが》の松之輔も血の気が引いた。ところが、役人は侍達の姿を見ても何ら訝しむことをせず、何も問わずに、寧ろどこか納得の行ったような顔になり、ただ一礼をして去った。

結局ことなきを得た。

松之輔の思うに、市村一座に対し手出し一切罷《まか》りならぬと、予め上意通達があったのだろう。そうでなければ、楽屋の隅に偉そうに陣取っている侍の一団に就いて、問い質されぬ訳はないのだ。そしてそれはつまり——淡路に入った以上、こそこそする必要はない——ということでもある。仮令何《たとえ》があろうとも、役人が護ってくれることになるのだろう。

だが——。

それでも松之輔は興行を早早に切り上げ、小屋を畳むと大急ぎで屋敷に戻った。愚図愚図《ぐずぐず》してはいられない気がしたのだ。悪い予感は澱《おり》のようにどろりとした像《かたち》をとって肚の底に溜まっていた。もう、これ以上連中と道中を続けるのは厭だった。屋敷に着いたところで縁が切れる訳ではないが、少なくとも旅をしているよりはマシな気がしたのである。

屋敷に戻り、離れの座敷を宛てがった。

ひと月程は静かなものだった。

初老の従者以外は滅多に顔を見せなかったし、当然のように訪ねて来る者もなかった。

松之輔の方もそれ相当の支度金を預かっていたから、夜具調度も豪華な品品を揃えておいたし、賄《まかな》いなども贅を尽くしたから、若侍の不満もある程度は収まったのであろう。それは慥かに——そうだったろう。

しかし松之輔の厭な予感は一向に収まることをしなかった。縦《よ》しんば今は満足していたとして、果たしてそれがひと月保《も》つかふた月保つか——仮令それがどれだけ贅沢な暮らしであったとしても——そんな窮屈な生活が長続きするとは、松之輔には到底思えなかったのだ。

やがて――。

離れからは夜な夜な罵声が響くようになった。日を追う毎に声は大きくなり、そのうち物を壊す音や悲鳴なども聞こえ始めた。障子が打ち破られて従者が転げ出て来たこともあった。

唯一言葉を交わす初老の従者――藤左衛門《とうざえもん》という名前らしい――の顔には青痣《あおあざ》が絶えず、所望する酒量も日増しに増えた。

そして夏の終わり頃、従者の一人が死んだ。

その時の藤左衛門は、蒼醒《あおざ》めていた。

ものの弾みで御座る――。

そうはいうものの、運び出された若い従者の屍体が、彼《か》の若侍によって手打ちにされたものであることは一目瞭然であった。

額が縦に割れていた。

胸も腹も縦横に斬られていた。

松之輔は一時若侍を母屋に移し、血で汚れた離れを清めなければならなかった。離れは荒れ放題に荒れていた。調度の殆《ほとん》どは壊れていたし、柱には無数の刀傷がついていた。床の間柱などは笹《ささ》搔《が》きのようになっており、修繕のしようがなかった。血飛沫《ちしぶき》は天井まで達し、廊下や板の間には黒き血糊《ちのり》が固まっていた。畳も総て新調せねばならなかった。

人が住んでいた場所とは思えなかった。

まるで獣《けだもの》の塒《ねぐら》である。猛禽類の巣である。

藤左衛門はその浮腫《むく》んだ顔を歪《ゆが》め、不始末を丁寧に詫びた後、無残な骸を斜めに見遣り、力なくこう言った。

「葬式法要の一切は無用。墓地にだけ埋めて戴ければ結構で御座る。ただ——」

藤左衛門は小刀を抜き、骸の元結《もとゆい》を切った。そして遺髪を懐紙に包んでから一筆認《したた》め、遺髪を納めて丁寧に封をした。そして、これを託せはしまいかと言って松之輔に手渡した。松之輔が承知致しましたと受け取ろうとすると、藤左衛門は一層顔を歪め、

「すまぬ。宛《あ》て処《どころ》は見ずに願えまいか——」

と言ったのだった。

肝《きも》に銘じて——と答えはしたが、それでも飛脚屋《ひきゃくや》に託す際、尾張《おわり》の二文字だけが見えてしまった。

怪異が起き始めたのは、二人目の従者の姿が消えた後のことである。

藤左衛門は、従者がいなくなったことに就いては何も言わなかった。ただ、今後、膳の支度は二人前で良い——と言っただけである。骸がない以上死んでは居るまい。ならば。

——逃げたのだ。

虫の音が耳につくようになって——。

この頃の若侍の荒れようといったなら、それはもう狂気の沙汰で、尋常なものではなくなっていたのだ。怒号は容赦なく母屋にも届いた。

藤左衛門の容貌も、日を追うごとに無残なものになって行った。

殴る蹴るで済んではいない。お納めを、お納めを——と言う老僕の悲鳴が聞こえる以上、若侍はどうやら刀も抜いている。

そして——松之輔は憂鬱になる。

——このままでは。

遠からず藤左衛門も死ぬだろう。その時自分はどう対処したら良いのだろうか。預かっている支度金もやがては底をつく。お城に行って支配様に訴えるか。果たしてそれは許されることなのか——。

——許されぬか。

沙汰があるまで丁重にお預かりせいと、稲田はそう言ったのである。

仮令この身を抛ってでもと、松之輔はそう答えているのだ。

そうして——人形どもが勝手に歩き回るという妖しい噂の中——市村座の大夫、市村松之輔の眠れない夜は続いていたのである。

右目の上を腫《は》らせた藤左衛門が神妙な面持ちで松之輔の部屋に訪れたのは、怪異が始まって五日目のことであった。

その日の藤左衛門は、何故かいつもとは様子が違って見えた。

——怯《おび》えているのか。

そんな様子である。しかし——。

怯えているというのなら、この馬鹿がつく程の忠臣は、矢張り馬鹿がつく程の暴君に対し、いつも怯えていたではないか。

「市村殿――」

藤左衛門は改まってそう言った。

何かと問うと、藤左衛門は辺りを気にして、障子をすうと閉めた。

「――折り入って――お聞きしたいことが御座るのだ。その――」

「折り入って、とは。また」

藤左衛門は腕を組んだ。松之輔は手を叩いて女中を呼び、茶を用意させた。差し向かいで話すのは初めてのことである。

藤左衛門は汗をかいていた。出された茶をひと息に飲み干すと、ぜいぜいと喘《あえ》いだ。

殿様は――と問うと、ただ今お休みに御座居ますと言った。

「殿様はここ数日お眠りになれぬと仰せられてな――」

「何か――不都合が」

一応そうは尋ねてみたが、不都合も何もあったものではないのである。

彼《か》のご仁、最近では夜も昼もなく、いつだって、まるで乱心でもしたが如く怒鳴っているのだ。不都合というなら凡《すべ》て不都合なのだろうし、この期に及んで敢えて取り上げる不都合も、そうはあるまいと思う。

藤左衛門は汗を拭き拭き、滅相もないと言った。

「市村殿にはこの上なきご配慮を戴き、ご親切骨身に染みて御座る。感謝こそすれ不都合など
と――」

「では――いったい何ごとで御座りましょう」

「じ――実は――物の怪《もののけ》が」

「物の怪？」

松之輔が声を上げると藤左衛門は首を竦めた。

「武士たるもの、怪力乱神を妄《みだ》りに語ってはならぬとか。またそうしたモノは心に隙あらばこそ見える幻と、そう心得てはおるのです。しかし」

「それは――」

人形でござろうか――と松之輔は問うた。もしそうならば、それは他からも聞いている。

藤左衛門はううんと唸った。

「殿は――狸じゃと仰せられる」

「た、狸で御座りますか」

「そう申されるのじゃが――拙者には、どうもそうとは思えぬのです」

「はて、面妖な。何が起きまする」

「それが――」

藤左衛門は口籠った。

松之輔は腕を組んだ。

のですか」

「藤左衛門様。お教えくだされ。もしや、その物の怪とやらが——あの殿様の御乱行の理由な
「そ、それは違う」

「しかし」

「そ、それに就いては、な、何も問わぬと」

「藤左衛門様——私は人形遣いであって武士ではない。ですから二言はないなどと大層なことは申しません。しかし何も尋《き》かぬとお約束した以上、その約定は守りましょう。とはいうものの、この三月の間のお殿様の御乱行は、問わずとも知れることで御座居ます。それでも、詮索無用と仰せられれば致し方ない。詳しくは聞きますまい。ただ」

「ただ——」

「ただ私は我が君主よりあなた様がたを恙《つつが》なくお預かりするよう命を受けたので御座居ます」

「それに就いては市村殿に手落ちはない」

「いいえ——今の事態が恙なき様だとは、私めには到底思えませぬ。それでも、それがあなた様がたの恙なき姿だと、そう仰せなら、これは致し方なきこと。但し」

「但し」

「物の怪であろうが何であろうが、当家の方に理由があったなら、それは偏《ひとえ》に私の責任——お亡くなりになったお方も私めが殺したようなもの。我が藩主にも申し開きが——」

藤左衛門は掌《てのひら》を突き出し、解りました、解り申した——と、言った。

そして、他言無用と断わってから、膝を前に擦り出した。

「殿は——ご病気じゃ」

「ご病気で御座居ますか」

「左様。人斬りの病じゃ」

「ひ——」

藤左衛門は慌てて人差し指を口に当てた。

そして声を潜めて続けた。

「お気がお立ちになると無性に——人を斬りたくなるという病なので御座る。普段は分別も自制もおありになるのだが——どうにも押さえ切れぬ時がおありになるらしい。斯様な場所に参ったのも、偏にその病をお治し戴くためなのだ。都や町中では人も多い。人に会わずに過ごすことは出来ぬ。人が多ければ、また無礼な者も多く居る。肚の立つことも多かろう。そういうことさえなければと——」

「それでは——」

京大坂で。

そしてあの村で。

——あの。

「——あ、あの辻斬りは」

滅相なことを申すでないと、藤左衛門はきつい調子で言った。

「つ、辻斬りなど——とんでもない。そんな根も葉もなき戯言《ざれごと》は今後一切口にされるな。如何《いか》に恩ある市村殿とて、殿を愚弄する言は許す訳には参らぬ」

「しかし藤左衛門殿」

「お——」

多くを聞かずに堪《こら》えてくれと、藤左衛門は眉を顰《ひそ》め顔を歪めて懇願した。その——苦渋に満ち満ちた顔こそが、あの惨《むご》たらしい辻斬りの正体は我が主《あるじ》なり——と、暗に認める証しであるように松之輔には思えた。反面その顔は、口が裂けてもそのようなことは言えぬ立場なのだという、固い決意表明のようにも受け取れた。

「良いか市村殿。あのお方は——悪いお方ではないのだ。拙者はあのお方がお生まれになった時からお傍にお仕えしておるが、ご幼少の砌《みぎり》は、それは利発な、心根の優しいお方であった。それが——そう、あのお方は不幸なお方なのだ」

藤左衛門の腫れ上がった瞼《まぶた》の下の萎《しお》れた眼《まなこ》には、薄《うっす》らと泪《なみだ》が浮かんでいるようだった。あの凶暴な主をそこまでして庇う気持ちも、そうまでして耐えて尚仕える気持ちも、松之輔には理解出来なかった。これが侍というものか。

いずれ藤左衛門は辛いのだろうと思う。

仮令どんな理由があろうとも、罪もない者を幾人も斬り殺して良いなどという道理はない。それは藤左衛門も承知しているのだ。しかし、その道理を曲げて無理を通さねば、己の、侍としての一分が立たぬのだ。

「こちらに参って——暫くは良かったのだが」

「あの従者の方ですか」

「あれは二人とも殿の幼馴染みでしてな。良かれと思うたのだが、却って悪かった。可惜《あたら》親しき間柄であったばかりに——臣下の礼が尽くせなんだ」

「馴れ馴れしき口でも」

左様——否、単にお諫《いさ》めしただけではあったのだが——と藤左衛門は言って、泪を拭った。

「もうお一方は」

「国へ帰らせたので御座る。殿をお護り出来るのは憚《はばか》り乍ら拙者だけじゃ——」

死ぬのは自分だけで良い——ということだろう。老人は元よりその覚悟なのだ。

「して——その物の怪とは」

それじゃ——と藤左衛門は膝を打った。

「あの離れに二人切りになってよりのこと——夜な夜な怪しき何者かが——殿の寝所に現れるので御座る」

「それが——狸だと?」

「どうもそうらしい。拙者は——隣の板の間で寝起きをしておるので、直接は見ていないので御座る。と申すより、どうも拙者はその間——物の怪が来ている間は、意識が遠退いておるようなのだ」

「意識が——」

「老いたりと雖も拙者も武士の端くれ。如何に些細なこととはいえ、殿に変事があったなら、すぐにも目覚めましょう」

それは藤左衛門の言う通りだろう。これ程までに怯気怯気《びくびく》と暮らしていて、熟睡など出来るものではないだろう。

「してその物の怪はいったい何を――」

それが不可解なのじゃ――と、藤左衛門は首を捻った。

「ただ語るのみ――と、殿は仰せなのだが――しかし殿は混乱しておられる。それでなくとも苛苛《いらいら》が募り、最早限界なのだ」

「語る――のですか」

「左様。ただ――昨夜はこれを置いて行った」

藤左衛門は己の後ろに置いていたらしい、小さなものを松之輔の前に差し出した。

「これは――」

それは浄瑠璃の娘人形の頭だった。

但し――その顔面は、まるで西瓜《すいか》の如く。

真っ二つに割られていた。

「お――多くは申すまい」

「その狸は――知っていると」

「否――拙者は――その」

「それこそ亡くなった方の亡霊だと？」

藤左衛門は咳き込んだ。

手にかけし者どもが夜な夜な現れ祟《たた》るのだと、どうも老人はそう考えていたらしかった。

「そこで折り入って頼みごとがある。市村殿には何から何まで世話になり、これ以上頼みごとをするのは気が引けるのだが——勿論、お厭ならお断り戴いても——一向に構わぬ」

「何をせよと」

「見張りだ」

「見張り——で御座居ますか」

「左様。祟りか幻術か解り兼ねるが、拙者は物の怪の姿を見ることが叶わぬ。そこで」

「私に見張れと？」

「礼こそ何も出来はせぬが——」

「それは結構で御座居ますが、どのように——」

「その方の用意くださった長持がござろう。あの中に潜み、一夜を明かしてはくれまいか。なに、心配は要らぬ。殿はお疲れじゃ。気づきはせぬ。殿のご入浴の際にでも忍び込めば——ああ、そういうことではないな。このような頼みごとは——矢張りお厭であろうよなあ」

松之輔が返事をしようとしたその時である。

藤左衛門は針で突かれたように身を起こし、腰のものに手を掛けた。途端に襖が開いた。

「そ——」

「お茶受けをお持ち致しました」

藤左衛門の言葉を遮ったのは、涼やかな音色の女の声であった。

松之輔が驚いて見ると――襖の向こうには女中のぎんが座っていた。

「――その方、き、聞いたなッ」

藤左衛門は片膝を立てた。

「と、とんでも御座居ませんよう。何も聞こえちゃァおりませんよう。ぎんは、たった今ここに参りましたので――旦那さま――」

「解ったから下がりなさい」

「お菓子は」

「そこに置いておけば良い」

とんだ失礼を致しましたと言って、ぎんは頭を下げて去った。

藤左衛門は硬直している。

「ご心配はご無用に御座居ます。あの娘――ご覧の通り、田舎者とは思えぬ垢抜けた器量で御座居ますが、なあに元を質せば東国の人形師の娘で、名をぎんと申します。見た目は何やら粋に映るが、真面目なだけが取り柄の田舎娘で御座居ます。先日も、夜は人形が怖いと泣いていたくらいで。もし聞いていたって何のことやら解りますまい――それでも――」

お斬りになりまするか――と松之輔が質すと、藤左衛門は頭《かぶり》を振り、肩を落として刀を置いた。

「あなた様、そもそも殺生は好まれますまい」

「仰せの通りだ——」

藤左衛門はこくりと頷き、そのまま項垂《うなだ》れた。

松之輔もまた頷いた。そして言った。

「藤左衛門様。明瞭《はっきり》申し上げます。私めは辻斬りめを許す気は御座りませぬ。匿《かくま》う気もない。私めの屋敷の離れに坐《おわ》すお方は、あくまでも病のお殿様——あなた様の主で御座居ますな。そうで御座居ますな」

「い——如何にも」

ならば頼みごとはお引き受け致しましょうと、松之輔はそう答えた。老いた侍は畳に手をつき幾度も幾度も芸人風情に頭を下げた。

季節外れの風鈴の音がした。

離れの食事は三度三度、料理屋で作らせた品を届けさせ、台所で盛りつけて女中が運ぶことになっていた。運ばれて来た膳は、廊下で藤左衛門が毒味をして、それから老僕自身が中に運ぶ手筈になっていた。その辺りの手配りは慎重過ぎる程である。

最初松之輔は、中のお方を護るためにそうしているのだと思っていた。しかし藤左衛門の話を聞く限り、それは逆だったようである。膳を運ぶのも酌をするのも危険なのだ。いつお手打ちになるものか、解ったものではないのである。凡ては女中の命を護るためにしていたことだったようだ。

松之輔は、夕餉《ゆうげ》の膳を持って廊下を行くぎんの姿を眺めつつ、そんなことを考えていた。

食事の後は風呂である。

その隙を狙って——松之輔は離れに忍び込んだ。部屋は矢張り散らかっており、押入れの襖も外れて長持も無造作に部屋の隅に置かれていたから、隠れるのは簡単だった。木片を挟み、蓋が細く開くように細工をして、松之輔は息を殺して夜を待った。

殿様はすぐに戻った。

風呂への行き帰りも頰宛頭巾をしている。

藤左衛門が床を伸べ、漸《ようや》く殿様は頭巾を取った。

松之輔は危うく声を出しそうになった。

頭巾の下のその顔は——見る影もなく窶《やつ》れ果てていたのである。眼窩《がんか》は落ち窪み、その周りは幾重にも隈取られ、頰は痩《こ》け、薄い唇は乾き皹《ひび》割れて、鬢《びん》の毛は幾筋もほつれて頰にかかっている。顔色は青黒く、額には脂汗《あぶらあせ》が浮いている。ただ血走った眼だけは、やけにぎょろぎょろとしていた。まだ三十路には掛からぬだろう。しかしどう見ても老人のような質感の肌だった。

窶れ切った殿様は倒れるように床に伏した。

藤左衛門が行灯《あんどう》の火を吹き消すと、松之輔の視界もまた途切れた。昏黒《こんこく》に、お休みなさいませという老人の声だけが響いた。

虫の声が聞こえた。

どれだけ待ったか。
りん、と音がした。
鈴の音である。
りん。
松之輔は身構える。
障子にぼうと丸く、薄明かりが点った。
その中に人影が差す。
——も、物の怪か。
「長二郎《ちようじろう》」
低い声がした。
ううん——と床の上で呻《うめ》き声がした。
「長二郎。また参ったぞ」
——物の怪だ。
松之輔の、総身の毛穴がさっと開いた。
おうおう——という声。魘《うな》されているのだ。
するすると、音も立てずに襖障子が開いた。
闇に薄朦朧《うすぼんやり》と発光する物の怪の姿が浮かぶ。
「長二郎。裏切り者の長二郎はここにおるか——」

俗にいう金縛《かなしば》りの状態なのだろう。侍は何か言葉を発しようとしているらしかったが、唸り声にしかならないようだった。自由に口を利けないのだろう。

「うーー」

「おおーーそこに居ったか長二郎。どうだ決心はついたか。返答を致せーー」

物の怪は跫《あしおと》を立てずに這入《はい》って来た。

雲間から差す僅《わず》かな月明かりが、物の怪の輪郭を僅かに際立たせた。物の怪は発光している訳ではなかった。白い衣を纏《まと》っていたのだ。巡礼《じゅんれい》の白装束のようだった。頭は多分、行者包《ぎょうじゃづつ》みにしているのであろう、両脇の二つの結び目が、まるで狸の耳のように見えぬこともない。胸には偈箱《げばこ》を提《さ》げ、手には鈴を持っている。顔までは判らない。

「おう、腥《なまぐさ》い。何と腥い部屋じゃろう。血の臭いが立ち籠めておるぞーー」

物の怪はそう言い乍ら侍の枕許に屈み込み、その顔を覗き込むように頭の方から覆い被さって、両手で侍の顳顬《こめかみ》を押さえつけた。

「さあーーいい加減に本性を顕すが良い。裏切り者の長二郎よ。この六右衛門《ろくえもん》とあの金長《きんちょう》と、いずれにつくと申したか、この場で返答致すが良いぞーー」

地の底を這い擦り回るが如き声だった。

「うーーうらぎーーうらぎってなど、お、おらぬ」

「黙れ卑怯者。おい長二郎狸。忘れたとは言わせぬぞ。おのれこの六右衛門に加勢すると約束しておき乍ら姿を晦《くら》ましおって。化けても無駄じゃ」

「よ——余は——た、たぬきなどではない。よ、余は、ま、まつだい——」

「黙れ騙《だま》されるものか」

物の怪が指に力を籠めたのだろう。

侍——長二郎はぐう、と音を上げて言葉を止めた。

「己の本性は狸——浅ましき畜生ではないか。そうでなくてはこのように、腥き臭いがする訳がない。おお臭い臭い。血肉の臭いじゃ。腐肉《ふにく》を喰《くら》い鼠《ねずみ》を齧《かじ》る狸の臭いじゃ。己のような腥き者が、何のどうしてそのような、高貴な生まれであるものか」

「な、何をも、申す、よ、余はまつ」

「己は畜生だ。獣だ。幾ら人を気取っても始まらぬ。浅ましきけだものだ。けだものにそのような、偉そうな姓《かばね》などないのだ。己はな、ただの狸の長二郎よ。それが証拠に——ほうら思い出すが良い。京都の三条、筆問屋の娘を斬り殺した夜のこと——」

ううう、うう。

「それからあれは大坂の、二八《にはち》饂飩屋《うどんや》の亭主であったか。あの夜は、糸屋の丁稚《でっち》小僧であったよな。ざくりと斬ったな。顔を割ったな。血がだくだくと出たな。啜《すす》りたかったであろう。ほら思い出せ——」

うう、うう、うう。

「どうだ。己が人間ならそんな非道が出来る訳がない。どうなんだ。芝右衛門の孫娘は——どう殺した——」

「お、おお、お」

「額を割ったか。真っ二つか。血が出たか。顔が割れたか。どうじゃ、どうなんじゃ」

答えてみよ長二郎ッと物の怪は凄んだ。

「おおおおおお——」

長二郎は雄叫びを上げて身を起こし、狂ったように立ち上がると、ぐるぐると躰を回して叫んだ。

「だ——だまれだまれだまれッ。よ、余を誰と心得る。たかが百姓町人如き、殺して何が悪いのだ。皆余の臣下なるぞ。殺そうが生かそうが、誰の指図も受けるものではないわッ。ぶ、無礼者。て、手打ちじゃ、か、刀をもて、斬り殺してくれる。か——」

りん。

鈴が鳴った。

「長二郎——」

侍は放心し、がくりと両膝を落とした。

「善ッく聞け。あと十日待ってやろう。十日後に肚を決めねば、己は犬めに喰い殺されるものと知れ。解ったか。裏切り者の——長二郎狸よ」

物の怪はそう言って、すうと闇に消えた。

薄明かりも消え、凡ては真の闇になった。

りん、と遠くで鈴が鳴るのを、松之輔は聞いた。

3

松の木の後ろから、垣根を囲む大勢の百姓どもの背中を眺め乍ら、足立勘兵衛《あだちかんべえ》は思案に暮れていた。

垣根の中からは潰れた声がひっきりなしに聞こえて来る。

抑揚のついた、講釈師のような語り口である。敦盛《あつもり》がどうした、二位《にい》の尼《あま》がこうしたと言っているから、多分源平壇ノ浦の一席をぶっているに違いない。

百姓芝右衛門宅を望む松林の中である。

勘兵衛は溜め息を吐《つ》いた。

何とも——困った役向きであった。

百姓芝右衛門の許に姿を現した芝右衛門狸の噂話は、瞬く間に近在の郷に広まった。勘兵衛の見ている混雑も、狸の化けた爺様をひと目見ようという野次馬どもの群れなのだ。

つまり今、講釈をぶっているのが狸なのである。

——狸がなぁ。

勘兵衛は腕を組んだ。

噂に依ればその狸、実に粋で、通人であり、風流人でもあるのだそうだ。

それ故か、日頃からそうしたことに強い憧憬を持っている芝右衛門のこの上なく善き話し相手となったのだろう。

慥かに——。

その狸を自称する老人は、雑俳狂歌《ざつぱいきようか》などにも造詣《ぞうけい》が深く、書画骨董の類にも矢鱈《やたら》と詳しかった。芸事も中中達者だったし、色の道も極めたらしく、花柳界の知識も豊富に持っていた。中でも、特に芝居は好んだようで、江戸大坂でかかった古今の芝居は殆ど観ているのだと、狸は語ったそうである。その甲斐《かい》あって、大坂辺りでは芝右衛門ならぬ芝居もん狸と呼ぶのだと、狸は豪語したのだそうだ。

聞けども聞けども尽きることのない、その魅力的な話の数数に、芝右衛門は熱心に聞き入った。そしてまるで己が見聞きしたことのように心を弾ませたのである。

草深い田舎の好好爺の目には、その不思議な老人が百三十年生きて来たという話も、満更嘘ではないように思えたのだろう。

否——その頃芝右衛門はもう、芝右衛門狸が狸であることを、微塵《みじん》も疑ってはいなかった。

家人達もまた、芝右衛門狸の、その飄飄《ひようひよう》とし乍らも落ち着いた物腰や一種愚直な応対振りに次第に取り込まれて、いつしか親しみを覚えるようになっていたのだった。そうなると、もう狸でも人でも構わなかったようだ。だから、本人がそうだと言うのなら、それはそうなのだろうと——半ば為し崩し的に、芝右衛門狸は狸だということになってしまったのである。

その結果——芝右衛門狸の噂話はかなりの信憑性を以て広がった。その挙げ句——斯様に幾人もの人が芝右衛門の家を訪れ、垣根を覗くまでに至ったのである。

垣根を覗く者は常に、長閑《のどか》に話を交わしている芝右衛門と芝右衛門狸の姿を見ることが出来た。狸は腰が低く、また話し上手で、忽《たちま》ち人気者となった。勿論誰しも半信半疑ではあったのだろう。ただ信じる信じないという以前に、その爺が狸なのだということは、既にして事実となっていたのである。

そして——噂はどんどんと広がった。

広いとはいえ島であるし、淡路中に芝右衛門狸の名が知れるのに半月とはかからなかった。

やがて——。

その怪しげな噂は、淡路国支配にして、洲本城城代、稲田九郎兵衛の耳にまで届いた。

この稲田という家老、堅物ではあったがその裏で、その手の与太話には目のない男でもあったようである。何しろ諸国の珍談奇談を記した書物は大抵読んでいるらしい。

しかし勘兵衛が思うに、稲田はただ不思議好きで済まされるような簡単な男ではない。

それは慧眼《けいがん》であった。この稲田、不思議自体より、その不思議が真実か贋物かを見極めることが好きだという、些《いささ》か捻くれた愛好の仕方を示す、少少困ったご仁だったのである。

墓場の鬼火は人骨に含まれる燐が沁み出し燃えるのである——だとか、人魂は大気の陰気と陽気がぶつかる弱き雷なのである——だとか、どんなものにも悉《ことごと》く理屈をつける。

屁理屈でも何でも好《い》いから、取り敢えず捏《こ》ねてみる男なのだ。

そうしたものは、その気になれば大抵は説明出来てしまうものであるから、幽霊凡て枯れ尾花、世に不思議なし——ということになる。

稲田という男は、のべつその調子なのだった。兎に角小理屈を言う。素直に受け取らない。例えばそうした目で見ると、阿波名物淡路名物の人形芝居なども、どうにも釈然としないらしかった。

稲田は芝居自体が嫌いな訳ではないし、人形が嫌いな訳でもない。筋立ては面白いし人形も善く出来ていると思っている。

ただ人形芝居は納得出来ないようなのだ。

理由は簡単である。わざわざ人形を操るくらいなら人間が扮装して演じた方が早かろうと、稲田はそう思ってしまうらしい。

後ろに居る大夫が邪魔だ。黒子が邪魔だ。見えぬ約束と言い張られても、実際そこに居るのだ。現に見えているではないか——。

稲田はそう思うのである。

稲田の理屈はこうである。元来、動く訳もない木偶《でく》人形などを無理に動かそうとなどするからあんな妙なモノが要るのだ——大夫なり黒子なりが自ら扮装して己で演じれば、それで済むことなのではないのか——顔が拙ければ面を被れば良いし、逆様《はんたい》に人形が鑑賞したければ、ただ置いて眺めれば良い、その方がじっくりと観られるではないか——動くものは動く、動かぬものは止まっている、これが世の中の摂理ではないか——。

稲田はそれは至極納得の行く道理なのだと思っていたようだったが、それに関しては中中周囲からの同意は得られなかったようである。

そもそもこの家老、無粋な男なのである。

しかし。それは一方で、人知を越えた、理屈の通じぬ神秘を、強く求める気持ちの裏返しでもあっただろう。

どんな理屈も太刀打ち出来ぬ摩訶不思議がこの世のどこかにはあって、それがいずれ眼前に立ち現れてくれることを、稲田はきっと心の何処かで願っているのに違いない。だから不思議な話に目がないのである。

狸、人に変じて大いに語る――などという話は、だから稲田にとって聞き捨てならぬものだった。しかも家臣の話だと、どうもそれは真実らしいと言うのである。その狸は日中人前で人の姿を採り、大いに語る――と言うのである。

稲田は信じられなかったのだ。

勿論、稲田ならずとも信じ難いことではあった。

狸に人が化かされるという話なら数多聞くけれど、狸が人に化けた話となると、これは中中ないものである。否、あるにはあるが皆作り話である。御伽噺《おとぎばなし》である。読み本黄表紙でもあるまいに、現実にある筈もないことである。化かされるのは化かされている者が馬鹿なのだ。勘違いをしたり騙されたり、幻覚を見たりして騒いでいるだけである。しかし化けるとなると、これはどう考えれば良いのか――。

真実《ほんとう》なら凄いことだが、嘘なら稲田には許し難いことだった。詐欺である。金品を掠《かす》め盗る訳ではないにしても、徒《いたずら》に人心を迷わす虚妄であることに変わりはない。虚妄が罷《まか》り通っては理《ことわり》が立たぬ——稲田はそう判断したのだろう。

そこで稲田は、早速探査役である勘兵衛を呼びつけ、淡州芝右衛門狸の風聞に就いて真偽の程を確《しか》と見定めよと言い渡したのだった。もしも噂に虚偽あらば、屹度《きっと》その化けの皮を剝がし天下にものの道理を示せと——きつく申し付けたのである。

——道理を示せと言われても。

どうすれば良いのか。

勘兵衛は当惑した。

稲田がどう思っていようと勝手だが、これは迷惑な話であった。

まるで見当がつかなかったのだ。お上の意向であるぞと声高に叫んで乗り込んだところで、こればかりはどうなるものでもあるまい。何しろ芝右衛門狸は悪事を働いている訳ではないのだ。召し捕って責め立てて、もし人であったなら、それはそれで問題ではないか。それで真狸であったなら、お上は天下の笑い物である。

役にも立たぬが害もない、そんな噂は放っておくのが得策である。人の噂も幾日とやら、黙っていてもやがて消えよう。弄《いじ》り回しても損をするだけだ。

何の策もなく——勘兵衛は芝右衛門宅を訪れたのである。

そして、ただ呆然と眺めているのだ。

芝右衛門の家を訪れるのは三月振りであった。

芝右衛門の孫娘ていが辻斬りに遭って落命した際に、吟味役を担当したのが誰あろう勘兵衛だったのである。酷い事件で心が傷んだ。哀れな骸の有様を、勘兵衛は何度も夢に見た程である。真逆、斯様に妙《みょう》ちくりんな一件で再度訪れることになろうとは思ってもいなかった。

歓声が上がった。

大きな百姓家の裏手、垣根には鈴なりの観客が見物している。慥かに、これは問題といえば問題である。昼日中、民百姓が畑仕事を放って遊んでいたのでは国は滅びる。ただ、取り締まるなら見ている客の方なのだろうし、ならば娯楽の少ない村人を責めるのも酷なのかと、勘兵衛はそう思った。

「お役人様――」

いきなり呼ばれて勘兵衛は肝を潰した。

松の木蔭に見慣れぬ風体の男が立っていた。

旅装束ではあるが、農民商人ではない。帯に矢立を差し、腰に帳面を提げている。勘兵衛は訝しみ、何者か――と問うた。

「私は江戸は京橋に住まう山岡百介《やまおかももすけ》と申します。諸国を巡り奇談を聞き集めて書き記す、まあ物書きの端くれで御座居ます。怪しい者では御座居ません」

「江戸者――か」

はい――と若者は会釈をした。

「評判で御座居ますな。芝右衛門狸——」

「う、うぬ、何の用だ」

「お役人様、あれを本物と——お考えですか」

「そ——そのような」

勘兵衛は思い切り取り乱した。

「私は贋物だと思います——」

若者は決然《きっぱり》と言った。

「慥かに阿波の板野《いたの》は堂ノ浦に芝右衛門狸という狸が居たと、言い伝えこそありますが——私には信じられない」

「して——その根拠は」

根拠はありません——と若者は言った。

期待していただけに勘兵衛は少しばかり肚が立った。

「その方の申す通り、これは俄かには信じ難きことである。だが無根拠にものを申すな。本当でないと——証拠を示せ。それが出来ぬうちは——滅多なことは」

勘兵衛はいつの間にか狸の弁護に回っている。

そうですねえ——と若者は言った。

「私もこれが真実なら——豪《えら》いものを見たことになる訳で。狸の化けた人間など然然《そうそう》お目には掛かれないですからね。しかし嘘なら——これはとんだお笑い種《ぐさ》です。そこで——」

「そこで何だ」

「私はあの老人に犬を嗾《けしか》けてみようと思うのです」

「犬——だと？」

「狸は犬を嫌うもの。犬を見れば怯え、竦んで悲鳴を上げましょう。犬はまた、そうした過剰な反応には攻撃的になるものです」

「それでは——」

「あの老人が狸なら、もうどうすることも出来ますまい。直様《すぐさま》狸の姿に立ち戻り、姿を晦ますことでしょう。もしもそれが出来ない時は——犬に喉笛嚙み切られ、死して後に獣の本性を曝しましょう」

「しかし——人にも犬の嫌いな者は居る。もし嚙み殺してしまい——人のままだったなら如何《いか》にする」

「もしも人なら——仮令どれだけ怖くても、犬のあしらいくらいは出来ましょう。あれだけ物知りの通人なのですから——」

若者は垣根の方を見た。

それはそうなのかもしれない——勘兵衛はそう考えた。

「如何《いかが》でしょう。試してみても良いものかどうか——先程よりそれを思案しておりました。そこにお役人様が現れた。これはご相談してみるに限ると、そう思ったのですよ。お役人様に立ち会って戴けるなら、私も安心ですから」

「だが――」

勘兵衛は色色なことを考えた。

考えは纏《まと》まらなかった。良い案であるようにも思えたが、何か嫌な気もした。

「狸を――殺してしまうことになるかもしれぬ」

「狸なら――です」

「しかし、人語を解すモノを殺《あや》めるのはのう」

「所詮は畜生ですよ。人心を惑わす妖物です」

「死んで――人のままだったなら如何にする」

「その時は――」

私が罪に問われましょう――と若者は言った。

割り切れない気持ちではあったが、城代の申し付け通りに真偽を究める方法は他にないようにも思えた。それに、もし狸であっても死ぬとは限らない。百三十年も生きた古狸なら、犬くらい躱《かわ》すやもしれぬと――勘兵衛はそう思った。

つまり。その時点で勘兵衛は、八割方それが狸であることを確信していたことになる。

半刻後《はんとき》に犬を連れて参ります――と、若者はそう言って松林の奥に消えた。

勘兵衛は若者の姿が見えなくなるのを待って、そろそろと垣根に近づいた。そして人垣の後ろで伸び上がり、目立たぬように端の方から覗いた。

小柄な、浅黒い老人が、にこにこと愛想良く、しかし雄弁に、何かを語っていた。

——あれが狸か。狸の爺か。

言われて見れば——仕草もどことなく狸振りである。軀《からだ》つきもずんぐりしていて、顔とてどう見たって狸顔である。狐じゃ猫じゃ将《はた》また鼬《いたち》じゃというご面相ではない。いずれ先にそう聞かされていて、初めてそう思うことではあったのだが。

狸の横には白髪の老人が、矢張り笑顔で立っていた。芝右衛門である。三月前老人は悲しみにくれ、その皺面は泪に濡れていたのだ。

——孫を失った傷は癒えたか。

そう思った時。急に勘兵衛の前の人垣が左右に割れた。見物客がすうと離れて行く。勘兵衛はひとりだけ垣根の縁に取り残された。

見れば村人達は、半ば怖いモノでも見るように、遠巻きに恐る恐る勘兵衛を見ていた。咎《とが》められるもの、とそう考えたのだろう。それも当然のことで、役人が来れば民は身構えるものである。

「待て——待て待て。拙者は別に、お前達を咎めに参った訳ではないのだ——」

勘兵衛は釈明をした。成り行きである。

「——拙者は役向きで参った訳ではなくてだな、その、まあ、そうじゃ。評判の芝右衛門狸殿を——」

そこまで言った時、芝右衛門がおう、と声を上げた。それからお役人様、矢張りあの時のお役人様じゃなどと言い乍ら垣根に歩み寄り、深深と勘兵衛に頭を下げた。

「これはこれはお役人様。遥遥《はるばる》お訪ねくださいましたのやろか。勿体なきことに御座ります。孫の件ではご無礼致しました。さあ、そのような処に居ってはいけませぬわい。今ご案内致しますで――」

「いや、芝右衛門、拙者はその」

「さあさあ何をご遠慮なさいます」

「し、しかし」

勘兵衛に歓迎を受ける覚えはない。

孫娘の一件とて解決した訳ではないし――。

況《まし》て今日は噂の見聞、しかも半刻の後には――。

「さて皆の衆、今日は思いもかけずのお客様やよって、これでお開きにさせて貰うわ。続きはこの次じゃ。言うておくが、これは見世物やないから人に広めることはないで。木戸銭も要らん。ただ、野良仕事ほって来よったら帰って貰う。解ってるな」

芝右衛門は手を広げてそう言った。

表の方から芝右衛門の息子の嫁が駆けて来た。

結局、勘兵衛は座敷に上げられ歓待を受けた。

饗応は受けられぬと拒んだが、役向きで来たのではないと言ってしまった手前、きつくは断れなかった。酒だけは遠慮した。元元呑める口ではない。ひと通り挨拶を受け、茶を呑んで団子など喰っていると、やがて芝右衛門が狸を伴って入って来た。

芝右衛門狸は下座にぺたりと座り、鼻先を畳の縁に擦り付けるようにして挨拶をした。

「お初にお目に掛からせて戴きます。手前、畜生の身で御座りますれば、本来斯様な場所に居るべきでは御座りませぬし、況《まし》てやお役人様のような貴いお方にお目文字出来る身分では御座りません。而《しこう》して、当家のご隠居様のご慈悲を賜りまして、こうして人間様の格好をばさせて戴き、贅沢をさせて戴いておりますれば――」

「か、堅苦しい挨拶は抜きじゃ」

勘兵衛は大いに当惑した。

「そ、その方、真実《まっこと》――狸か」

「狸めに御座居ます」

「こ、ここで狸に戻れるか」

「人前で変化の術を使うは狸仲間のご法度《はっと》。それだけはご勘弁くださりませ。ご所望とあらば後程――獣の姿で参上致しまするが――」

「そ――」

そうして貰おうと言いたかったが、考えてみれば無駄なことであろう。狸でいる間は口も利けまい。

「――それには及ばぬ」

勘兵衛は腕を組んだ。

人にしか見えぬ。

しかし、この爺が這入《はい》って来た途端に、部屋が腥《なまぐさ》くなったのも事実である。

死んだ獣の肉のような臭いである。

芝右衛門が取り成すように言った。

「お役人様、まあ信じる信じないは人それぞれで御座居ますわい。この芝右衛門からして、最初は信じんかった」

「今は——信じておるのか」

「信じております。と、申しますより、この爺、もし狸でないのなら、それはそれで傑物ですわい。儂はこの男の人柄に感服しましたのや」

狸に人柄は御座居ませぬぞ——と狸は言った。

まったくじゃと芝右衛門は笑った。

しかし狸は笑わず、ご隠居様——と改まった。

「何や——どないした」

「こうして——お役人様がお出でになったということは、手前の噂がこの淡州中に広まったということに御座りましょう。そろそろ潮時《しおどき》で御座ります」

「潮時——とは」

「お役人様。お役人様は先程役向きならず——と申されましたが、それは違いまするな。手前を召し捕りに参られたのでは御座居ませぬか」

狸はそう言った。勘兵衛は唸った。

芝右衛門は、唇をへの字に歪めた。

「お役人様、それは無体や。この狸、悪いことなどしておりませぬぞ。こ奴は実に物知りで、粋で」

「良いので御座ります、ご隠居様。ご隠居様と過ごしまするひと時があまりに楽しゅう御座りましたので、手前も少少図に乗ったかと思うております。狸の悪い癖、はしゃぎ過ぎましたわい。そこで――本日はお役人様もいらっしゃることで御座居ますから、折り入ってお話しておきたいことが御座りまする」

狸は居住まいを正した。

「実はご隠居様。手前が当家に参りましたのには、理由が御座ります」

「理由――とな？」

「左様に御座ります。手前は阿波の堂ノ浦に住まう古狸で御座りますが、暫く前まで、本朝の狸を統《す》べておりましたのが、矢張り阿波日開野の金長と申します狸で御座ります。御存知で御座りましょうか、今も正一位金長明神として祠《ほこら》に祀《まつ》られておりまするが」

名前だけなら聞いたことがあるが――と芝右衛門が言った。

「手前はその金長の眷族《けんぞく》で御座ります。金長はその昔、同じく阿波の古狸六右衛門と、狸の長《おさ》の座を巡って長く争っておりました。金長二百余歳、六右衛門三百二十余歳という、いずれ劣らぬ古狸、勢力は拮抗《きっこう》しておりましたが、金長は三十年前の鎮守の森の狸合戦で六右衛門を降《くだ》し、阿波の狸の長となったので御座居ます」

「宛《さなが》ら戦国時代というところやなあ」

芝右衛門は感心したようにそう言ったが、勘兵衛は尻の据わりが悪くなっていた。狸が化けるのは当たり前ということを前提にした話だったからである。それをまともに聞いている自分は、最早目の前の爺を狸だと、認めたことになりはしないか——。

「その——三十年前の天下分け目の狸合戦が、後の世に遺恨を残すこととなったので御座居まする」

「遺恨とな」

遺恨で御座ります——狸は前屈みになった。

「この金長六右衛門の一騎打ちで御座居まするが、これは我が国の狸にとってただの領地争いではなかったので御座ります。阿波は狸の本場。どちらが統べるかは注目の的。両将は全国の狸に檄を飛ばし、互いに加勢を求めたので御座ります。つまりはいずれにつくかで諸国の狸の勢力図が塗り替えられることとなる」

「正に関ヶ原や」

そうで御座居ます——狸は眼を閉じた。

「佐渡《さど》の団三郎《だんざぶろう》、屋島《やしま》の禿《はげ》、伊予《いよ》の隠神刑部《いぬがみぎようぶ》と——諸国の狸が大勢馳《は》せ参じました。それはそれは、激しい闘いで御座りましたなあ。力は正に五分と五分。激戦の結果、六右衛門方は敗退し、阿波を捨てることとなった訳では御座りますが、一方金長も、勝つには勝ったが、その時の傷が元で患《わずら》いつきまして、十年前に二百二十六歳で亡くなったので御座ります」

芝右衛門狸は神妙な顔をした。

「この時の、勝敗を決する原因となりましたのが、尾張の長二郎の裏切りで御座居ました」

「裏切りとな」

「左様。尾張の長二郎――残忍非道で知られる猛猛《たけだけ》しい狸で御座りました。狸は本来のんびりとした獣で御座りましてな、人は化かすが捕って喰うたりは致しません。しかしこの長二郎、長生きをせんと欲し、人を捕っては精を吸い、生き肝を抜いて食らうという兇《おそ》ろしい狸で御座りました――」

狸は顔を顰めた。芝右衛門も、勘兵衛も顰めた。

「この長二郎、金長は大層嫌っておりましたから声も掛けなんだ、しかし六右衛門はその凶暴なところを買って、援軍を頼んだ。長二郎は快諾したのだと――聞いております。しかし」

「裏切った――と？」

「そうなので御座ります。長二郎、そもそも人の生き肝を食らうは長生きのため。元より生き意地だけが汚い狸だったので御座居ます。狸同士の争いで命を落とすなど真っ平御免と、合戦の直前にとんずらを決めこんだ」

「なる程――」

「六右衛門は怒髪天を衝く勢いで怒ったのですが、天に昇ったか地に潜ったか、長二郎は煙の如く消えてしまった。どうやらほとぼりの冷めるまで、人間《ひと》に化けて身を隠したらしいので御座ります」

「人間《ひと》に——か」

勘兵衛は一応聞き返したが——この期に及んで、もうそれは事実として聞くしかあるまい。

「人間様にて御座ります。三十年——ずっと長二郎は狸の本性を隠して人として暮らしておったのでしょう。それは大変なことなので御座ります。手前でも、このように人様の格好を長く続けておりますと、疲労困憊《ひろうこんぱい》致します。折に触れ本性が出そうになる。気を抜くと牙が出る尻尾が生える。犬を見れば怖《お》じけづく——」

「い、犬は嫌いか」

「犬はいけません」

狸は梅干しでも喰ったような顔をした。

「——その昔、鎌倉建長寺勧進《かまくらけんちょうじかんじん》のため諸国行脚《あんぎゃ》を致しました信心深き狸がおりました。その狸は、狸仲間の中でも化け術名人として伝説《いいつたえ》となっております。何年経とうと決して正体が暴露《ばれ》なかった。その名人でさえ、最後は犬にやられました」

犬だけはいけません——と狸は繰り返した。

左様か——と、勘兵衛は呟《つぶや》いて顎を摩《さす》った。

どうやら山岡とかいう若者の言葉は本当だったようである。

しかし——。

勘兵衛は狸を接接《まじまじ》と見た。

狸は続けた。

「長二郎は六右衛門の仕返しが怖かったのでしょうな。只管《ひたすら》人に化け続けた。しかし、幾ら怖くとも隠し通せるものではないのです。三十年堪えて長二郎、遂に——本性を顕《あらわ》した」

「どうした」

「人様を——殺《あや》め始めたので御座ります」

「人を——」

「生き肝が欲しくなったので御座りましょう。奴はこう、人の額を割り、先《ま》ずはそこから精を吸うので御座ります」

「額——だと」

勘兵衛は芝右衛門の顔を見た。

それまで熱心に話を聞いていた老人は、幾分血の気を失い、微かに震え乍ら瞠目していた。

狸は頷いた。

「お察しの通り——京大坂を渡り歩き、罪なき人を惨殺した辻斬りこそが——長二郎めに御座ります。かの六右衛門は今や盛りを過ぎた隠居の身。金長もまた鬼籍に入り申した。長二郎は多分——阿波に渡り、二代目金長を討ち取って狸の長となる肚かと——」

「た、狸殿。芝右衛門狸殿。それでは、ていを、孫を殺めたのは——」

「如何にもご隠居様のご令孫のお命をとったのは、長二郎めに御座居ます。幾ら畜生と雖も、これだけは許されることでは御座りませぬ。手前は狸を代表し、ひとことお詫びに——参ったので御座ります」

何ともお詫びのしようが御座居ません――と、狸は額を畳に擦りつけた。そして何度も何度も詫びた。

「六右衛門は今、老骨に鞭《むち》打ち長二郎討伐《とうばつ》に出向いております。手前は、同じ名前ということもあり、身内で話し合いまして、兎にも角にも芝右衛門様にお報せに参れと――何しろご隠居様にとって長二郎はにっくき怨敵《かたき》。その名だけでも報せねば、お気もお済みになりますまい。そう命を受け参ったので御座りまするが――何の弾みか、ご隠居様の温かきお人柄に触れ、今日言おう、明日言おうと思ううち、ずるずるとこのように長居をしてしまいました。実にお恥ずかしい、浅ましき畜生の性《さが》で御座ります。さあ、ご隠居様――手前を打ってお気が晴れるなら、幾度でもお打ちくだされ。命をとろうと仰せなら、どうぞ殺してくださいまし」

「た、狸殿――」

芝右衛門は狼狽していた。勘兵衛とてそれは同じことであったのだが――。

「――あんたが悪い訳ではないやろ。頭を上げてくだされ。そんな、あんた殺しても、狸汁にしても孫は戻らん。そうで御座居ますな、お役人様――」

勘兵衛は返事に戸惑う。それは慥かにそうなのだが、それでも――。

狸が顔を上げると芝右衛門は幾度か頷いた。

「狸殿よ。否、芝右衛門殿よ。何の謝ることがあろうかや。改めて礼を申しますわい。あんたが来てくれたお蔭で、儂はどれだけ救われたか知れん。もう好いわい。何も言わぬわ。その長二郎とやらも、六右衛門とやらが征伐に行ったというのやろ」

「はい。五日の後、洲本の端で人形芝居がかかりまする。そこで凡て始末をつけると、六右衛門はそう申しておりました」

「五日後か。お役人様――」

「うむ――しかし――」

下手人が狸では召し捕ることも出来ぬ。

――何を。

何を信じている。

勘兵衛は頭《かぶり》を振った。善く考えろ。こんな話は、普通は法螺《ほら》だ。信じるなんて、信じるなんて――勘兵衛が煩悶している間、芝右衛門も何かを考えていたようだったが、やがて老人は思い切るように、狸殿――と呼んだ。

「これからも――ずっと居て下されや」

芝右衛門はそう言った。

狸は、再び辞儀をした。

そして――こう言った。

「重ね重ねのご厚情――返す言葉も御座りませぬ。一族の誇りに懸けて、長二郎めは必ず討ち果たします。しかし――何もかもお話し致しました以上、これにてお暇《いとま》を戴きまする。どうあれ――我等狸はご令孫の仇。もしご隠居様が手前をお許しくださるとしても、父御母御の気は済みますまい。手前とて、それを知られて今までと同じには振る舞えませぬ。手前は――」

狸が何か言いかけたその時――。

庭の方で轣轆《れきろく》と車を引くような音がした。

ふと見ると、垣根越しに大きな箱を載せた荷車が見えた。

「何やろう」

芝右衛門が伸び上がる。

荷車の横には――。

若者――百介が立っていた。

「よ、止せ、やめろッ――」

勘兵衛が叫ぶのと箱の蓋が開くのはほぼ同時だった。

箱の中からは獰猛《どうもう》な赤犬が二匹――物凄い勢いで飛び出し、垣根を跳び越え、縁側を乗り越えて、芝右衛門狸目掛けて一直線に飛びかかった。

「い、犬じゃ」

一瞬のことであった。

芝右衛門狸のその時の顔を勘兵衛は生涯忘れまい。

瞳孔《どうこう》は開き鼻は膨らみ、それは心底――恐怖に駆られた表情だったのだ。

ひいい――物凄い金切り声で絶叫し、芝右衛門狸は転がるように庭に出た。

犬は――容赦なく襲いかかった。太腿に食らいつく。襟首《えりくび》に噛み付く。

「お助け、お助け――」

狸は叫び乍ら二匹の獰猛な犬どもと縺《もつ》れるようにして地面を転がり、裏木戸を破って垣根の外に転げ出た。

がうがうという犬の喘ぎが聞こえる。

断末魔は人のものとは思えなかった。

芝右衛門は大声を上げて家人を呼び、狸を追って庭に出た。勘兵衛は刀に手を掛けてそのまま座敷に立ち竦んでいた。犬を斬ろうと思ったのである。

——もう遅いか。

勘兵衛は己の野呂間加減に苛立ち、足袋のまま庭に降り、垣根の外に向かった。

急に怖くなった。

慥かに——犬は勘兵衛にも芝右衛門にも一瞥《いちべつ》もくれず、迷うことなく芝右衛門狸を襲ったのだ。それはつまり——。

——矢張り狸なのか。

それとも人か。

芝右衛門が口を押さえよろよろと立っていた。

二匹の犬がぐうぐうと唸り乍ら徘徊《うろつ》いている。

箱を載せた荷車の前には、顔面蒼白になった百介が仁王立ちになっていた。

地面には。

大きな狸が一匹死んでいた。

4

洲本の外れにある市村松之輔一座の常設舞台に徳島藩主である蜂須賀公がお忍びで訪れたのは秋も深まった十月半ばのことであった。

急のお越しに松之輔は慌てた。

お忍びというのは、単に公務ではないというだけのことであり、殿様ともなればぞろぞろとお供の侍付きで大層な駕籠に乗って来るのに変わりはない。加えて城代家老の稲田九郎兵衛まで同行したのであるから、お忍びの筈の大名行列は当然のように人目を引いた。

洲本城にご入城された際に急に思い立たれたのだそうだが、突如《とつじょ》殿様浄瑠璃ご所望と言われても慌てるだけである。有り難き仕合わせと言ったは良いが松之輔の苦労は並大抵のものではなかった。

舞台といっても殿様の眼鏡に叶うような立派なものではなかった。屋敷の裏手の敷地内に建てた、半ば稽古用の粗末なものである。そもそも大名の行幸を迎え入れる用意などしたことがない。どうしたものかまるで判らぬ。それでも粗相は一切許されぬのだから堪《たま》ったものではない。

道の清掃、桟敷《さじき》の整備から食事の手配まで、正に東奔西走とはこのことだと、日頃愚痴など言わぬ松之輔も、珍しくぼやいたという。

敷地のぐるりに陣幕《じんまく》を張り巡らせ、特別に設けた緋毛氈《ひもうせん》の桟敷の中央には金屏風《びょうぶ》を立てた。その前に徳州公がでんと座り、その横には洲本城城代が控えた。

左右には侍がずらりと居並び、警護の侍や中間《ちゆうげん》小者までを含めると、百人からの人間が訪れたことになる。

のみならず――。

地元の百姓町人にも見物させよ――との命が下った。人形芝居は侍だけのものではないという、慈悲深き藩主様のご配慮があったのである。

噂を聞きつけ、近郊からも続続と人が訪れた。

普段なら人影もなく静まり返っている筈の、洲本も外れの寂しき僻処《へきしょ》が、その日に限っては芋《いも》を洗うが如き大賑《おおにぎわ》いとなった。

しかし――。

万全の警備をしていたにも拘らず――。

松之輔が人形浄瑠璃を演じているその時に――。

信じられぬ事件が起きたのである。

その時。舞台上にあった松之輔は、我と我が目を疑った。最初はただの喚《わめ》き声だった。

それが、やがて騒乱となって陣幕を突き抜けた。

何と、数匹の犬に食らいつかれ、物狂いのようになったあの若侍が——桟敷に乱入して来たのである。

侍は怒号を上げて大いに暴れ、数十を数える侍が折り重なるようにして取り押さえたが、場内は混乱を極め、事態が収拾するまでにはかなりの時間がかかった。勿論上演は中止の沙汰と相成った。

犬は逃げたらしかった。

侍は——頓死していた。

頸《くび》に無数の噛み傷が認められたが、直接の死因はその傷ではないようだった。多分、若侍の躰は限界に達していたのであろう。神経も心の臓も、何もかもが、その衝撃に保《も》ち堪《こた》えることが出来なくなっていたものと思われる。

それが——彼の京で迎えた客人であることを知ると、稲田九郎兵衛は卒倒しそうになった。

離れでは藤左衛門が腹かっ捌《さば》いて息絶えていた。

遺書はなかった。

そして、松之輔は思い出したのである。

その日が丁度——十日目であることを。

己は犬めに喰い殺されるものと知れ——。

あの物の怪——六右衛門狸はそう言ったのだ。

松之輔は己の知ることの凡てを稲田九郎兵衛に打ち明けた。

その侍、素姓は知らねど狸に御座ると――そう告げたのである。

城代家老は目を白黒させて聞いた。勿論信じては貰えなかったようだった。

だが――。

間を置かず、探査役の足立勘兵衛と近在の大百姓である芝右衛門の二人が稲田の許をば訪れて、彼《か》の侍は狸の化身に違いなし――と九郎兵衛に進言をしたのである。

本日の惨劇は、芝右衛門宅に現れた狸に依って予め知らされていたことであると言う。二人はその顚末を見届けるためにこの地を訪れたのだ――と語った。もしそれが本当であれば、その狸は藩主の気紛れを予知していたことになる。真《まこと》に不思議としか言いようがない。

そして――二人は続けて狸と辻斬りに纏《まつ》わる実に怪しげな因縁話を報告したのである。

奇ッ怪な話だった。

しかし――二人の話は、逐一松之輔があの夜に聞いた――物の怪の語った内容と符合していた。

稲田九郎兵衛は頭を抱えた。

説明がつかない。

否――理解する道はひとつしかない。

侍が狸である――という結論である。

藩主はことの次第を九郎兵衛より聞き取り、更に松之輔、勘兵衛、芝右衛門より直接話を聞いて、そのうえで侍の遺体を自ら検分した。

遺体は人の姿のままだった。

稲田九郎兵衛は骸を見て、何度も気を失いそうになったという。

多分——死んでいる侍が本物ならばそれは大変なことなのだろう。九郎兵衛は狸が人に化けるなどという妄言を、それでもまるで信じられないでいたのである。仮令ことなきを得るために、それが狸であった方が良かったとしても——。

勘兵衛と芝右衛門は、骸はいずれ必ず本性を顕し狸の姿になるのだと主張した。

しかし、いつまで経っても侍は狸にはならなかった。

稲田九郎兵衛は大いに怒り、松之輔を含めた三人を縛り上げ、投獄すると言い張った。いずれも、世間を惑わす嘘言を妄《みだ》りに並べ立てたこと許し難し——という訳である。だが。

藩主蜂須賀公、その場で立ち上がり、城代に向かってひとこと、それには及ばぬ——と宣《のたま》ったのだった。

「阿波は狸の本場であるとか——それはそれで自慢の種でもあろう。ならば。そこなる骸、いずれ狸になると申すのなら、なるまで待とうではないか。ひと月晒《さら》し、それでも骸が人のままなら——その時改めて詮議を致すが良かろう——」

苦しゅうない下がりおろう——芝居好きの藩主はそう言ったのである。

そうして、松之輔以下三名の者は戦戦恐恐としたひと月を送ることとなったのである。

骸は埋葬されることなく、そのままの像《かたち》で戸板に寝かされ、厳重な警護の下松之輔宅の離れに安置されることとなった。

市村松之輔、足立勘兵衛、百姓芝右衛門の三名はことが明瞭になるまでの間それぞれ蟄居《ちっきょ》を申し付けられたが、逃亡の惧《おそ》れありという判断もあり、結果的には三名とも松之輔宅に足止めされたのだった。

十日経っても半月経っても――骸は人のままだった。

却説《さて》は凡てが狸惑わしであったか、化けたと思うは化かされていたか――と、狸を疑っていなかった筈の芝右衛門までもが考えないではなかった。

更に、恐れ戦《おのの》いているという点においては、城代稲田もまた同様だった。一説に九郎兵衛は切腹覚悟であったともいう。

そして――二十五日目に――。

骸は、忽然《こつぜん》と狸の姿を現した。

それは藩主蜂須賀公が再び洲本に入った日でもあったから、殿様は大いに驚き、三人は無事放免となったのである。

そうして漸く事件は公になった。

神無月某日、淡州洲本に於て徳州公浄瑠璃ご観覧の折、上方に於て人斬りを為したる長二郎と名乗る若侍、乱心の上桟敷に飛び入り乱暴狼藉を働き、猛犬に嚙み殺されしが、その骸、死後廿五日をもって狸の姿に変じ、衆人大いに驚く。彼の長二郎なる若侍、狸の変化せし贋物なれば――。

本物はいずこに居らんや――と。

5

伊弉諾《いざなぎ》の社の裏手、樹樹鬱蒼と茂る森の中。

出来たばかりの土饅頭がある。

その周りに、汗を拭う四つの人影があった。

ひとりは――旅装束の若者――考物《かんがえもの》の百介こと、山岡百介である。

今ひとりは、山中には場違いの、派手な江戸紫《えどむらさき》の着物に草色の半纏《はんてん》を着た若い女――市村家の垢抜けた女中――山猫廻《やまねこまわ》しのおぎんである。

その横には、羅《うすもの》の白装束に偈箱《げばこ》を提げ、頭を行者包みにした渡り御行《おんぎょう》――物の怪の六右衛門狸――小股潜《こまたくぐ》りの又市《またいち》がいる。

最後のひとりは、縦縞の着物に褐色の羽織を纏った小柄な老人――事触《ことぶ》れの治平《じへい》――そう、あの芝右衛門狸その人である。

屈んでいた治平は手にした掬《すく》い鍬《くわ》で土饅頭の周りを叩き、のそりと振り返った。おぎんが背負《おい》った笈に挿していた幽霊花を抜き、そっと添えた。

りん――又市が鈴《りん》を鳴らす。

「御行奉為《したてまつる》――」

百介が手を合わせて黙禱した。

可哀想な男よ――治平が言った。

「――治す手ァなかったものかなあ」

「治るめェ。治ったら治ったで辛《つれ》ェだろう。手に掛けた連中は戻っちゃ来ねェんだ。戻らなけりゃァ許しても貰えねェやい。娘の頭かち割っておいて、まともで居ろてェ方が無理なんだ」

又市はそう答えた。それもそうよな――と言って治平は腰を伸ばした。

百介が神妙な顔で問うた。

「ここに埋めたお方の素姓は――」

「こいつは尾張から来た。尾張といえば御三家だ。そっから先は――言わぬが花よ」

「そ、それじゃあこちらは、しょ、将軍家の」

おぎんが細い指を翳して百介の口を止めた。

「野暮天《やぼてん》だねェ物書きのセンセェは。この悪い病の狸はねェ――松平長二郎っておっかない名前のお方さ。先の将軍様が山野遊びをされた際、農家の娘にお手をつけて産ませた子――と、言っちゃァいるけどサ。本当のところは判ンないンだろう、又さん」

おう――と又市は言った。

「——親が誰でも家柄がどうでも、そんなこたァ関係ねェやい。本当のところは判りゃしねェし、判ったところで自分《てめえ》が変わることもねェからね。でもな、可惜《あたら》うざッてェ来歴がちらつくてェと、歪んじまうこともあるもンなんだ。こいつの親ァ、まあ身分の低いお方じゃねェのだろうが、お上かどうかは知れねェよ。でも——こいつはそう思い込んでた。信じ込んでいた。取巻き連中がこいつ担いで美味《うま》い汁を吸おうとしたんだ。利用しようとしたンだよ」

「取巻きが、ご落胤《らくいん》に仕立てた——と？」

本当だったのかもしれぬがな、と治平が言った。

「——所詮悪い夢だ。そンなに巧《うま》か行かねェさ。欲に目が眩んだ取巻きは、いいだけ神輿《みこし》で担いでおいて、旗色が悪くなりゃ手ェ放す——」

どすん——と治平は落ちる仕草をする。

「——それでこいつの何かが狂っちまったのサ。自分が将軍になれねェなァ、下賤《げせん》な母親が生きてる所為《せい》かと、身を隠していたおッ母さん探し出して斬り殺しちまった。それからは荒れ放題だ。こいつは無理矢理夢ェ見させられて、ずっとその夢ン中にいやがった。偉い連中にゃもうお荷物よ。目の上の瘤《こぶ》だな。何しろこいつは将軍気取りだ。臣下の言うことなんか聞きゃしねェ——仕方がねェから御守り役に供侍つけて放逐した。表向きは——時機を見定めるために一旦御身を隠す——」

「京都の某家に御身柄御預かり——ですか」

そうさァ——とおぎんが継いだ。

「欲に集《たか》って騙されたのサ――」

こんな奴とはつゆ知らず――と、おぎんは眼を細め土饅頭を横目で見る。

「――上手い話と思ったンだろうねェ。待ってなァ馬鹿さァ。預かったはいいが、こいつは三日と保たなかった。待遇が悪いと暴れ出し、機嫌取ろうと丸山辺りに繰り出させりゃァ、揉めごとを起こす。挙げ句の果てに町の娘を斬り殺しちまッたのサ」

京で十人斬ったんだ――と治平が言った。

「長二郎は荒れて狂って凶行を繰り返し、大坂に出奔して、そこで捕まった。しかし――どうにも出来なかった。こいつァ――これを持ってた」

又市は偈箱から書状を一通取り出した。

葵《あおい》の紋がついていた。

「お、御墨《おすみ》付きですか。それでは――」

「本物かどうか判りゃしねエよ。でもこれは侍達にとっちゃ殊更特別なものだ。こいつを出されちまったらな、奴等は本物かどうか、疑うことも許されねえんだ――」

又市はそこでびりびりと御墨付きを破いて、更に細かく裂き、ぽいと放った。

紙片がひらひらと舞った。

「中身は――見ちゃいねえ。俺達には縁のねえものだからな。それにコンなもの、作ろうと思えばいつでも作れらァ」

偽造《つく》るなァ御免だぜ――と治平は言った。

頼まねェよと又市は言った。

「兎に角散散揉めて――」

「そこで徳島藩が身柄を？　何故？」

さてねえ――と又市は恍惚《とぼ》けた。

治平が百介の肩をぽんと叩いた。

「偉ェお人の考えるこたァ下賤の者には解らん。それにしても疲れたわい。大仕掛けだったなあ。仕込みから勘定すりゃァ半年掛かりじゃねェか。これが盗人働きだったなら、千両からの大仕事だぞ」

「すッかり狸公が板についたじゃァないのサ」

おぎんが笑う。百介は言った。

「そうそう。あの早変わりは見事でしたな。懐から狸の死骸を出して、犬を入れた箱にするりと――まるで軽業師だ。私は本当に呆然としてしまった」

あのご隠居騙すなァ気が引けたがな――治平が柄《がら》にもないことを言った。

本心のようだった。

「あの犬はどうして真っ直ぐ治平さんに？」

「何。ありゃ好物の兎肉の煮汁を襟首と股引《ももしき》に染み込ませておいたのだ。腥《なまぐそ》うて適《かな》わなかったわい」

「しかし――危ないでしょう。本気で噛むかも」

本気で噛みゃしねエよゥ——と治平は言った。

「——ありゃじゃれてたんだ」

「ほう。そうは見えなんだが」

物書きの先生——又市が言う。

「——この親爺はね、面も獣染《けものじ》みていやがるが、獣操《あやつ》りの技ァ持っていやがるのさ。犬でも猿でも思いのままに手懐《てなず》けやがる。余ッ程獣に好かれる質《たち》だ。最初の狸だって半月で仕込んだんだ。おい、事触れの。あの狸公はどうしたんだ？」

とっくに山へ返《けえ》したよ——と、治平はぶっきらぼうに答えた。

「それでは——あの死んだ狸は？」

「そりゃ猟師から買ったのよ。獲《と》れたてのでっかい狸捜すなァ骨が折れたぜ。おまけに頗《すこぶ》る高かったわい。鉄砲傷があってもいけねェし、難儀なことだったわい——」

そう言ってから治平は又市の方を向いた。

「——おう御行、これだけ働いて手間賃はいったい幾価《いくら》になんだ。泡銭《あぶくぜに》なら承知しねェぞ。こちとら元手がかかってるんだ。生け捕りにした狸公せっせと手懐けて、赤犬二匹手懐けて、己で狸の振りをして、おまけに猟師から捕れたての狸丸ごと二頭も買ったのだぞ。いいか、安い値は聞こえねえ。これから大名暮らしのひとつもさせて貰えるンだろうな——」

又市は、心配は要らねえよと答えた。

百介は、いつも乍らの悪党どもの巧妙な手並みにただ感心したように首を振った。

「――ところでおぎんさんは何処にいたのです」

「あたしは松之輔さんの留守中に田舎娘装って家に入り込み、女中ンなっていたのサね。お狸様ご一行に眠り薬を献上する役さ――」

楽な役だったよなあと又市が言う。

黙りやがれと治平が毒突く。

「――おい又の字。そうは言うがな、てめえなんざ侍の寝所に忍び込んでごそごそ題目誦えてただけじゃねえか。あんなもの、馬鹿でも出来る」

「何を言いやがる。おめえこそ生まれついての狸爺ィじゃねえか。地でやってたンだ。文句ァあるめェ」

治平は憤然とした。

「こら又市。そもそもこんなしち面倒臭ェ話受けたなあお前なんだぞ。なンのかンのと裏でこそこそしやがって。屍体摩《す》り替えるのに幾日かかっていやがるよ――」

骸も腐るし、肝が冷えたぜ――と治平は言った。

「あと五日であの隠居も役人も死罪だったのだぞ。仇討ちのために遺族殺してどうするよ」

こりゃ仇討ちじゃねえよ――と又市は答えた。

「おい又公、いい加減に白状しろい。小股潜りに頼んだなァ誰だ」

又市はにやりと笑った。百介が言う。

「頼んだのは――身分の高い方ですね、又市さん」

「先生は何故そう思いなさる？」

「徳州公は——御存知だったのではないのですか。あの日——洲本城に入られて、いきなり人形芝居を所望されるというのは変だ。遺体が変じた日だって——」

まあ多くは聞かいでくれ、と又市は言った。

「——すまねェが、依頼の筋は憚《はばかり》あって明かせねえ。しかし、これは辻斬りの仕返しじゃねェんだ。この世から人一人消してくれ——殺すんじゃねえ、消してくれてェ依頼なんだ。生きていたなら悲劇は続く。死ねば死んだで泣く者が居る。だから屍体もあっちゃならねえし、死んだと知れてもいけねえ仕掛け。風呂敷もでかくなる訳だ。もしや殺さずに済むかとも思い、しち面倒臭ェ狸の罠まで考《かんげ》ェたんだが——こいつぁもう駄目だった——」

又市は悲しそうな眼で土饅頭を見て、

「本当に大御所様のお胤《たね》であっても——所詮狸の裔《すえ》に違えはねえやな——」

と、結んだ。

りん、と鈴が鳴った。

塩《しお》の長司《ちょうじ》

家《いへ》に飼《かひ》たる馬《うま》を殺《ころ》して食《くひ》しより
馬《うま》の霊気《れいき》常《つね》に長次郎《ちやうじらう》が
口《くち》を出入《でいり》なすとぞ
この事《こと》はむかしより
さま〴〵にいひつたへり

絵本百物語・桃山人夜話／巻第壱・第四

1

加賀《かが》の国に小塩《おしお》ヶ浦という浜がある。

右に尼御前《あまごぜん》岬、左に遠く加佐《かさ》岬を臨む、至ってもの静かな、風光明媚《ふうこうめいび》な洲浜である。荒海に背《そがい》を向けて浜に立ち、遠目に眺めれば、砂山を細く開いた両方の裾《すそ》が向かい合って、駱馬《らくば》の伏したが如《ごと》きに見える。その狭間《はざま》へと分け入って、一直線にずんずんと歩んだなら、やがて潮の香も波の音も失せ、路《みち》の傍《かたえ》に鬱蒼《うっそう》と雑木が繁り、その霏霏《ひひ》とした翳《かげ》りを過ぎた頃、石置きの木《こ》羽板葺《ばいたぶ》きの大きな屋敷へと出る。

八百坪は越えようかという広大な敷地の正面に、間口十間《じっけん》はあるだろうという立派な母屋がでんと構えられ、その他に二階建ての土蔵が四つばかり、更には廏舎《うまや》がずらりと何棟も並ぶ。却説《さて》どれ程の分限者《ぶげんじゃ》のお住居になるものよと、その前を過《よ》ぎる旅人は、皆一様に眼を見開いたものである。

それもその筈《はず》。

その豪家《ごうか》に住まうのは、長者大尽《ちょうじゃだいじん》の多き土地柄の加賀の国に於《お》いても一二を争うという富有《ふゆう》、馬代官も一目も二目もおくという、一名塩の浦の馬飼《うまかい》長者その人なのである。

飼いたる馬のその数は、葦毛《あしげ》鴾毛《つきげ》に黒鹿毛《くろかげ》白毛、粕毛《かすげ》鮫馬《さめうま》名馬駄馬、三百余頭を優に越え、母屋二階の奉公人部屋に詰めている、奥向き仕えの顔さえも数の多きにつけ主《あるじ》には判じ兼ねるという、それは大層なご身分だった。

これ程の財は到底一代で成せるものではない。

この馬飼長者、今でこそ呼び名の通り馬を飼い馴らし売り捌《さば》く馬販《ばはん》ではあるのだが、先代までは所謂《いわゆる》豪農であり、単に塩の長者と呼ばれていたのだという。

その長者の娘の婿殿が、馬扱いに長《た》けており、先代の蓄財を巧みに使って馬商売《あきない》を始め、その蓄えを倍にも三倍にもした訳である。今の主になってから、蔵が三つも増えたため、故に近在の者は馬飼長者と呼ぶのである。

今の主、名を二代目長次郎《ちょうじろう》という。

この長次郎、元を質《ただ》せば二十年ばかり前、痩《や》せ馬一頭を牽《ひ》き乍《なが》らよたよたとこの地に流れ着いた馬喰《ばくろう》だったと伝えられる。前の名は乙松《おとまつ》、または弥蔵《やぞう》とも伝えられ、そのいずれが正しき名であるのかを知る者も、今となっては誰も居ない。この地に寄り付いたその頃は、また別の名を名乗っていたと言う者も居るから、いずれ拾った名なのであろう。生国《しょうごく》も判らず、名も知れず、ならば真っ当な身分の者ではなかったのやもしれぬ。

どこの馬の骨とも知れぬ余所者《よそもの》が、果たしてどのような伝《つて》を辿《たど》ったものか、将《はた》また情けを貰ったものかは知れないが、この風来坊の馬喰は、塩の長者先代長次郎の許に身を寄せた。

ところがこの男、雇ってみれば大層役に立ったのだそうである。

初めは下男であったというが、一月も経たぬうちに牛馬の世話を申しつかった。馬扱いに慣れておろうということもあったのだろう。

これが善《よ》く働く。

人柄働き振りいずれも申し分なく、神信心仏信心も実《まこと》に熱心、そこを先代に買われて、ひとり娘の婿に迎えられたのである。

考えられぬ程の出世であろう。

しかしこの男、根が真面目だったのか、遊ぶ取り得がない朴念仁《ぼくねんじん》だったものか、婿に入り、長次郎の名を継いでも奢《おご》ることもなく、怠《なま》けることもなく、遊興に金を費やすこともなく、それまでと同じように身を粉にして働いた。それに加えて、ただ働くだけでなく、どうやら商才があったものと見えて、ひと歳《とせ》で蔵ひとつ、五歳《とせ》で蔵をふたつ、母屋も建て増す程の富貴を得た。たった五年で塩の長者の二代目は馬飼長者として文字通り卯建《うだつ》を上げたのだった。

物持ち大尽は往往《おうおう》にして因業晒《いんごうさら》しの守銭奴《しゅせんど》と相場の決まっているものだが、この長次郎、どういう訳か大層気前の良い男で、加えて信心深い男だったようだから、施しなども善くし、近隣の馬徒《ばと》の長としてその信望も厚く、頼るものも崇《あが》める者も多かった。

特に毎月十六日の来る度に、馬飼長者の餅撒《もちま》きと称し、近在一郷の貧しき者をば掻き集め、飲めや喰えやと大判振る舞いをするのである。この施しの評判は遠国までも聞こえた程のものである。その日となれば朝早くより、飢えた者窮した者が浜の方まで列を作り、正に門前市を成すが如き活況を呈するのだという。

これは、一説には娘と妻、そして先代に対する供養なのだと噂されていた。

伝え聞くところに依れば、十二年前の正月十六日の藪入りの日に、義父である先代長次郎と妻、そして当時六つばかりだった娘が一時に命を落としたのだそうである。野党山賊の類《たぐい》に襲われたのだともいうし、妖怪変化の類に祟《たた》られたのだともいう。十二年といえば短いようでもあるが、また長くもある。周囲の記憶は風化していて一向に真実は知れない。どうあれ長次郎がその昔、一度に家族の全部を失ったことだけは、どうやら事実であるらしかった。

好事魔多しとは善く言ったものである。

長次郎の悲しみは深かったようである。これが何処《どこ》にでもいる凡夫なら、理不尽な不幸に肚《はら》を立てるなり、天を怨むなり世を拗《す》ねるなりするところなのだろうが、長次郎は違っていた。不幸災厄に見舞われるのも、己の日頃の勤行《ごんぎょう》の悪さが故に違いない、商人とはいえ儲けるだけで、世間様に感謝が足りぬから、斯様《かよう》な禍《わざわい》が寄って来るのだと——長次郎はそう考えたようである。

それが本当ならば、謙虚な男が居たものである。

銭を貯《た》めるは罪を溜《た》めると同じこと、ならば感謝と慈悲の心を忘れぬためにも、世のため人のため私財を抛《なげう》たん——と、長次郎はそう一念発起したというのである。それ以降、馬飼長者は儲けた金を吐き出して、橋を架けたり道を作ったり、衆人に施しをしたりするようになったのだそうである。

餅撒きは十二年間毎月毎月、一度も欠かしたことがないという。

どれだけ慎み深かろうとも、どれ程悲しみが深かろうとも、これは中中できることではないだろう。

その所為《せい》か、長次郎のことを生き仏よ菩薩よと、褒め称え崇め奉る者も少なくはなかった。

やがて馬飼長者に礼を尽くさば福が来るという、身も蓋もない噂まで立った程である。そして誰とはなく、この広大な屋敷の前を横切る者は、門前で一度立ち止まり、頭《こうべ》を垂れてより発《た》ち過ぎるようになったのだそうである。

ただ——。

それでも長次郎が分限者であることに違いはなく、幾ら聖人君子振りを発揮したところで成功者に妬《ねた》み嫉《そね》みはつきものだから、陰口を叩く者もまったくいない訳ではなかった。

慥《たし》かにこの馬飼長者、少しばかり怪訝《おか》しなところもあったのだ。

例えば長次郎は、どうした訳か人前に出ることを好まなかった。

人と会うにも御簾《みす》越しで、そうでない時は頰宛頭巾《ほおあてずきん》を被り、どんな時にもどんな相手でも即答はせず、必ず番頭を介して、極めて小声で会話した。長者様とはいうものの、商人《あきんど》のうちには違いない。客商売であるにも拘らず、これは少少妙である。

噂では、家族を亡くして以来、悲しみで声が出なくなったのだとも、その時受けた傷が元で喉《のど》が潰れたのだともいわれた。また別の噂では、家族を襲った山賊と果敢に闘い、崖から堕ちて顔に深い傷を負ったのだと言う者もいた。

また或る者に依ると、長次郎が人に会わぬのは、臆病風に吹かれている所為なのだという。十二年前、家族を殺した山賊が怖いのだ——という訳である。

その昔、一家を襲った賊に立ち向かい追い払った際に敵を傷つけた故、その報復を恐れるのだ——と言う者もあったし、家族を殺されて以来極端に賊徒を恐れるようになり、用心深いも度を越して、会う者全てが悪人に見えるのだ——と、言う者もあった。

妖怪変化を恐れる故だと言う者も、勿論《もちろん》いたようである。

それに就いても真実は知れない。

何故なら下男どもの中には大声で叱られた者もあるのだというし、奥の間から響く怒鳴り声を聞いた者もあると聞く。ならば声が出ない訳がないというのである。

また、臆病というのも得心が行かぬという者もいた。事実御簾越しとはいえ、その物腰は堂堂としていて、怯《おび》えている様子など微塵《みじん》もないのだというのである。

また奥向きの女中の話に依れば、長者の顔は至ってつるりとしており、見たところ傷などないともいうから、いずれも嘘なのだろうと、取り引きのある馬買いどもは噂した。

いずれこれ程の財を成してしまえば、毀誉褒貶《きよほうへん》はついて回るものなのである。

しかし、どうであれおおっぴらに、長次郎に対する悪口を誦える者は多くはないのだと伝え聞く。それは比類なき財力のお蔭なのかもしれないし、中中の商売上手だったにも拘らず、敵も至って少なかった——ということでもあっただろうか。

馬飼長者は、そうした男だそうである。

2

サァ品玉刀玉《しなだまかたなだま》の手品の次はロクロ首に御座候《ござそうろう》、親の因果《いんが》が子に報《むく》い——ソレ御用とお急ぎでない方は寄ってお行きなさいな、大人は三文童は一文、お目のお悪いお方は只だ、さあさあどうぞ——。

客寄せ口上が聞こえる。

見世物小屋の楽屋である。

今京大坂《おおざか》で評判の放下師《ほうかし》が、とうとう江戸での興行だ、龍竹の術に出水術、比翼鼓《ひよくつづみ》の不思議の術、火摑み火吹きに緒小桶《おごけ》の不思議、白紙を水中にて五色に染める秘術——サテ何よりも評判は、塩屋長司の魔法術に御座候、五尺の剣から長槍《ながやり》を、果ては馬牛を飲み下す、塩屋長司の呑馬術《どんばじゅつ》、唐土《もろこし》渡りの馬腹術《ばふくじゅつ》より幻戯師《めくらまし》の長司めが工夫を凝らしましたる呑馬術をば、ご高覧《こうらん》に供しまする——サァ御覧なさい——。

——サァ御覧なさい。

がやがやと人が出入りする落ち着かぬ気配がする。往来もごった返している。どうも人出が多いようである。莚《むしろ》を上げて次次と客が這入《はい》って来る。桟敷《さじき》はすぐに埋まったようである。

口上の後、鳴り物囃子《はやし》物が賑《にぎ》やかに鳴った。それを聞きつけてそれまで楽屋の隅で茶を啜《すす》っていた、珍妙な異国の服を纏《まと》った痩せた男が六本の刀を携えて舞台に向かった。

「なんだ」

何故か楽屋の中に繋がれている、大きな馬のすぐ脇に胡坐《あぐら》をかいていた——行者包《ぎょうじやづつ》みに帷子《かたびら》を着た僧形の男——御行《おんぎょう》の又市《またいち》がそれを目で追う。

「次ァロクロッ首じゃァねえのかい」

あの粗末《ちゃち》い仕掛けが見てみてェと思ったのによゥ——と又市はつまらなそうな口調でそう続けた。

「——楽屋からなら善く見えるんだろうが」

又市はそう言って舞台の方を覗く。

舞台では先程の痩せた男が馬鹿囃子に調子を合わせて刀を額に載せたり放り投げたりしているようである。

「ロクロッ首はお向かいだよ又さん。お向かいさんは手品も大イタチも演《や》るようだがな。あっしンところァ放下専門ですからね——」

先程まで馬の世話をしていたらしい座長《ざがしら》の四玉《よつだま》の徳次郎《とくじろう》は、そう言ってからプウと煙草の煙を吹き出した。総髪を後ろで束ね、浅黄《あさぎ》色の半纏《はんてん》を羽織っている。

「——仕掛《からくり》舞台は殆《ほとん》どねえんですよぅ。それより又さんよ、おぎんちゃんはどうしているよ。今度ァ手伝っちゃ貰えねえのかい」

「山猫廻《やまねこまわ》しは傀儡《にんぎょう》の頭《かしら》が傷んで頭師《かしらし》のところへ行ったよ。暫《しばら》く戻らねェから今回は抜けだよ。どんな仕掛けか判らねェがな。女手はナシだよ」

そうかいそりゃあ残念だ――徳次郎は雁首に煙草を詰める。

「久し振りにあの人形振りが見たかったがねェ。ありゃ芸も見事だがね。あの流し目が堪《たま》らねえやな」

吸いつける。

「けッ。あんな悪場《あば》擦《ず》れに岡惚《おかぼ》れかい。あの牝狐《めぎつね》はよ、生意気にも田舎出は嫌《きれ》ェだそうだぜ。箱根から向こう、野暮《やぼ》と化け物は駄目だとさ。おめえなンかは男鹿《おが》の生まれじゃァねえか。それじゃあ精精生剝《せいぜいなまはげ》だろうが。相手になんかされねェよゥ」

又市はそう悪態《あくたい》を吐《つ》き乍《なが》ら舞台の曲芸を横目で見て、器用なモンだな――と呟《つぶや》いた。

「――放下ってなァよ、禅坊主の言う放下てェのたァ違うのかい？　そうならそりゃあ、モノを捨てちまうって意味だろう。喰うや喰わずの芸人が、モノ捨てるってなあ得心がいかねェやな。それとも――ああやって、放り投げるから放下ってのかい」

そうじゃァねえよ又さんよ――と、徳次郎は笑い乍ら言った。

「元ァその禅坊主のお説教から来てるンだろうさ。あっし等《ら》ァ今でこそ放下師と呼ばれやすがね、その昔は放下僧といってね、坊さんだったようだしね」

「じゃあおめえも坊主かい――」

奴《やつがれ》と同じだと又市はにやつく。徳次郎も笑う。

「まァ放下ってなァ元来は猿楽《さるがく》でやすよ。刀だの玉だのをあんな風に手玉に取ってね。手技だあな。これが猿楽から田楽になったんだそうでね、それからあっしなんかの演《や》る、幻戯《めくらまし》なんかと合わさってね、大道芸になったんだ。だからよう、辿って行きゃあ禅坊主ってェより唐土渡《もろこし》りだァね。猿楽と言やァ秦河勝《はたのかわかつ》だ」

その呑馬術ってのも唐土渡りかいと又市は問う。

ありゃあっしの工夫さと徳次郎は言った。

「——馬腹《ばふく》術は唐のモンだがね」

「馬腹術てェなあ知らねえ」

「馬腹術ってなァね、入馬鼓腹《にゅうばこふく》ってェましてね。こう、馬の口からすっと入って、尻の穴から抜けるって幻術だ。元元は唐の散楽雑戯でやすがね。ま、馬なんてモンは元来でかいもんでやしょう。でかいモンの中ァ、小さいモンが潜《くぐ》るんじゃァ面白味に欠ける。それであっしは一寸《ちょいと》捻《ひね》った——」

「それで——呑馬術かい」

儲けたよなァと又市は言う。

「——上方じゃ相当実入りがあったんじゃねェのかい。豪毅な話ゃ江戸まで流れて来たぜ。塩屋長司なんて聞き慣れねェ名前使ってやがるから一体何処《いってえ》のどいつかと思うてみれば、真逆《まさか》その長司がよ、果心居士《かしんこじ》の生まれ変わりと誉《ほま》れも高ェ算盤《そろばん》使いの四玉徳次郎だったァ、この又市も思わなかった」

訳があンのよ――徳次郎は煙管《きせる》の火を落とす。

「どんな訳だよ。東国で名の知れた四玉徳次郎で出た方が、余程通りがいいだろうによ」

「なァに、少少込み入った子細《わけ》があるのよゥ――だから小股潜《こまたくぐ》りを呼んだんじゃァねえかい」

フン――と又市は鼻を鳴らした。

「――面倒臭《くせ》ェ話は御免だぜ」

そう言わねェでくだせェよ――と言って、徳次郎はパチリと縁台の上に置いてある算盤《そろばん》を弾いた。又市は透かさず手を伸ばして徳次郎の腕を摑んだ。

「おっと待った――」

じろりと睨《にら》む。

「――おめえの算盤はヤバくッていけねェよ。どんな術かけられるか解ったモンじゃねえからな。財布なんか掠《かす》め取られちゃ洒落にもならねえや――」

又市は耳を押さえ、後ろに置いてあった己の偈箱《げばこ》を手繰り寄せて大事そうに抱えた。

「――聞くところに依りゃァその算盤玉鳴らすだけで、大棚の金蔵の鍵まで開くそうじゃねェか。下手な盗賊より始末に悪い。怖ェ怖ェ」

徳次郎は算盤を帯の後ろに挟んで、にやにや笑い乍ら止せやいと言った。

「弥勒三千《みろくさんぜん》のお前さんに言われたかァねえやいな。こっちこそ、その口先三寸に言い包《くる》められて、何させられるか解りゃアしねえじゃないかい。まあ、もう少し待っておくれ。後四半刻《しはんとき》もすりゃア、この度の一件の張本人が戻って来るからよ。今、浅草まで遣いに出てるんでな」

「何なんだそりゃ」

「人捜し――否、素姓探しってとこですかね」

じゃんじゃんと鑼《どら》が鳴った。

「誰の」

「今この一座で働いている娘でね、お蝶というんですがね。五年前に信州で拾った娘でね、今年で十八か十九になる筈《はず》だが、まあ丈《たけ》も小さいし顔の造作も小作りで、どう見ても小童《こわらわ》にしか見えねえんだけれど、これが健《まめ》で善く働く娘でやしてね。善く見りゃ別嬪《べっぴん》だ」

けッ、知らねえやいンなこたア、拾ったが聞いて呆れるぜ――と又市は毒突いた。

「――おかめなら兎《と》も角《かく》、別嬪てェんじゃ怪しいもんだ。おおかた算盤鳴らして拐《かどわか》したんじゃねえのか」

「そんなこたァしませんや。あっしは玉転がしじゃねえんだから。それに拾った時ゃァ、まだ十二三の餓鬼ですぜ。旅籠《はたご》の下働きでね、酷《ひど》く苛《いじ》められてやしてね。あんまり目に余るんでね、一寸子細《ちよいとわけ》を聴いたんだ」

物好きな野郎だぜと又市は言う。

女嬲《なぶ》るの見過ごすなあ質《たち》に合わないんですよと徳次郎は答えた。

「するってェとね、お蝶てェ娘は、何でも子供ン時のこと何ひとつ覚えてねェんだそうでね。物心ついた時から只管《ひたすら》働かされてたらしいんで。宿場から宿場をね、騙《だま》されたり売られたりしながら転転と渡り歩いて。どこも酷《むご》い待遇でね。それでさ――」

拾って来たという訳かい――又市が言った。

太鼓が鳴って客の歓声が上がった。

唐服の男が戻り、続いて派手な裃《かみしも》をつけた小男がお囃子に乗って舞台に向かった。

「こんだァなんだ」

「ありゃあ火喰い火摑み火吹きの芸だ」

又市は袖から覗く。

どこか福助染みた小男は、壇上で三味《しゃみ》の音色に合わせ、次次紙片に火を点けてはバクバクと喰っている。そのうちポッポと火を吐き始めた。

「熱そうだなァ。ありゃタネがあンのか」

「ないですな。ありゃコツがあるだけだ。さっきの刀玉は鍛錬の賜物《たまもの》で。こりゃ修練が要る」

ひと際大きな歓声が上がった。男が大きな焰《ほのお》を吹き上げたのである。

「おめえの幻戯《めくらまし》はどうなんだ。コツか練習か、それとも仕掛けか」

「まあ――錯覚でやすかね」

徳次郎はそう言って算盤を弾いた。

男鹿では魔法使いと異名を取る男である。

「錯覚なァ」

「又さんはソレ、その口先で他人を惑わすじゃねェか。あんたは語りで騙《かた》るでやしょう。あっしはね、この算盤玉で騙るンでやすよ」

パチリ。

ふん、と又市は感心したような呆れたような声を出してから、怪訝《けげん》な顔で馬の尻を軽く叩いた。

「まァ、解らねえでもねえがな。世の中ァ語ったようになるモンだ。語ったモン勝ちだ。赤を白と言い包《くる》めるぐらいは簡単なことだがな。しかし奴《やつがれ》が幾ら馬ァ呑むと語ったって、こりゃ呑めねェぞ」

ふふふ——徳次郎は含み笑いをする。

喝采を浴びて福助が戻って来た。観客はかなり興奮しているようである。口上役が頻《しき》りに何か言っている。派手に鳴り物が鳴った。トリの登場なのだ。一寸待っておくんなせェ——と言って徳次郎は半纏を脱ぎ、馬の手綱を牽《ひ》いて舞台に向かった。

又市はのそのそと這い、やがて立ち上がって舞台の袖に到り、様子を窺《うかが》った。

壇上は暗かった。それまで灯っていた行灯《あんどう》も提灯《ちょうちん》も消されており、徳次郎の前にある燭台だけが心許《こころもと》ない明かりを放っている。

徳次郎は燭台から蠟燭《ろうそく》を取り、奇妙な調子のお囃子に乗ってゆっくりとそれを動かした。背後は暗幕に変わっている。それまでは富士山を描いた書割だった筈である。

蠟燭の残像が軌跡を描く。

蠟燭を燭台へと戻す。お囃子がぴたりと止む。

パチリ。

徳次郎は、それでは先《ま》ずは肩慣らし、これなる剣をば呑みまする——と言った。

いつの間にか手には剣が握られている。

徳次郎は高高と剣を掲《かか》げた。

じゃらり。

算盤を掻き鳴らす音がした。

徳次郎は剣を台の上に載せ、手を口許に持って行った。

それだけだった。

それなのに、オウと響動《どよめ》きが広がった。じゃらりという音。

徳次郎は再び剣を手に持ち、頭上に掲げて二度三度振った。

拍手喝采。鳴り物。お囃子。

ハイ、これはほんの小手調べ。次なるはこの槍をば呑みまするゥ——徳次郎は長槍を手にしている。

同じことだった。徳次郎は何もしていない。ただ客がわあわあ騒いでいるだけである。

徳次郎は色色な物を呑むと言って、同じことを繰り返した。

「有り難う御座居ます有り難う御座居ます。サテご一同、先程より横に控えましたるこれなる名馬——」

徳次郎は再び蠟燭を手にし、馬を照らし乍ら、滔滔《とうとう》と馬の血統性質、何尺何貫あるかを語った。

「サァてこれよりこの名馬をば、皆皆様方の御前でこの塩の長司が胃の腑《ふ》へと収めまするゥ、オットご心配はご無用だ、呑むは呑んでも喰わぬが決まり、喰ってしもうては商売が立ち行きませぬ、サァお立ち合い、京大坂で評判を戴きましたる塩の長司の呑馬術、この長司めが、十二年もの歳月を、どことも知れぬ山中で、修業致しまして会得しましたる、奇妙奇天烈《きみようきてれつ》なる呑馬術をば、愈々《いよいよ》ご高覧に供し奉るゥ、嘘か真か、得とご覧《ろう》じろ――」

パチリ。

じゃらり。

桟敷は水をうったように静かになった。

徳次郎は馬をそろそろと右から左に移動した。

はっと気合いが入る。どう、と大量の溜め息が漏れた。うん、と声を立てる。ああ、ふう、と客が呻《うめ》き声を出す。

壇上では徳次郎が四苦八苦しているだけである。馬は涼しい顔をしてただ暗がりに立っている。

割れんばかりの大拍手大喝采。

その間に徳次郎は馬を元の位置に戻した。

ハイッという掛け声と共に、一層の拍手と歓声が小屋を揺るがした。一斉に鳴り物が鳴らされ、三味と笛とが賑やかな音色を奏でた。暗幕が切って落とされて、小屋は一挙に明るくなった。鳴り止まぬ拍手の中、何度も礼をして、徳次郎は馬を牽いて下手に消えた。

又市は顔を顰《しか》め、すぐ横で刀の手入れをしている痩せた男を見た。男はぶっきらぼうに、袖から見たンじゃ徳さんの芸ァ面白くあンめえよ、と言った。

徳次郎はすぐに戻った。

「おい徳の字。今のありゃ何だ」

「何だって又さん、あれが呑馬術だ」

徳次郎はにたにたと笑い、小僧の差し出した椀に酒を注いでくい、と飲んだ。

「呑馬術って、右から左へ馬ァ牽いただけじゃねえかよ。おめえは何もしてねえじゃねえか」

おうよ、あっしは何もしねェのさと言って、徳次郎は酒を飲み干す。

「何もしねえから幻戯《めくらまし》なんじゃねえですか。目を眩《くら》ますのよ。又さんも見るなら見るで、正面から見てくれなくっちゃなあ――」

徳次郎は椀を小僧に返し、口を拭ってから、

「――種も仕掛けもねえだろう」

と言った。

「そりゃあそうだが、まるで詐《てめ》だぜ」

「人聞きが悪いなあ又さん。こちとらまやかしだって最初《はな》から断ってるんだから。詐欺じゃあねえでやしょうに。幻戯《めくらまし》って謳《うた》ってるンだもの。人が生き馬を呑める訳ねえやね。呑んだように見えるからこそ芸なんじゃねえですかい。呑んでねェのに呑んだように見える、それが呑馬術さね」

けッ、と又市は舌を打つ。

「質《たち》が悪《わり》いや。それじゃ馬じゃなくて人呑んでるンじゃねェかよ。呑人術だ。人を喰った話だぜ、まったく。それにしてもあれだけ大勢を欺《だま》すンだから、まァ大した芸だ。評判にもならァな」

徳次郎は頭を搔いた。

「へへへ。あんたが褒めると嘘っぽいぜえ。それに何だか照れ臭いやねェ。でもね、まあ仰《おつしや》る通り、御覧のように連日連夜大層な入りで御座居やしてね。大盛況だ。有り難いやね。しかしね又さん――」

徳次郎はそこで真顔になった。

「――これも評判になったお蔭で御座ンすかね、興行たった三日目で、いい話を聞くことが出来たンですよ。京でも大坂でも同じように受けたンだが、何日演《や》っても駄目でしたけどねェ。流石《さすが》に生き馬の目ェ抜くお江戸は違いますなあ――情報《はなしのたね》にゃことォ欠かねえ。そこでね、小股潜り殿にお出まし戴いたんで――」

「なんだい。はっきり言いやがれ」

又市は眼を細めた。

「いい話ってなあ――どんな話よ」

「本物の――塩屋長司の話ですよ」

徳次郎はそう言った。

3

善ッくお判りになったもンよな。

どなたさんにお聞きになっただか。

はァ、蛇《じゃ》の道はヘビと申されっか。ははァ、そらまた恐ろしいこったなァ。仰る通り、儂《わし》は今でこそ、こんな身態《みなり》でなァ、乞食《こつじき》商売しておるだが、元は馬方ですわい。江戸に流れて来たなァ彼此《かれこれ》七年か、八年前になりますかいのう。

え？　その前は遠州《えんしゅう》だ。その前？

はァ、儂はどうもひとつ処に長居の出来ねェ質だでねぇ。甲州《こうしゅう》にも居《お》ったし、越後《えちご》にも居ただが。

加賀ァ？

加賀にも居っただよ。百万石な。

ああ、お前さん、それを聞きつけて来ただか。そういえば喋ったような気もするだな。

おお、いいのかい戴いちまって。

悪いねえ。ああ久方振《ひさかたぶ》りだのう。

美味《うま》いねえ。酒はいいねェ。効くだよ。兄さん気前がいいやね。御繁盛で御座居ますなあ。

そうだ。

儂は加賀に居った頃から馬方だでよ。はあ、でもな、儂、馬は好きなんだがな、嬶《かか》ァ貰うたりするのがどうも好かん。女子《おなご》は好きだが、よう所帯は持たんよ。儂。甲斐性《かいしょ》なしだから。ンで、飽きるだよ。ふらふらすンのが性に合うとる。でなァ、生国捨ててな。風の吹くままよ。詰まるところ江戸に吹き溜まってしもうたが。つまらんですよ。

あ？

長司？　塩屋長司？

そりゃあんた、塩の長者のことだかね？

ああ。知っとる。だがそれならば長司ではないがね。長者だ。小塩ヶ浦の長者。そうそう。長次郎《ちょうじろ》さんだが。ははあ、長次郎が詰まってチョウジか。

しかし塩の長者ってのは先代のことだでよ。今の長次郎さんは二代目だから、区別すンのに馬飼長者様と呼ばれていただがな。はいはい、知っております。乙松ってゆってな。馬方仲間だ。尤《もっと》もあれは勤勉でなあ。婿入りして長者になっちまっただが。

ありゃいい人だが。

儂、随分世話になっただよ。元はあんた、同じ釜の飯喰った仲だ。雇う身分になっても分け隔てしねえで、こんな儂にね、目ェ掛けてくれたしな。まあ世話になっといて、礼も言わんとサッサと出て来たんだから、儂も薄情だでなぁ。

うん。知っておる。知っておりまする。

ああ、こりゃどうも。おっとっと。

美味ェなあ実際《まっこと》。極楽だね。

そうか、懐かしいな。はあ、霞《かすみ》がかかったような古い思い出だでな。何とも懐かしい名前聞いただよう。長次郎さん元気かのう。え？　元気だぁ？　そうなんか。貸本屋が加賀まで。はあ、そうかい。

で？　ああご健在で。益々御繁盛だってかい。

そりゃあ何よりだで。え？　顔を見せない？　そりゃ照れてるだな。

慎み深い男だったから。

おう。信心深い男だったがね。そうさ。朝晩きちんと畜生墓に手ェ合わせてよう。お水上げてね。馬捌《さば》きも上手だったなあ。乙松が撫《な》でるってえと、馬もね、こう、気持ち良さそうだったたよ。儂なんかァ、武骨なんだね。あの人はきっちりしてた。立派な馬喰の親方だったよ。

儂なんかより若いのにね。

はい。はいはい。そうですとも。

そうだよう。あれは馬ァ好きでねえと出来ない扱い方だでな。根っからの馬喰だろうねえ。馬祭文《さいもん》だってさ、こう上手いの。朗朗と誦《よ》み上げるだな。

え？

ああ、馬の売買話が纏まるてェと、こう手打ちの後にね、お勝全様《そうぜんさま》に願かけてさ、うん。

お勝全様つうのは馬の神様だでな。お勝全様。馬の健《すこ》やかでありますように、馬が善く働きますようにとさ。達者でご奉公せいと。

願いを込めて誦むんだな。

それが上手い。

はいな。

覚えてるわい。

ええ——そもそも大坐《たいざ》に祀《まつ》り上げ、来たり逢《お》うたり願いたり、恵比寿大黒福禄寿《えべすだいこくふくろくじゅ》、七福神舞い込み来たる、大神は天逆鉾《あまのさかほこ》の御神、勿体無くも天照《あまて》らす、お天道様大日の如来《てんどうさまだいにちのにょらい》様、勝全様、馬頭観音伯楽天《はくらくてん》、今日の日天祝い、幸いの詞《ことば》奉るゥ——。

ってね。はいな。この後、馬の縁起を語るんだ。

これがね、下手な馬喰親方じゃサマにならんのだで。

ああ。乙松——否、長次郎さんは上手かっただな。

へ?

こりゃ口伝だで。馬喰から馬喰へ、口づてで伝えるものだから。馬喰でなくては知らん。

おう。そうだでよ。

ああ、また。もう、酔うでねえか。

オウオウ。

え?　十二年前?

ああ。あのことかね。そんなことまでその貸本屋は聞いて来ただか。未だに噂になっとるだかね。まあねえ。え？　妖怪《ばけもん》じゃねえわ。そう。盗賊だ。盗賊に殺されたんだよ。兇《おそ》ろしいやなあ。

ありゃ酷かった。

儂もね、泣いたもの。先代にもそりゃ世話になったかんな。お嬢様も、娘もなあ。無慈悲だなあ。

殺された。

長次郎さんだけ残ったんだ。ああ、否、もう間一髪で長次郎さんも死んでたからな。殺《や》ったなああの頃、奥州から甲州まで股に掛けて荒らし回ってた盗賊、三島《みしま》の夜行《やぎょう》一味だ。夜行丸《やぎょうまる》、百鬼丸《ひゃっきまる》兄弟を頭目に戴く、血も涙もねェ凶賊だでな。

おっ、聞いたことがあんのか。

そう、その夜行一味に殺されたんだ。

ありゃあ正月だったかな。もう十二年も経つか。

何でもな、年に二度の骨休めでな、まあ藪入りだな。奉公人を皆帰してよう、一族ばかりで湯治場に行くのが先代よりの慣わしだったのだそうだでな。

その道中を賊に襲われたんだわ。

襲って来たなあ十名ばかりというな。突如山肌から転げるように現れて馬上の先代と、女房子供を襲ったのだってよう。

その時長次郎さんは、馬牽いてたんだ。

仮令主《たとえあるじ》になったとて、仮令財をば成したとて、大恩ある先代の前では下男も同様、馬扱いは己の役目と二代目長次郎は弁《わきま》えていたんだねえ。

それが生死を分けたんだなあ。

舅殿《しゆうとどの》は一瞬のうちに斬り殺されたんだそうだ。

女房もばっさりだ。見てる間に凶刃に倒れたって話よ。牽いていた二頭の馬は荷を毟《むし》られてな、幼い娘を乗せたまま谷底に落とされたということだわ。

可愛いらしい娘だったたがなァ。

酷いやなあ。目の前でだもの。

おう。儂、見た者《もん》に直接聞いただよ。長次郎さんはもう、瀕死じゃったから、それに就いては尋《き》けなかったけどなあ。え？　ああ、長者の家族に同行してた男が独りだけ居るんよ。

身寄りのない下男がねえ、一緒だったんだ。ホレ長次郎さんは下下《しもじも》を分け隔てしねェから。

藪入りでも帰る処のない下男を、連れて行った訳だなあ。

下男は腰を抜かしてな。まあ当たり前だわ。儂だって腰抜ける。モウ、慌てて泡喰ってね、木蔭に隠れたんだってな。

その下男の弁に依ればよう、長次郎さんは果敢にも、怯《ひる》むことなくね、ただひとり賊に立ち向かったのだそうだよう。目の前で女房子《にようぼこ》を殺されて、このままで済ますものかと思ったんだろうねえ。

長次郎さん、必死の形相でね、賊の頭目らしき男に飛びつき組みついたって。だからこう、相手の懐に飛び込んだのかねえ。こっちは素手だろ。相手はサ、刀かなんか持ってる訳だ。だから死なば諸共の勢いだわな。捨て身だよねえ、もう。相手は夜行丸だか百鬼丸だか、まあ豪の者だかんね。命懸けだで。

んでな、その頭目と長次郎さんは、揉み合ってさ、共に崖を転げ落ちたンだってよ。親方が落ちたモンだから子分どもは慌てたんだろうね。親方が落ちたァ、ってなもんだろうさ。こう、乱れるわね。

その隙にさ、下男は命からがら逃げ帰った訳だ。報せによ。

その下男の名前？　平助《へいすけ》だ。

平助。長次郎さんより十ばかり若いかね。

ああ。そら驚いたよ。儂はね、馬方仲間と酒飲んでたからね。あン、どうもどうも。こんな上等の酒じゃないだがね。濁り酒だ。正月気分よな。

そこにさ。長者様が襲われた、だろう。

平助の報せを受けてよう、村はもう、引っ繰り返るような大騒ぎよ。村の衆から馬子連中から、長次郎さん慕う者どもが大勢、息せき切ってな、現場に馳せ参じたわ。儂も珍しく慌ててた。行ったらば、先代も女房も疾《と》うにこと切れておったなあ。馬も殺されて崖下に落とされてただな。ああ。一頭だ。もう一頭は見えなくなってたから、もしかしたら盗賊が乗って逃げたのかもしれねえなあ。

ああ。荷は悉《ことごと》く奪われてただよ。

崖の途中の桑《くわ》の木に、娘の片袖だけが引っ掛かっていたよ。

それは惨《むご》たらしい有様だったわ。暫く夢に見た。

今はもう見ねェがね。

無残じゃ無慈悲じゃ無法じゃと、みんな言ってただよ。え？　儂が駆けつけた時は、長次郎さんの姿ァ見えなかっただな。おう。

崖ェ落ちとったかんね。

役人も、馬奉行まで御出《おいで》ただよ。馬飼長者ってば大馬喰だから。総出で探索して、十日目に漸《よう》く、崖の横腹のね、絶壁の洞《ほら》みたいなン中で倒れてる長次郎さんがみつかっただよ。下まで落ちなかったンだな。木の根だの藪だのに引っ掛かってさ。同じ穴に盗賊の頭目の死骸もあったというが。長次郎さんは生きてたンだよ。信心のお蔭かねえ。

お奉行が褒めたんだ。馬方なれど長次郎、侍にも劣らぬ信《まこと》に天晴《あっぱ》れな敵討《かたきう》ち——とサ。

大層評判になったがね。

長次郎さんはただひとり生き残ったんだァな。

悲嘆にくれたろうさ。

でもねえ。あの人は偉いよ。怒ってよう、泣いてな、そのうちに悔い改めただからね。

え？　悔い改めたのさ。

信心深いからよゥ。悪党であれ怨敵《かたき》であれ、殺《あや》めたのは己自身に他ならぬ——ってなあ。

そんだけじゃねえよ。先代殿も妻も子も、護《まも》れなかったは己の不明——何が天晴れなるものかってね。中中言えるこっちゃないね。

言えないよ。言えない。

まあ、そりゃそうだろな。家族殺されちゃ辛《つれ》ェだろう。

だから儂ね、その時に思っただよ。

こんなねえ、長次郎さんみたいなしんどい思いするくらいならよ、生涯女房子供は持つまいぞ——ってね。だって兄さん、そうだろうよ。悲しいよ死なれちゃ。

未練があらァ。あるさ。

え？

娘？

ああ、娘の方は見つからんかったと思うがな。

おう、流れたのかなあ。攫《さら》われたかね。盗賊に。

平助は崖から落ちたって言ってたからねえ。

川流れたら助かるまいよ。

探したんだがなあ、儂も。

何かもう、悪いね。催促してる訳じゃねェんだが杯持ってるとつい出しちまうだよ。ああすまねえ。

名前か？

名前なあ。お玉——否、お絹だったかな。こう、小せえ、可愛らしい娘でな。生きてりゃ今頃はもう新造盛りだでなあ。ううんと。

ん——おさんだ。

おさんちゃん。

可哀想なことしたよなあ。ン？　盗賊どもか。捕まらなかっただな。

俺が加賀に居るうちには、捕まったって話は聞かなかったな。

ああ、それだ。それでだよ。

何が？

何がって、ホレ、さっき兄さん言ってたでねェか。長次郎さん、人前に出ねえって。

うん。それで人前に出ねェんだよ、きっと。復讐が恐ろしいんでねえかなあ。

復讐よ。

だってほれ、長次郎さん、盗賊をひとり殺してるから。

しかも殺ったなァ頭目だし。

盗賊の頭ァ兄弟だが。百鬼丸に夜行丸。長次郎さんが殺したなァ、兄か弟か判らねェども、いずれどっちか残っている勘定だ。ああいう連中は執拗《しつこ》いだでな。執念深ェ。

残った方が仕返しに来るってこともあるでねえか。

逆恨みでもなんでもするんでねェかなあ。

兄弟だものな。悪党でもよ。

4

「それじゃあ、その徳次郎ンところのお蝶か？　そのお蝶がおさんだって、こういう訳か？」

旅支度姿の小柄な老人が問うた。事触《ことぶ》れの治平《じへい》である。

白装束の又市は崖っ縁に屈み込んで、まあなあ——と生返事をした。

「お蝶がな、最初に拾われたなァどういう訳か富山の山ン中でな、見つけたなァ薬売りだそうだがな。そん時お蝶は、ちょうじちょうじ、塩、塩と譫言《うわごと》のように繰り返してたんだそうだ。真逆《まさか》おしおって名前《なめえ》にすんのも妙だから、おちょうになったんだそうだ」

はん、と治平は短《みじか》な腕を組んだ。

「塩は小塩ヶ浦、ちょうじは長者の長次郎だったたって訳か。時期も合ってるのか」

「合ってるな」

「しかし善く判ったな。その当時は判らなかったンだろうに」

「拾った薬売りにゃあそんなこと詮索する義理ゃァねえじゃねえかよ。それに確かめようにも確かめる術《すべ》があるめえよ」

まったくだと治平は頷く。

「しッかし上手《うめ》ェこと考えたもんじゃねェか。それで徳の野郎は、塩屋長司なんて変梃《へんてこ》な名前で興行ぶちやがったんだな。小洒落《こじゃれ》たことをするもンだぜ。幟旗《のぼりばた》立てて京、大坂、江戸と派手にぶちゃァ、目にも留まると思うたか」

事実目に留まったンじゃねえか――又市は立ち上がる。

「――貸本屋の平八がな、偶偶《たまたま》去年、加賀能登《のと》を廻ってたんだよ。で、あの馬屋敷にも出入りしていたと言うんだ。徳の奴はあれで中中の策士だからな。侮《あなど》れねェぞ」

「まァ侮れはしねェわな。転んでもただ起きるタマじゃねえとは思ってたがな。つまり、旅先で拾った娘が、さっきの、あのでけえ屋敷に住んでる長者様の娘だったってことだろう」

「おうよな」

「徳の奴ァ親切振っていやがるようだが、こりゃいい儲け話じゃねえかよ――」

治平は皺面《しわづら》を歪《ゆが》めて笑った。

「――お蝶は元より、そのお大尽も喜ぶだろうぜ。死んだ筈の娘が生きててひょっこり戻る訳だろう。たった一人の肉親じゃあねェか。十二年振りの涙のご対面だ。礼金もたっぷり出るだろうぜ。おい又公、その娘はいつ到着するンだ。徳次郎は今何処だ」

全く因業な爺ィだな――又市はそう言ってから崖下を覗き込んだ。

「算盤使いは今頃大聖寺《だいしょうじ》辺りだろうぜ。それより――どうなんだよ事触れの。この崖は下れるかい」

問われて治平は鬢《びん》の白髪を撫でつける。

「まあな。葛《くず》や蔦《つた》が多いから足場はあるが、こりゃ難儀だぞ。オイ御行。てめえどういう了見だ？　そのお蝶を連れて行けば済む話じゃあねえのか」

「ねえンだよ」

又市は顔を顰めた。治平も渋面を作る。

「いけ間怠《まだる》っこしい野郎だな。俺に何をしろって言うんだこら。ここは何だ、その、十二年前に長次郎の一家が襲われた場所なのか？」

そうだ——と短く答え、御行は偈箱からお札を出して崖から撒いた。

「ここで——先代塩の長者とその娘、そして盗賊がひとり死んだんだ」

「三島の夜行一味か。酷い夜働きをする奴等だったそうだがな。慥かにここ十何年、話を聞かねえ」

どのくらい知ってるね——又市は行者包みを解いて汗を拭った。

「——十四五年前といえば、事触れの、おめえまだ足洗ってねえ頃なンじゃねえのか」

洗ってねえな——今度は治平が屈み込む。

「——まだ野鉄砲《のでっぽう》の親方ンところで引き込みしてた頃だよ。夜行一味は関東から北を縄張りにしてた凶賊だ。山じゃ連中には敵わねェ。俺達江戸大坂辺りの盗人は、信州から向こうで仕事する時ゃ用心したもんだ。何しろ兄貴の百鬼丸ってなあ残忍で、容赦がねェ。弟の夜行丸ってのはすばしこい野郎でな、鵯越《ひよどりご》え宜《よろ》しく、こんな山の斜面でも馬ァ乗り回してな、ありゃ山で出くわしちゃ勝ち目はねェ」

「山賊だな」

「否——それがそうとも限らねェのよ。ちゃんと引き込み入れて、準備万端整えてな、こっそり夜働きすることもあったようだな」

「そんな野蛮な連中が忍びかい」

だからよ——治平は口をへの字に曲げた。

「兄弟で遣り方が違うンだよ。さっき言った通り、兄貴は残忍で野卑だから手間のかかることは嫌いなんだな。弟の方は賢いしすばしこいから危険なこたァ避ける。どっちが仕掛け作るかで遣り方がまるで変わるンだ。尤も——殺さなくていいような時も殺したりしてたようだがなァ。折角忍び込んでもな、どういう訳だか殺す。首尾良く蔵を開けて、なんなく仕事が済んだ後に、寝ている母屋の家人を殺す。殺すのは兄貴の方だと聞いてたがな——」

治平は草鞋《わらじ》の紐を締め直す。

大きな溜め息を吐《つ》く。

「——連中は武田の残党だとか義経の末裔だとか、いい加減な話ばかり聞いたがな。どれも嘘だろう。あいつらは元元山の民だの川の民だの、そうした連中の寄せ集めだよ。里の者に怨み持っていやがる。だから用もねェのに殺すんだ」

「会ったことは」

「面《つら》ァ見たこたァねえ。仕事を助《す》けたってェ男に一度だけ会ったことがあるだけだ。慥かに、一昔前、兄弟のどっちかが死んだという噂は聞いてたがな——」

ここで死んだかいと虚《むな》しそうに言って、治平は溜め息を吐いた。

「そんなことより又市よ。いい加減に喋りやがれ。用のねェ時はぺらぺらと善く語りやがる癖に、肝心の時はそうやって黙りやがる。まあ銭を貰えば何でもやるが、これじゃ何が何だか判らねえじゃねェかよ。俺は何をするんだよ」

「だからよ――」

又市は治平越しに谷底を見る。

「――この崖の壁に横穴があンだよ。そこを覗いて来て欲しいんだよ」

「横穴だァ？」

治平は小鼻を膨らませる。

「そりゃ、その長次郎が引っ掛かって潜り込んで、命拾いしたッてェ洞のことか？」

「オウ」

「オウじゃねえ。そんな穴に何があるってェんだ。真逆夜行丸の死骸でも残ってるって言うんじゃねえだろうな。そうだとしたってそンなもん、今更どうでもいいじゃねェかよ。盗賊の骨拾ったって一文の得もねえぞ」

まったく因業だてめェは――又市は眼を細めた。

「盗賊の骨なんかねェよ。遺体は長次郎と一緒に運び出されてるからな。検分した役人に聞いて来た。場所が場所だけに運び出すのが大層手間だったそうだよ。ボロボロの酷《ひで》ェ骸《むくろ》だったそうだぜ。兄貴か弟か、それも知れなかったようだ」

「それで？」

ああ——又市は頬を攣《ひきつ》らせた。

「どうにも——噛み合わせが悪いンだよ」

「何がだ？」

「長次郎——だ。奴《やつがれ》はな、昨晩あの馬屋敷に忍び込んだのよ。そしてな、まあ色色と話を集めたんだが——十日前、奴は馬ァ一頭屠《ほふ》っている。役に立たねェ、今更売れもしねェ老馬なんだがな。殺しやがった。最近な、野郎のところの馬ァ善く売れるんだそうだ。だから——馬が廏舎で死なないんだな」

「解らねェなあ。で？」

「長次郎の面も見て来た」

傷は——治平が問う。

「そんなものはねェ。声も出る。怯えてもいねェ。噂は全部嘘だ。ただ——長次郎は、どうやら病んでいた」

「病か」

「そうだ。奴《やつがれ》の看たところ——あいつはもう長くはねェぞ。今日か明日か明後日か——だから真実を知るのに残された時間はあまりねェ。だから——そう、ここの穴ン中に馬の骨が残ってねェか見て来て欲しいのよ」

又市はそう言って、崖下に視線を投じた。

5

あの長次郎が信心深《ぶけ》え？　冗談言っちゃいけねえなあお客人。なンの信心深いものかい。誰に聞いたか知らんがね。あんな奴、人を人とも思っちゃいねェ、馬を馬とも思っちゃいねェ、ただの悪食《あくじき》野郎だよ。長次郎ってのはな。

ん？　長の字で沢山だよ。長者だとか持ち上げるなよゥ胸糞《むなくそ》の悪《わり》ィ。

まあ世間様から見りゃさ、馬持ちのお大尽《だいじん》ではあるやね。屋敷もでかいしなあ。でもありゃ馬子でも馬喰でもねえよ。馬の売り方見りゃ判るさ。判るって。酷ェ捌き方するからな。だからよ、商売《あきない》は上手かもしれねえよ。そりゃ数は多いからね。名馬も居るわさ。

だから、まあ売れるよ。

でもなァ、ありゃモノだよ。馬飼いが馬にする扱いじゃねェのさ。

俺達馬を扱う馬方はね、馬を獣《けだもの》たァ思っちゃいねえよ。思ってたら馬たァ上手《うま》くやっていけねェやな。

人馬一体よ。どこだってそうだろうよ。

おうさ。

江戸のお方にゃ判るまいて。馬を飼っとる百姓はよ、馬と寝起きを共にしやしょう。俺ァ、元は陸奥《むつ》の出だ。北の方だがね。母屋の中に廏があるンだ。土間続きよな。内廏《うちうまや》ッてェますがね。お正月様のお飾りだって分け隔てはねェよ。廏にはお蒼前《そうぜん》様が坐《おわ》すでな。粟穂《あわぼ》も繭団子《まゆだんご》だって供えるよ。正月には。馬ッコ餅《ま》ってって、馬の餅も作るしな。

家ン中に爺《じ》様がいて婆《ば》様がいて、親父様がいて嬶《かか》様がいるように、馬も居るがね。そうして育つ。

馬喰なんてもんは、もっと馬に近いがね。

馬と共に生きてよ、馬と共にくたばるのが馬喰だわい。馬のこたァ何でも知ってる。我が子より可愛いし、親より有り難ェ。女房《かかあ》より恋しい時もある。へへへ。本当よ。いい馬はよ、手放したくねえ。かといって、出来の悪《わり》ィ馬もな、情が湧く。

馬扱いもよ、だからぞんざいにゃしねえよ。売り買いもそうよ。商品じゃねえのさ。

こいつら馬ってのはよ、働いて働いて、働き詰めで死ぬんだ。路路《みちみち》歩んで歩んで、道端で殪《たお》れてくたばるのさ。俺達馬子だって一緒だからね。だから馬ァその辺の獣たァ違う。死ねば丁寧に弔《とむら》うだろ？　手厚く葬るわな。おうよ。仲間が死んだのと変わりゃしねェわいな。放っておいたりするもンか。供養するんだ。

だからな、俺達ゃな、連れてる馬が行き倒れたらな、こう、股木《またき》の畜生塔婆《ちくしょうとうば》立ててねえ。弔うんだ。手厚くよ。ほら、街道歩きゃ辻辻に建ってるだろうに、馬頭観音さんよ。そうだよあれだよ。

ありゃ馬供養よ。元元のご由緒ご由来ァ知らねえがさ。俺達馬扱うモンにゃ馬頭観音さんは馬の神様よ。お蒼前さんと一緒だよ。

馬ァ貴いモンだよ。

そりゃそうだよ。手塩にかけた馬だもの。己の死んだと同じじゃあねえか。

それをよ。

野郎は喰いやがる。

啖《くら》うのよ。馬をさ。

おっとすまねえ。凸凹《でくぼく》道だ。落ちねえでくだせェよ。この辺はまだいい方だかんね。

お客人、江戸からかい。そうかい。

え？　悪食よ。あの野郎は何でも喰いやがるからな。てめえンとこの馬が死ぬってェと、生皮剝《は》いでよ、おろして塩漬けだの味噌漬けだのにしてな、喰うんだよ。馬肉の塩漬けだよ。

好物だって聞くぜ。

酷ェだろ？　信じられねえよ。

喰わねエよ。

お前さん、馬ァ喰ったことがあるか？　馬に限らずよ、江戸の人は獣の肉喰うかい？　喰わんだろ。毛唐じゃねェんだから、然然《そうそう》喰わねえわい。山の衆は熊だの鹿だの捕って喰うがね。獣肉《ももんじい》なんざ喰うのは卑しいモンのやることだろうさ。仏信心してるモンはよゥ、そんな腥《なまぐさ》ァ絶対に喰わンだろうに。

俺ァ馬子だかんな、そりゃ坊主みてえに小難《あや》しいこたァ知らねえよ。けんどもよ、殺生はいけねェくらいの道理は知ってるぜぇ。生き物殺めて妄《みだ》りに喰ったりしたら等活《とうかつ》地獄に堕ちるって、そのぐれェは田舎者でも聞いてるぜ。だからよ、飼い馬喰うなんて信心してるモンのすることじゃァねえだろ。

野郎は罰当たりよ。

俺達馬子から見りゃ人喰いと同じことだよ。到底信じられた話じゃあねえな。野山のモノなら兎も角も、人の労を助ける畜獣を、死んだ尻から喰うなんて、以ての外じゃあねえのかい？

牛馬は殊更《ことさら》労《ねぎら》うモンだろうさ。だからよう。

野郎は馬喰でも馬子でもねえ。

金輪際《こんりんざい》違うよ。長の字は元の名を弥蔵という、生国も知れねえ流れ者だ。馬扱いなんざこれっぽっちも出来やしねえのよ。だから仲買人は兎も角、馬子仲間の評判は悪ィよ。ありゃ提馬《だいば》が取り憑いているンだって者もいるね。

提馬知らんかね。

提馬ってのはさ、悪い風だな。馬の病気みたいなものだがね。こうね、飆《つむじかぜ》よ、ふぁあっと来る。辻なんかで往き合うんだな。牽いている馬がその風に当たるてえと、こうな、馬ァガタガタ震えてよゥ、右回りに回って、三度回ると死ぬのさ。

恐ェよ。

人は大丈夫だ。馬だけ死ぬ。

これはね、風の中に白い虻《あぶ》みてえな虫がいて、馬の鼻から入って尻の穴に抜けるんだともいうな。鼻ン中に入るってェと鬣《たてがみ》が颯《さつ》と逆立ってね。こう、きりきり立ちになるのよ。三度回るとよ、尻から抜けるんだなあれは。抜けるってえと馬ァもう尻子玉《しりこだま》抜かれたみてェに腰が砕けてね。バッタリだよォ。

俺も若い頃一度やられたことがある。虫は見えなかったけどなァ。馬ァ死んじまったよ。

良い馬だったがねぇ。

何だね、帳面なんかつけて。

提馬ァ避ける方法？

妙なもの知りたがる客だなあ。

あのな、提馬がかかったと思ったら、馬の耳切って——ま、こりゃあ気付だな。で、右に回ろうとするのを無理矢理に左に回すンだそうだな。すると虫は勝手が違うから面食らって、馬から出て行くんだというな。若かったから知らなかったんだな。

この虻はさ、まあ見る者によっちゃ小さい女なんだそうだな。

金の瓔珞《ようらく》被って朱《あか》い着物《べべ》着てさ、お雛《ひな》さんのようなモンかな。豆みてェに小さい馬に跨《また》がってひらひら飛んで来るんだと。

え？　妖怪《ばけもの》？

そう、妖怪かねえ。

聞くところに依りゃ、こりゃ馬の皮剝《かわは》ぎの娘なんだそうだ。

ああ。皮剝ぎだ。俺達馬子もよ、百姓だって、一向まともな扱いは受けねえけども、皮剝ぎなんてェのは、ありゃ、未だに人扱いはされねえだろ。人に違いはねェと、そりゃ俺も思うがね。まあ、卑しいモンだと思ってるわなあ。

江戸なんてところはよ、まだマシだろうよ。ごちゃごちゃ吹き溜まりみてェに人が居るんだろ。身分もヘッたくれもねェ。職人だって河原者だって、まあ大きな顔してるっていうじゃァねェか。でもな、ここら辺みてェによ、野暮が衣着て歩いてるような田舎ァよう、勝手が悪いぜ。そりゃ酷い。臭ェ汚ェ傍に寄るなだよ。てめえが偉い訳でもねェのにさ。侍が百姓見下すようにさ。否、もっと酷ェかな。百姓どもも連中を見下すのさ。

馬より下だよ。

江戸も同じだ?

まァそうかもしれねえなあ。俺だって偉そうなこたァ言えねえわな。肚の底では見下してるかもしれないよ。お客人だってそうだろう。

何。本当に妙なこと尋くねあんた。

その皮剝ぎの娘がさ、己の蔑《さげす》まれるのを気に病んで、河原から身を投げて死んだんだと言うんだな。でもって死んでから提馬に生まれ変わった。

そうして、馬を殺す妖魔になった訳だな。馬が居なくなりゃ皮剝ぎなんて商売もなくなるだろうといって馬を取り殺すんだとも、馬が死ねば皮剝ぎの仕事が増えるから暮らしが楽になるだろうといって馬を殺すんだとも、どちらとも言うようだが。

悲しいやな。

だからさ、俺はそんなナァ違うって言ってるんだがね。あの屁放野郎《へっぴり》はそんな悲しいモンじゃねえとさ。こう言ってるんだがね。

それでも長の字にゃア、提馬が取り憑いてンだって、口祥《くちさが》ねェ馬子連中は言ってるよ。

何故かって？

だから、その餅撒きの施しだよ。

やけに長の字のこと知りたがるなあ。え？　大層な評判だ？　そうなのかい。けッ。金持ちに尻尾振る犬野郎が言ってるだけだよ。

ありゃ慥かに誰彼構わず分け隔てなく施してるようだがね。実のところはそうじゃァねェのさ。

違うんだ。

慥かに奴は木地師だの流れ者だの乞食だの、それから喰い詰め百姓だの、そういう連中にはもう、喜んで施しをするがね。普通なら差別されてる連中に対しては妙に優しいのよ。でも、馬子には冷てェ。馬子は使うモン、絞って叩いて働かせるモンと、そう心得ていやがる。馬と一緒で商売の道具だな。

商売相手の馬喰には取り敢えず礼を尽くすようだがよ、それだって商売になるからよ。子飼いの馬子にはそりゃあ辛く当たるのよ。俺も一昨年ほんの三月程世話になったが、二度と御免だ。まあ酷い。

番頭の平助ってのがまた乱暴な男でね。殴る蹴るよ。

賃金は値切る、馬はぞんざいに扱う。平気で騙すしな。

病気持ちの駄馬をよ、口を拭って高く売りつける。五頭に一頭はそういうのを混ぜる。

巧妙によ。騙しだよ。

そうして儲けた金を卑しい連中に施しだとかほざいて気前よく吐き出しやがる。不平も出ようってもんだ。だから馬子連中はさ、長の字は出が卑しいんだ、だから連中に施すんだと、こう口を揃えて言う訳よ。だから提馬と結びつけンのかもしれねェな。

俺に言わせりゃ関係ねェがね。

氏も素姓も関係ないわい。

要は人だ。奴は人が駄目だ。それだけだ。

馬扱いが酷ェ。馬子扱いが酷ェ。商売が悪吹《あくど》い。だから人でなしだ——それで十分じゃねえか。何も出が卑しいだの素姓が悪いだの言うこたァねェし、妖怪変化の所為にする必要もねェわさ。

ん?

でもな、慥かにな。

今思い出したけどな。そういえば長の字は、その昔、提馬に行き遭ったんだ——っていうようなことを聞いた覚えがあるな。だからそんな噂が立ったのかもしれねえな。

誰に聞いたんだったかなあ。

そう、俺が長の字の屋敷にいた時に聞いたんだからな。そん時に——そう、十年ばかり前のことだと言ってたから、もう十二三年前のことなのかいな？　善く覚えちゃいねェな。嘘かもしれねえ。

いいや嘘だな。

だって長の字は、馬は素人だ。

馬なんか牽いて歩けやしねえからよゥ。無理サ。だって馬に乗れねえンだから。触れもしねェ。馬ァ喰うだけだよ。

昔なんかはあったんだろうな。

何だ、妙な客だなァ。お客人商売は何だね。

え？

物書きだ？　物書きってなァどんな商売だね。

百物語？　判らねェなあ。馬子は学がねえのよ。ああ、あの貸本屋が持って歩く本書く人かい。俺も見たぜ。ああ字は駄目だ。絵がいいね。錦絵がいいやね。江戸にはあんな綺麗な女が居るかね。

ふうん。俺なんかご城下の町屋にだって行ったこたァねえ。馬ばかりよ。おや、なんだあんな崖《がけ》ッ縁《ぶち》に。危ねェなあ。あそこは難所でな。落ちたら上げるのが大変なんだ。

ここでいいのかい？　村まではまだ結構あるぜ。

まったく妙な客だよあんたは。

6

馬飼長者の屋敷で怪異が起こり始めたのは、五月半ばのことだった。

善く晴れた夕方のことだったという。

その日は丁度餅撒きの日で、屋敷の敷地といわず門前といわず、到る処にどこの者とも知れぬ有象無象《うぞうむぞう》が百人から押し寄せて、餅だの汁だのを喰っていたのだそうだ。

屋敷も村も相当にごった返していた。

陽が西に傾き、人の顔が薄朦朧《うすぼんやり》とし始めた頃のことである。

じゃらり、と耳慣れぬ音がしたという。

門前である。何人かは空を見上げたようだった。

するすると天空から麻縄が降りて来たのだと言う者も居た。

その時天空が一瞬光ったのだと言う者も居た。

天狗《てんぐ》が笑い乍ら飛び去ったと言う者も居た。

勿論、それは後から言っているだけのことで、その時はただ、数名が天を仰いだだけだったようだ。

それはどさり、と落ちて来た。

それだけは事実である。どこから落ちて来たのかは判らない。それが地面に落ちて、落ちてから大勢が騒いだのである。それもその筈で、何もない空中から何かが落ちて来るなどと思う者は、普通は居ない。

落ちて来たのは——娘だった。

騒ぎを聞きつけて、丁度雑炊《ぞうすい》を配る指示をしていた番頭の平助が門前に出た。

平助は——。

絶句したのだった。

そこに倒れていたのは、十二年前に自分の目の前で死んだ筈の主《あるじ》の娘——おさんだったからである。

否、正確に言うなら、それはおさんが成長したと覚《おぼ》しき相貌の娘だったのだ。

顔つきが——そっくりだった。

面影が残っているというようなものではない。躰《からだ》が大きくなっているというだけで、その小作りな顔は十二年前そのままの幼さを止めた、あどけない面差しだった。

平助は大慌てで家人を呼び、気を失っている娘を屋敷内に運び込んだ。

勿論、それは単なる他人の空似《そらに》なのかもしれなかった。しかし、いずれ慈悲深いことで評判の馬飼長者の屋敷門前での出来事である。人目も多い。何より施しの日に行き倒れを放っておく訳にも行かなかったのだ。

扱いに困った平助は、取り敢えず客間に蒲団を敷いて行き倒れを寝かせた。娘は全く眼を開けなかったが、死んではいなかった。汚れてはいるものの小ざっぱりした身態で、取り分け外傷は見当たらなかった。昔を知る使用人を何人か呼んで来て検分して貰ったが、皆口を揃えておさんちゃんだと言った。平助もそう思った。だが幾ら似ていても、こればかりは証拠がない。身許が判断出来るようなものも身につけてはいなかった。

しかし。

人の口に戸は閉《た》たないもので、娘が天から降って来た——それは長者の娘だそうな——という半ば断定的な噂は、瞬《また》く間に広がったのだった。何しろその現場には、数え切れない程の目撃者が居たのだから。

娘は丸一日を経過しても気がつく様子はまるでなく、真実を確認することは出来なかった。

平助は迷った。

主の長次郎に何と説明したものか。

否、告げるべきか否か迷ったのだ。

本来なら迷うようなことではないだろう。門前にて是是然然《これこれしかじか》の不可思議が起き候《そうろう》、面差し齢《とし》格好がおさん殿に似ており候、もしやそうではないのかと思い候——と、正直に言えば良いことである。ことの正否は平助の判断することではない。

だが、それでも平助にはそれが出来なかった。

軽はずみなことは言えない。

仮令娘がおさんに似ていなくとも——天から娘が降って来ましたと言ったものか、ただ行き倒れですと報告したものか、それが先《ま》ず判らない。それに、ことおさんのことばかりはいい加減なことは言えないだろう。他のことなら兎も角も、これぱっかりは——。

——慎重にならねばなるまい。

しかし、このままでは為す術がない。

平助は困り果ててしまった。

幸い主は部屋から出ないものと思われた。

だから差し当たって奥向きの奉公人にきつく口止めをした。

長次郎は奉公人と直接口は利かない。それにその時——表向きは伏せてあったのだが——主である長次郎は病の床に臥《ふ》していたのである。

起きて起き上がれぬ程の病ではなかったが、日に何度か酷《ひど》い腹痛の発作が起きる。喰い物も喉《のど》を通らず、喰っても吐いてしまう。おまけに大変な下痢だった。健啖家《けんたんか》である長次郎にとっては、これは何より辛いことのようだった。長次郎は発病から十日でみるみる痩せた。そして頻繁に厠《かわや》へ行く以外、殆ど部屋から出なくなった。

そんな最中の出来事である。

——隠そう。明瞭《はっきり》してから報せよう。

平助は先ずそう思った。だが。隠していたことが後後知れたなら、娘が本物のおさんであろうと単なる行き倒れであろうと、長次郎は激怒するに違いない。

平助は再び戸惑った。

長次郎は大変に気難しい男である。否、判り難い男なのだ。慎重かと思えば短気だし、剛胆《ごうたん》で太っ腹の癖に妙に吝嗇家《りんしょくか》である。慈悲深い行いを為すその手で、理不尽に平助を打ち据えたりもした。

――仕方がない。

そうも思う。

それもこれも、十二年前のあの忌まわしい事件が原因なのだ。

平助には判っていた。否、平助はそう思っている。あの事件以来、長次郎は変わったのである。仕方のないことだ。そうなのだ。

だからこそ、そう思えばこそ、この十二年の間、平助は黙って堪えて来たのだ。長次郎の言うことは何でも彼《か》でも黙って聞いた。どうであれ主に絶対服従するのだと、平助は心に決めていた。

あんな目に遭えば誰でも変貌すると平助は思う。

平助など、未だに夢に見る。

馬上で血を噴《ふ》いてのけ反る大旦那。馬から転げ落ちた血達磨《ちだるま》の奥方。そして、泣き乍ら荷と共に引き摺り降ろされた――幼いおさん。

やめろ、何をする――長次郎の叫び声。

平助の目の前に振り下ろされる山刀。

そして——。

長次郎は命を張って平助を助けてくれたのだ。

勿論女房と義父の怨敵《かたき》憎しとは思っただろう。しかし長次郎が、あの髭だらけの山賊に飛びかかった本当の理由は、そいつが平助に山刀を振り下ろしたからなのだった。長次郎は平助を助けるために暴徒に組みついたのである。

その所為で——。

平助を助けたがために、長次郎はおさんを助けることが出来なかったのだ。

その時長次郎は、馬から落ちて泣き叫ぶ我が子を救うべく一直線に走っていたのだ。しかし慈悲深い主は使用人の危難も見捨ててはおけなかったのだろう。凶刃を阻んだ結果、長次郎はそのまま、山賊もろとも崖下に転げ落ちてしまったのだった。

平助はといえば——。

おさんを助けるどころか、そのまま逃げた。

少なくともおさんはその時まだ生きていたのだ。一緒に逃げることだって出来ただろうと思う。否、そうするべきだったのだ。あの場合、一命に替えてもおさんを救うべきが平助の人としての道ではなかったのか。

しかし。

それは助かったから思うのであって、あの場ではとてもそんな余裕はなかったのだと——平助は弁解がましく思うこともある。

盗賊どもは頭《かしら》を失って狼狽してはいたようだった。だが、それでも手に手に武器を持った凶悪な暴徒は、総勢十人から居たのだ。抗《あらが》ってみたところでおさんと共倒れである。

――それにしたって。

命を抛《なげう》ってまで下男如きを救ってくれた主の娘を、平助が見捨てて逃げたことに変わりはない。平助の腑甲斐《ふがいな》無い行いは恩に報いるどころか恩を仇で返すようなものではなかったか。

平助は生き延びた。でも、生きた心地がしなかった。だからおさんを、そして長次郎を探して、探して、探し回ったのだった。

長次郎が助かったことを知った時の、あの何とも表現し難い複雑な気持ちを、平助は一生忘れないと思う。否、忘れないどころか、平助はそれを未だに引き摺っている。毎日嚙み締めて生きている。

長次郎救出の報告を聞いた時、平助は一刻も早く駆けつけて礼を言いたかった。素直に良かったと無事を喜ぶ気持ちもあった。心から礼を述べたいという感謝の気持ちもあった。加えて謝罪したいという気持ちも勿論あった。罪悪感も自己嫌悪も必要以上にあった。しかし。

おさんはまだ見つかっていなかったのだ。

この恩知らずめ、折角助けてやったのに娘を見捨てて逃げたのか――そう詰《なじ》られるかと思うと、平助は身が縮んだ。長次郎とは顔を合わせたくなかった。

造反し、引き裂かれるような、あの気持ち。それは十二年経った今でも、平助の胸にそっくりそのままの形で温存されている。

何故なら、生きて戻った長次郎は平助に何も言わなかったからだ。

長次郎は善く出来た男である。元より恩を売るような男ではないし、恨み言を垂れるような男でもない。それは承知していた。それにしても――。

何も言われないのは辛かった。

長次郎が平助に対して言葉を発したのは、事件後ほぼ一年経ってからのことだった。事件の衝撃で口が利けなかったのだろうと、そうは思う。そうは思うが、それにしてもその一年は辛かった。

以来長次郎は――人が変わった。

それは事実だ。商売上手は元からそうだが、より狡猾《こうかつ》に、老獪《ろうかい》に商売《あきない》をするようになった。商売敵は獰猛に蹴落とし、取引先も信用はしない。横暴な振る舞いも見せた。金にならぬ相手との付き合いはさっさと切り捨て、金になるなら何でもやった。失敗すると手酷く叱られた。叱られるのはいつも平助である。何故なら長次郎は、平助以外の人間と口を利かないからである。

信用していないのだ。

無理もないと思う。

今でも長次郎は、商売上の簡単なことしか平助に話しはしない。

それも仕方がないかと平助は思う。

そして事あるごとに平助は怒鳴られて殴られた。

それでも平助は堪えた。汚い商売だ、これは非道だと思っても、そうしろと言われればそのようにした。外に対する悪役は全て平助が引き受けた。指示通りにして失敗《しくじ》っても、それは己の所為ですと、甘んじて罰を受けた。

そうすると決めたからだ。

そのうち、自然に平助は使用人に対して辛く当たるようになっていた。そうしないと身が保たないということもあったが、矢張り悪いのは己であって旦那ではない——と世間に知らしめたいという気持ちもあった。無理にでも悪役を演じたかったのである。

全ては屈折した贖罪《しょくざい》の表明なのである。

長次郎はそれでもいい人なのだと平助は思う。餅撒きなどの施しだって、みな長次郎の考えなのだ。そうした慈悲深い人間が、ここまで歪んでしまったというのも、全部あの不幸な事件の所為なのだし、あの時平助におさんを救うことが出来ていたなら、少なくともこんな風にはなっていなかったのだと、そう平助は思うのである。

だから平助は、世間からどんな目で見られようと丸呑みで長次郎を支えよう、悪いことは全部自分で被ろうと、そう心に決めたのだった。

それが——。

その決意の要であるおさんが——。

突然生きて帰った。

十二年間、悔いて悔やんで来たその種が、突如空から降って来たのである。

平助は頭を抱えた。

もしこれが本当のおさんだったなら、それは長次郎は喜ぶだろう。これで元の長次郎に戻るやもしれぬ。しかし、もしそうでなかったら――。

決して口にしてはなるまい。

そうかもしれぬと喜ばせ、結局そうでないとなったなら――長次郎の心の闇は一層に深くなる。それは平助の心の闇が深くなるということでもある。

確認が取れるまでは、決して旦那に報せてはなるまい。しかし、もう既に村では噂になっているともいう。それで隠し果《おお》せるものだろうか。

平助は昏昏《こんこん》と眠り続ける娘の顔を凝視した。

これがもし真実おさんなら、それはそれで不思議としか言いようがないだろう。盗賊に襲われたその時に神隠しか何かに遭い、十二年の歳月を隔てて異界から戻って来た――ということにでもなるのか。

――そんな不思議なことがあるだろうか。

こうは考えられないだろうか――平助は思いを巡らせる。本物であろうと別人であろうと、この娘は天からの授かりものなのだ、長次郎の長年に亙《わた》る施し善行が天に通じた故なのだ、仮令本人でなくたって、おさんの生まれ変わりか、善く似た娘を授けてくれたのだ――。

――そんなことはない。

そんな都合の良い話こそ長次郎は信じはしないだろうと思った。

そんなものは財産目当ての騙り女《かた》だ、さっさと放り出せと、主はそう言うに決まっているのだ。これでもし本物と知れたとしても、余程の証拠がない限りはそう言うのかもしれない。

否、しかし――本当に実の親娘《おやこ》であったなら、証拠など要らぬものなのではないのか。真偽の程は顔を見るなり判ることでもあるのかもしれぬ。それならば――。

判じることが出来ぬ。

――しかし。

見れば見る程似ている。

生きていて欲しいと願う心が歪めて見せるのかもしれぬ。そうに違いない。ならばきっと別人だ。違うと言って放逐してしまおう――平助がそう心に決めた時――。

ぱちり。

――なんだ。

どろどろという音。

平助は顔を上げた。

障子越し、廊下を何か巨大なものが駆け去った。

「何だ！」

声を上げる。障子を開ける。

廊下は――何ごともなかったかのように静まり返っていた。

では――今走り去ったモノは何だ？

「馬だ――馬が奥に――」

「何だと！」

大変じゃ大変じゃと声を上げ、騒騒《ざわざわ》と女中やら下男やらが走って来た。

何を慌てているのだ、病人が寝ているのだぞ――と、平助は一喝する。

「あ、番頭さん、今、こちらに馬が――」

「馬ァ？　馬鹿な。家裡《いえうち》を馬が走るか！」

そう怒鳴ってはみたものの、慥かに何か巨《おお》きなものが駆け去ったのは事実である。下男どもは顔を見合わせて、

「しかし――なあ、馬だったよなぁ」

と口口に言った。

「この先は旦那様の寝所だ。お前達は入れん。馬鹿も休み休み――」

その時。

があッ、と獣の吠えるような声がした。

「旦那様！」

平助は廊下を駆けて奥の寝所に向かった。

障子を開けると、蒲団の上で長次郎が七転八倒していた。

「だ、旦那様、親方、長次郎親方」

平助は踏み込み手を差し出したが、すぐに振り解かれた。

長次郎は手足をばたつかせ、半裸になって腹を掻き毟《むし》った。全身にびっしり汗が浮かんでいる。眼の回りが真っ赤になっており、反対に顔全体は蒼黒く燻《くす》んでいる。

「う、馬が、馬が来た」

「馬――馬が、何処に」

本当に馬が来たのか。平助は部屋を見回す。

居る訳がない。あんな大きなモノがいればすぐに判る。そもそも障子は閉まっていたのだ、真実《ほんとう》に馬が来たのだとしても障子を開け閉めして部屋に這入《はい》る訳がないではないか。

うおお、と長次郎は吠えた。これ程の発作は経験がない。

平助は薬だ、薬だと叫んだ。

薬は効かない。わざわざご城下から隠密裡《おんみつり》に医者を呼び寄せ、散散脈をとらせて、大枚叩《はた》いて薬を煎じさせたが一向良くなる気配はなかった。ただ眠り薬だけは善く効いたから、酷い時は眠らせることにしていた。

下男を四五名呼んで取り押さえ、無理矢理薬を飲ませて、それでも長次郎は四半刻《しはんとき》ばかり苦しんで、漸く眠った。

眠った直後に、今度は台所の方で馬が出たと騒ぎがあった。平助は馬方を集めて話を聞いたが、どうにも一日中馬が落ち着かないとのことだった。ただ厩を抜け出して母屋に入り込むようなことはあり得ないということだった。

当然である。

ぐったりした平助が客間に戻ると、おさんはまだ眠っていた。

――おさん。

娘の寝顔を見ているうちに、平助は酷《ひど》い睡魔に襲われた。そして平助は、娘の横にばったりと倒れて、畳の上で眠ってしまった。

完全に眠る前に、何かを弾《はじ》くような音を聞いたような気がした。

翌日も同じことがあった。長次郎の容態は思わしくなく、馬騒ぎがあると悪化した。

それでもおさんは目を醒《さ》まさなかった。ただ血色は良く、取り立てて衰弱しているようには見えなかった。

三日目――矢張り同じことが繰り返された。

馬方達は、屋敷内に現れるのは先月屠った老馬の幽霊ではないかと噂した。平助は馬方達を集めて、くだらぬ風聞を流さぬようにきつく言い渡した。

そして、四日目の午後に――その男は現れた。

取り次いだ女中に依れば、訪れたのは非常に礼儀正しい男で、何としても番頭さんにお会いしたいので取り次いで戴きたいと、そう言ったのだそうだ。主があんなだから商売もままならず、怪《あや》しいとは思ったが、平助は一応会うことにした。

その辺りでは見かけぬ風体《ふうてい》の男だった。侍ではないが、きちんとした身態であった。

男は山岡百介《やまおかももすけ》と名乗った。

江戸から来たという。

「実はですね——」

百介は単刀直入に切り出した。

「——私は江戸は京橋で戯作紛《げさくまが》いの本書きを致しております者で、諸国を巡って珍談奇談の蒐《しゅう》集《しゅう》をしております、まあ好事家ですな。この度はこの加賀で、グズなる怪魚の話を伺おうと、こうして遥遥《はるばる》訪ねて来たので御座居ますが——先程、この長者様のお屋敷の門前を通りかかりましてな。いや昨日大聖寺に泊めて戴いて、折角ここまで来た序《つい》で、音に聞こえた馬飼長者様のお屋敷を後学のために拝見しようと立ち寄ったので御座居ますけれどもね。そうしましたらご門前で、一人の行者と擦れ違いまして」

「行者で御座居ますか」

はい、山伏盲僧《やまぶしもうぞう》の類で御座居ますな——と百介は言った。

「目つきの鋭い、白装束の男で御座居ましたが、その行者が、こう聞き捨てならぬことを呟いておりましてなあ。それで——迷ったのですが、ご注進に」

「聞き捨てならぬこと？」

はあ、と百介は一度首を傾げた。

「——これは、差し障《さわ》りがあるようでしたらお答え戴かなくて結構なのですが、こちらの長者様は——今どこか患ってはいらっしゃいませぬかな」

「何と申された」

長次郎の病は外に伏せてある。もし漏れたとしても村の中だけのことだろう。

昨日今日この地を踏んだ、こんな旅の者の耳に入る訳がない。

「もしご健康なのでしたら、あの行者はとんだ食わせ物。ただの与太者で御座居ましょうが、もしも、その、腹が痛いですとか――」

「そ、その行者はいったい何と申されたのか」

平助が突如《いきなり》大声を出した所為か、百介は眼を丸くした。そして、本当にご病気なのですかと問うた。

「当家の主が病だと、そう申したのですか」

「はあ、それも、もう長くはないと――あ、これは失礼、その、何と申しますか」

「いや結構です。その者が申した通りに仰《おつしや》ってください。お願いします」

百介は怪訝な顔をした。

「はあ――そいつはこう、お屋敷を見渡してですねえ、怖い顔をして、これは拙《まず》いと」

「拙い？」

「はあ。この地は祟られておる、鎮まらぬ馬の霊が滞っておる――と。馬頭観音に祀り上げもせず、剰《あまつさ》えその肉を喰《くら》い、終《つい》には生きた馬まで屠るとは――」

「い、生きた馬を」

慥かに先月、長次郎は役に立たない病の老馬を一頭、平助に殺させた。

長次郎は十二年前の一件以来、何故か馬を可愛がらなくなった。と、いうよりも、寧《むし》ろ憎むような素振りを見せることがある。馬上で家族が殺された所為だ――と平助は思っていた。

しかしどうやらそれだけではないようだった。長次郎は、生還以来、死馬の肉を好んで喰うようになったのである。馬が死ぬと塩漬けと味噌漬けにして保存し、毎晩喰った。

しかし最近では馬肉が調達し難《にく》くなっていた。

騙して駄馬や病馬も売り捌くようになったため、中中死馬が出ないのだ。

加えて、持ち馬も旅先で死ぬ割り合いが多くなっていた。

その理由《わけ》を平助は知っている。馬子達は手塩にかけた馬が可愛いのだ。喰われたくないのである。だから馬子達は、死にそうな馬がいるとわざと遠くに牽いて行って路上で臨終させるようになったのだ。そうすれば、当然旅先で埋葬することになる。真逆馬の骸を持って帰る訳には行かない。馬供養が出来る——と、こういう訳である。

先月、終に馬肉は尽きた。すると長次郎は、平助に生き馬を殺せと命令したのだ。平助は馬方ではないから馬など殺したことはない。しかし馬子どもに頼んだところで引き受けてくれる訳がなかった。泣く泣く、平助は真夜中に、一番弱っている老馬を殺したのだ。

「馬の——祟りだと？」

そうしたことは外に漏れてはいない筈である。つまり、その行者の眼力は真実を見抜いているということだ。

「馬憑きというのはあるのです——」

百介は前屈みになって小声で言った。

そして腰に提《さ》げた大福帳のようなものを捲《めく》って、こう続けた。

「――私が聞き歩いただけでもですな――遠江、三河、尾張、武蔵、京都と、これだけある。大抵、誤って馬を殺したり、馬扱いが酷だったりした結果ですね。馬に焼鉄《やきがね》当てるのが好きな男とか、馬を苛《いじ》め殺した男なんかが憑かれる。多くはいきなり馬の真似を始めたり、壁土喰って泥水啜《すす》ったりしますね。後はただ発狂したりするものなのですが――その行者は妙なことを言っておりましてね」

「妙なこととは」

「こう、眼を細めて。おお、馬が駆けて行きよる、と言うんですな。それで、何とも浅ましいことよ、主人の口より肚《はら》に入り、五臓六腑を踏み荒らしておるのか――と」

「馬が――口から？」

「そう言ったのです。それで、このままでは後残り幾日も保つまいて、悪いことは出来ぬものよと」

「う、馬が肚の中に？」

　平助は慄然とした。

　毎晩廊下を駆けて行く馬は、長次郎の肚の中に入って暴れていると言うのか。苦しんでいる長次郎のその膨れた肚に、馬が入っていると言うのか。

　慥かに長次郎が眠ると、再び馬騒ぎがある。

　それは、肚から出て行った馬ということか。

「そ、その行者は他には何か――」

「さあ。私はね、あまり奇異なことを言うものだから、あらぬことを口走り、因縁でもつけて金品を毟《むし》る詐欺師強請《ゆす》り師の類かと、そう思ったのですよ。ところがその行者は、ただ悲しそうな顔をして、そのままぷいと行ってしまったんですな。私もね、まあ人様の家裡《いえうち》のことでもあるし、差し出がましいことは止した方が宜しいかとも思うたのですが、どうにも気になって気になって――」

百介は申し訳なさそうに身を縮めた。しかし平助にしてみれば事態はそれどころではない。その行者は本物だ。本物としか思えない。

ならば早早に報せてくれたことに感謝せねばなるまい。

「いや――お報せ戴いて大変に助かりました。ところで――その行者とやらはどちらの方に行かれたか」

追うべきか。追うべきだろう。

西の方へ――と百介は答えた。

「刻限は」

「半刻程前ですか」

「いや――どうも。何かお礼を致したい。大した持て成しも出来ないが、何卒、本日はこの屋敷にお泊まりください――」

平助は人を呼び、百介にとびきりの饗応をするよう言いつけて、門を飛び出した。

恩を返せるのは今しかない。

平助はそう思った。旦那の命を救うのだ。

おさんも戻って来た。だから、今しかないのだ。

これは自分を神か仏が試しているのだ——平助は走り乍らそう思った。不始末はちゃんと償えということだ。半端な過去を清算せよと、これはそういうことなのだ。そのために、天が平助に与え賜うた、最後の機会に相違ない。

駆けても駆けても人っ子一人いなかった。

野良に百姓の姿を認めて、平助は問うた。

慥かにその人物は通っているということだった。

——嘘ではねえ。

平助は尻を捲り、半纏を脱ぎ捨てた。

今の平助は馬飼長者の番頭ではない。ただの下男だ。

平助は主の命を救うために駆ける使用人だった。

岡を越え、森を抜けた。力の限り走った。丁度あの日と逆様《はんたい》だった。

十二年前平助は、矢張り力の限りこの道を、屋敷に向けて走ったのである。

山道に入った。前方に大きな夕日が見えた。

小さな峠を越える。坂を駆け上がる。するといきなり視野が拓《ひら》ける。

——あの場所だ。

惨劇の場所。平助が卑劣な男であることが証明された場所である。

崖の縁から道の中心に、長い影が伸びている。人だ。崖縁に人が立っている。

行者包みに白装束。偈箱に鈴《りん》。錫杖《しゃくじょう》。

男はすうと移動した。

「待ってください――」

りん。

鈴が鳴った。

「――ぎょ、行者様、お待ちを」

平助は男の前に回り、地べたに座った。

「て、手前は馬喰長次郎方の使用人で、平助と申す者に御座ります。お畏《おそ》れ乍ら霊験《れいげん》あらたかな行者様とお見受け致しました。何卒、何卒お力添えを――」

りん。

「そのように畏《かしこ》まられては困りますな。奴《やつがれ》は法力のある高僧でもないし陰陽の術を使う術師でもありやせん。一介の札撒き御行――」

サアお立ちになって――男は丁寧に辞儀をして、平助を避けて歩き出した。平助はその脚に縋《すが》った。

「お待ちを――お待ちください。何卒、何卒お力をお貸しください。我が主の命を――これが手前の」

「恩返し――と申されるか」

「は」

男は平助に向き直り、真正面から見下ろす。

「あなたの主は二代目長次郎様で御座居ますな」

「さ、然様で」

「その昔、ここで——多くの血が流れたようで御座居ますね。今回の一件、どうも根は深いようですな——」

男はそう言って再び崖の端に立った。

「——馬が——死んでいる」

「え？」

男は崖縁で屈み込み、叢《くさむら》から大きなしゃれこうべを拾い上げた。馬の頭蓋骨である。

「これは——あなたのご主人の馬のようです」

「しゅ、主人の——馬？」

「そのようですな。しかし——これは——」

行者は繁繁と骨を凝視し、

「手遅れかもしれないが——」

と言った。

平助は恐れ戦《おのの》き、再び平身低頭懇願して、男を屋敷へと誘った。

男は御行の又市と名乗った。

又市は敷地内を見回し、それから屋敷の中を隈なく観察した。御行はやがて客間に到り、眠り続けるおさんを見た。平助は何故か慌てた。

「――こ、この娘はですね」

「この家の娘さんですね」

御行は澱《よど》みなく言った。

「わ、判りますか」

又市は頷いた。

そして、おさんの寝ている真上辺りの天井を見上げた。

「この娘さんは馬に護られている。心配は要りません。凶事が去れば目覚めるでしょう」

又市はそう言って客間を出た。廊下には百介が居た。又市は百介に会釈をして、案内もせぬのに真っ直ぐ寝所に向かった。

平助は慌てて後を追った。

障子を開けるなり、御行は眠っている長次郎を射竦《いすく》めるような視線で見た。

「これは――」

「如何で御座居ますか」

「矢張り手遅れ――のようですな」

又市はそう言った。

「し、しかし、そこを――」

「解っています――」

又市はそう言うと偈箱から札を出し、柱に貼り付けた。

「――手立てはひとつしかありません。馬が――」

「はい」

「馬が肚に入ったその時に、過去の一切の罪業を洗い浚《ざら》い告白するのです。それしかこの者の助かる道はない。肚の底から悔い改めれば馬は出て行くでしょう。悔い改めることが出来なければ――馬は死ぬまで訪れる」

「し、死ぬまで」

「馬が来たら――家人、奉公人の総てをそこなる庭に集め、念仏を唱えさせてくださりませ。罪の告白を聞く者が必要です。出来れば先程の娘さんを次の間に寝かせておくが良い」

「お――おさん様を」

「もし馬が旦那様を許せば――或《あるい》はこの旦那様が亡くなって、馬の災厄が過ぎれば――直ちにあの娘御は目を醒ますでしょうから――」

又市はそう結んだ。

一夜明けて、平助は家人奉公人を集め、一連の事情を説明した。

家人達は大いに驚いたが、半数近くは信用していないようだった。それはそうであろうと思う。馬が人の腹中に入るなど、天地が引っ繰り返ってもあり得ないことである。毎日馬を扱っている馬方達などから見れば、笑止千万といったところであろう。

又市は一日中長次郎の枕元で様子を窺っていた。

やがて——。

いつもの刻限が近づいた。

女中、奉公人、馬方、賄《まかな》い方——凡《およ》そ五十人が庭に集まった。百介も同席を申し出た。慥かに、諸国を巡り歩いて奇談を蒐集しているような男にとっては見逃せない出来事ではあっただろう。是非にと頼まれてしまうと、平助も否《いや》とは言えなかった。そもそも百介が訪れていなければ、凡てはなかったことである。

平助はずっと長次郎の傍についていたのだが、愈々その刻限が迫って来ると、又市に庭に出ているように言われた。庭に下り、並んだ奉公人どもの一番前に屈む。

庭に面した障子は開け放たれ、屏風の前にはすっかり窶《やつ》れた主、長次郎が横たわっている。隣の部屋にはおさんが寝かされている。

そして——平助は固唾《かたづ》を呑んだ。

馬が来るとはいうものの、いつもは気配だけである。姿を見た者はいない。しかしこの態勢だと——どこから何が来たって丸見えになる。いったいどのようなモノが訪れるのか。

平助は不安になる。

奉公人達は皆一様に半信半疑のようだった。みんなどこか投げ遣りだ。考えてみれば、長次郎も平助も人望がないのだ。外の者には兎も角も、奉公人からは決して好かれていないのである。

そして——。

どうどう。

どうどうどう。

廊下を駆ける音と共に——。

本当に——馬が、実体を持った、巨大な蒼い馬が現れたのである。

一同は大いに驚き、肝《きも》を潰し、あまりの奇天烈《きてれつ》加減に、全員が言葉を失った。

手燭を提げた又市がすう、と立ち上がる。

馬は二度ぶるぶると鼻を鳴らし、短く嘶《いなな》いて、それから——。

じゃらり。燭台の火が消えた。

突如長次郎がむくりと起き上がった。

平助は目を見張った。そして我が目を疑った。

馬が。

馬がするすると、まるで麩《ふ》か寒天《かんてん》のように変形して、長次郎の口の中に入って行ったからである。

「お、お、うぐぐ——」

「だ、旦那様——」

「動かないで！」

又市が庭に控えた者どもの動きを制した。

「さあ、念仏を——大声は出さずに」

ぼつぼつと南無阿弥陀仏が聞こえ出す。平助はまだ声が出ない。当然である。

馬が、人の肚にすっかり入ってしまったのだから——。

うぎゃあ——途端に一声絶叫して、長次郎はのたうち回って苦しみ始めた。苦悶を通り越して、最早狂乱である。どすんばたんと物凄い音がした。屏風などすぐに倒れてしまった。

又市がすっと鈴を翳《かざ》した。

りん。

「サテ長次郎殿。己の肚の中で暴れるは、己が殺め屠《あや》った者どもなり。この場で過去の罪業を悔い改め総てを告白したならば、それはすぐにも抜けましょう。どうです」

「う、う う」

「如何！」

「ひ、人を騙した」

「そんなことは良い」

「う、馬のし、死肉を喰った」

「それから」

「ひッ、う、馬を殺した」

「それだけか」

「こ、殺してく、喰った」

「何故だ。何故そこまでして馬の肉を喰う！」

「そ、それは、く、苦しいッ助けてくれ」

「あの——洞で馬を喰ったな」

「く——」

「喰ったんだな」

「喰った。あの味が、あの時の味が」

「そうか。それではお前は——誰だ！」

「お、俺は。俺は、ううッ苦しい、くるしい」

「お前は十二年前、あの山道で何をした。さっさと吐かねば死ぬぞ！」

「お、俺は、俺は、馬上の爺ィを斬り殺した。それから、あ、あの女も叩き斬った——」

「旦那様！　あなたは何を！」

「静かに！」

又市が一喝した。

「そして——穴の中で——」

「長次郎の顔の皮を剝いで、己は髭を剃り、長次郎になりすましたのだな！」

「な、なんですと！　そ、そんな馬鹿な！」

「平助さん。こいつはどうやらあんたの恩人なんかじゃないようですよ。恩人を殺した怨敵《かたき》らしい。そうだな、三島の百鬼丸——！」

「百鬼丸だとオッ！」

平助は叫んだ。長次郎は、いや、長次郎を装っていた男は、臓を抉《えぐ》られるような苦悶の表情を浮かべ、肚を押さえて呻《うめ》き声を上げた。

「御行 奉為《したてまつる》──」


りん。

長次郎は──否、百鬼丸は、断末魔を絞り出し、口から泡を吹いて悶絶した。

それはまるで、馬の嘶くような声だった。

ぱちり。

異質な音がした。途端に倒れた百鬼丸の口からぞろぞろと蒼黒い塊が流れ出て、それは馬の形に固まった。蒼馬は小さく嘶くと、そのまま廊下の向こう側に消えた。

庭に居た五十人の殆どが腰を抜かしていた。

「ま、又市殿、そ、その──」

「お聞きの通り──本人が申したことを信ずるよりありますまいな。天網恢恢疎《てんもうかいかいそ》にして漏らさず、この男は極悪非道の凶賊だった。しかし平助さん──」

世の中悪いことばかりじゃないですぜ──そう言って、又市は手燭で廊下を照らした。

そこにはおさんが立っていた。

7

戸板に載せられた百鬼丸の死骸が、馬飼長者屋敷から運び出されたのは、翌早朝のことである。

考物《かんがえもの》の百介は、感慨深くそれを見送った。

横には又市が立っている。遠ざかる骸を目で追い乍ら、又市さん――と百介が問うた。

「――私はね又市さん、ひとつだけ腑に落ちないことがある。あの男が百鬼丸だった――としてですよ、まあ髭を剃り落とし衣を着替えたんだとしても、顔までは変えられないでしょう。まあ、見知らぬものなら騙せるかもしれないが、どうして身内まで騙せ全《おお》せたんですか？　しかも十二年間もの間――」

「そりゃあ同じ顔だったからですよ先生」

「同じ――顔？」

又市は母屋の方を顧みて内緒ですぜ、と言った。

「本物の二代目長次郎は、百鬼丸の双子の弟の夜行丸なんですよ。馬扱いに長《た》けた――三島の夜行一味のもう一人の頭目だ」

「乙松ってのが夜行丸の本名だ。二十年前——奴は塩の長者の許に引き込みとして潜入したんだ。元元馬捌きはお手の物、引き込みとしての乙松は完璧だったンだな。信用されて——到頭婿にまでなった。だが、その段階でもう乙松は、盗人でいるつもりはなかったンでしょうよ。真っ当に働くことに慣れちまった。一方釈然としねェのが兄貴の百鬼丸だ。いつまで経っても繋ぎがとれねえ。業を煮やして道中を襲撃した。たぶん、弟が裏切ったなら長者一家もろとも斬り殺し、そのまま屋敷に押し込むつもり——だったんだろうが、しかし、こりゃあ巧く行かなかった」

「そ、それじゃあ——」

「長次郎——いや、夜行丸が向かって来たんですね」

「おう。長者の婿とは仮の姿、元元は盗賊の頭目——夜行丸だ。腕は互角ですからね。そりゃァ向かって行きましょうよ。兄弟は相争って崖に落ちた。そこで——」

「なる程——弟夜行丸は死に、兄が残って——そこで、これは盗むより入れ替わった方が安全且つ効率的だと、そう考えた訳ですね？」

「そう。まあ、最初からそのつもりはなかったんでしょうがね。あの穴が悪かったンだな」

「穴の中で——その気になったのですか」

多分ね——又市は松の木の根に腰を下ろした。

「どうして——判ったんです」

百介が問うと又市は笑った。

「なあに、評判がちぐはぐだったからですよ。江戸で会った乞食と、先生が乗って来た馬牽いてた馬子の話ァ同じ人間のことたァ思えねえ。元元の、貸本屋の平八の話からしてどうも嚙み合わせが悪いや。こりゃどこかで人柄が変わったか、将《はた》また――」

「そっくり入れ替わったと？」

「左様で。何かあったなら十二年前のことに違いねェ。穴ン中で何があったか――まあ、それは判らねェんだがね――ただ、奴《やつがれ》は検死の役人にこんな話を聞いたんだ。長次郎と同じ穴で死んでた盗賊は、餓死したんだ――とね」

「餓死って――」

「そうさ。どうやら穴に入った段階じゃ両方とも生きてたようなンですよ」

「両方――って兄も弟もですか？」

「そうのようですねェ。でもね、あんな穴ン中、体力使って怪我までしてね、真冬に十日も飲まず喰わずで、生きてる方がどうかしてるぜ。だが長次郎は生きてた。何故だと思います？」

「――一向に――判りませんが」

「馬の死骸が――一頭足りなかったという話だったンですよ。最初は子供ごと馬ァ盗まれたのかとも思ったんだが――どうやら違う。お蝶――おさんちゃんが見つかったのは富山の山ン中らしいが、馬で行く場所じゃアねえ。ありゃ子供だけ連れてって、越後獅子《えちごじし》にでも売るつもりだったンだろうよ。足手纏いになって、逃亡途中で捨てたんだ」

「じゃあ馬は――」

「まあ偶然ってェなあ皮肉なものでね。あの崖に最初に落ちたのは馬なんだ。一頭は崖下まで落ちたが、もう一頭は踠《もが》いて、それであの洞《ほら》の口のところに引っ掛かったンでさあ。そこに百鬼丸夜行丸兄弟が落ちて来て、馬に当たって助かった訳だ。洞穴にゃ兄弟の他に——入口近くに馬も居たんだ」

「それでは——」

「馬は重たい。怪我人二人で洞穴に引き込むなァ無理だ。しかし——馬の骨は洞穴の一番奥にあったンですよ」

「喰った——のですか」

それ以外に考えられねえでしょう——と又市は言った。

「そうか！　でも馬好きの夜行丸は——馬が喰えなかった訳ですね。だから餓死した」

「オウ。そこが生死の分かれ目だったンですよ。片や野蛮な百鬼丸は、平気で馬肉を切り取っちゃ貪《むさぼ》った。結局弟は飢えて死んで、兄は残った。残った兄は弟になり代わることを考えた。だが——悪いこたァ出来ねえもんで。百鬼丸は、てめえの命の綱だった馬肉の味が忘れられなくなっちまったンでしょうよ。喰って喰って喰い続けた。塩漬けなら兎も角、病気持ちの馬ァ殺して馬刺しで喰っちゃ御仕舞いだ。ありゃ腹の中に馬の虫が湧いたんだ。臓喰われて、もう助からねェ躰だったんですよ——」

上手くしたもんだぜ——と又市は言った。

いつの間にか背後に徳次郎と治平が立っている。

「又さん、中中堂に入った呑馬術だったぜ——」

徳次郎は大いに笑った。

「——あの平助ってなァ評判と違って中中見所がある。まあ、主人が入れ替わっていても気づかないでいたってなァ間抜けだが、それだけ真面目という見方も出来やすしね。お蝶と、否、おさんと一緒に塩の長者を守り立てて行くでやしょうよ。ま、又さんが気づいてくれたお蔭だな。ただ連れて来たんじゃァ追い出されて居たか、殺されてたかもしれねえや」

お蝶さんが落ちて来たのも幻術なんですか——と百介は聞いた。

「ありゃあ果心居士伝来でやす。まあ、あっしはお蝶を門前に寝かせて、騒ぎに乗じて忍び込み、天井の梁《はり》の上にね——それで、床下には治平さんがね」

「治平さんもいたんですか？」

「いたわい。徳の字が平助眠らせた後、お蝶に飯喰わさなくッちゃいけなかったからな。厠に連れて行く時は冷や冷やしたぜ。ったく損な役だァな」

因業だからよゥ——と又市は笑い乍ら言った。

そして又市は徳次郎に顔を向けて、

「またお前の芸を正面から見られなかったぜ——」

と、言った。

柳女
やなぎ　おんな

若《わか》き女《おんな》の児《こ》をいだきて
風《かぜ》のはげしき日《ひ》柳《やなぎ》の下《した》を通《とふ》りけるに
咽《のど》を枝《えだ》にまかれて死《し》しけるが
其一念柳《そのいちねんやなぎ》にとゞまり
夜《よ》な〳〵出《いで》て口《くち》をしや
恨《うら》めしの柳《やなぎ》やと泣《なき》けるとなん

絵本百物語・桃山人夜話／巻第二・第十二

1

北品川宿《きたしながわしゅく》の入口に、柳屋《やなぎや》という旅籠《はたご》がある。

柳屋は宿場《しゅくば》中でも指折り古い、十代から続く老舗《しにせ》であり、それは大きく立派な旅籠で、場所柄も客筋も良く、大層繁盛していた。

その建物の周りには、岸端でも水辺でもないというのに弱郎《やなぎ》が多く群生《はえ》ており、特に旅籠の中庭、池の端には一際大きな修楊《しゅうよう》が聳《そび》えている。それが柳屋という屋号の由来になっているのである。

高さは大屋根を軽く越え、幹の太さは大人三人でも抱え切れぬ程、古木とはいえ夏ともなれば青青と葉が茂り、それは見事な枝垂《しだれ》柳であった。

何でもその柳、旅籠を建てる前からその地にあったもので、御神木《ごしんぼく》だとか霊木だとか、伐《き》ると祟《たた》るとかいう噂が絶えず、残したものであるという。

実際に、昔のことではあるにしろ、伐り倒そうとして命を落とした者もあるとかないとか伝えられ、姿形も奇ッ怪至極であったから、傷をつけるは疎か触《さわ》る者とても、そうそう居なかったようである。

柳屋の建つその土地は、禁忌の土地であったのだ。柳屋は、その忌まわしき伝説の地に、祟り柳を懐に抱え込むようにして建てられた訳である。平たく考えてみるならば、これは愚かなことである。伐るの伐れぬのという前に、普通ならそのような場所で商売《あきない》をしようとは思うまい。

しかし――。

柳屋の創業者は、何を血迷うたものか、将《はた》また魔に魅入《みい》られでもしたものか、どうした訳かその悪所に旅籠を建て、商売《あきない》をせんと一念発起したのだそうである。

何時《いつ》の頃のことなのか、十代前というからにはまだ歩行《かち》新宿《しんしゅく》もなく、掛茶屋《かけちゃや》水茶屋もなく、神君《しんくん》が彼《か》の地品川町を東海道の第一宿と定めて間際のことでもあったろうか。

その創業者――伝えられる名は宗右衛門《そうえもん》、柳に取り憑《つ》かれてしまった物狂いと、その当時は大いに囃《はや》されたそうである。

慥《たし》かにどれだけ立地が良かろうと、それだけ恐ろしげな曰《いわ》く因縁《いんねん》の流布《るふ》したる、祟り柳楊《りゅうよう》の生い繁りたる怪しき場所に、普通なら旅籠は疎か小屋を建てようとも思うまい。

宗右衛門は元は尾張《おわり》の商人であったという。

ふらりと彼《か》の地を訪れて、この祟り柳を目にした途端、すっかり見惚《みと》れてしまったものでもあろうか。

一説に宗右衛門は柳の精に惚《ほ》れたのだ――ともいわれる。事実、宗右衛門は、品川で出合ったお柳《りゅう》という名の女を娶《めと》り、夫婦で旅籠を始めたのだと伝えられている。

慥かに、古来大樹は善く人に化けるという。特に柳は多く女に化生《けしょう》する。そうした話は本朝に限らず遠く朝鮮唐土《もろこし》でも善く語られることであるという。何よりも、女人に変じて人と契《ちぎ》る柳の話は、浄瑠璃《じょうるり》にまでなっている。かの蓮華王院《れんげおういん》、三十三間堂の棟木《むなぎ》に使われた柳もまた、女に化けて人に嫁ぎ、子まで儲けたそうである。

しかし、所詮浄瑠璃は創《つく》り咄《ばなし》である。どれだけ古《いにしえ》のことと雖《いえど》も、昔話や夜語《よがた》りを、頭ごなしに信用するような者はそう居るまい。流言蜚語《りゅうげんひご》には聞くものの、今のご時世真実《ほんとう》に、樹木が人に化けるなど、信ずる者など居りはすまい。妻の名が柳というのも出来過ぎていて信じ難いことではあるだろう。

とはいえ――宗右衛門が妻柳の名は、柳屋代代の菩提寺《ぼだいじ》の過去帳にも記されているのだそうである。仮令《たとえ》その実在は事実としても、それが柳の精であったなら、以降の柳屋の家系は皆、樹木の子孫だということになってしまう訳だし、如何《いか》に林泉《りんせん》の柳聖《りゅうせい》が立派であろうとも、そればかりは信じる者は居らぬだろう。加えて樹木の精が死して後、人として法宇《ほうう》に葬られるというのも得心の行かぬ話である。柳という名は偶然ということか。

兎《と》にも角《かく》にも――柳屋宗右衛門が品川で柳という名の女と添ったことだけは事実だったということだろう。それでも、宗右衛門が祟り柳の生えた地に旅籠を建てたのは、多分彼の者が取り憑かれた所為《せい》でも、妻が柳の精だった所為でもなく、寧《むし》ろ宗右衛門がそうした俗説迷妄を信じぬ類《たぐい》の人物だったからに違いないと――宗右衛門の子孫達は皆、祖先のことをそう理解していたようである。

宗右衛門という人は、慥かに商才に長《た》けた人物だったようである。

何故《なにゆえ》に品川くんだりまで流れて来たものか、その辺りの事情は詳《つまび》らかには伝わらぬものの、尾張では大きな舂米屋《つきごめや》やら煮売屋《にうりや》の店を幾つも持っていたそうで、今でもその店は代を替えて残っているという。

それ程の男であるならば、樹木が祟って禍《わざわい》をなすというような迷信妄信には耳を貸さなんだに違いない。寧ろそうした風評があるが故に、誰も手をつけなかった彼の地をば、二束三文で入手したというのが本当のところだったのやもしれぬ。

創業者宗右衛門は、品川町の宿場としての発展を見越し、元手を抑えて旅籠を建てて、一山当てようと画策したのではあるまいか。そう考えるのが現実的というものだろう。

実際柳屋は宿場の入口、旅籠を営むに当たっては条件的にも申し分ない土地柄である。商売人なら誰でも目をつける。虚妄迷信を廃するならば、たかが大木一本のことで野放図《のほうず》に放り置くことこそ、愚かなことではあっただろう。

畢竟《ひっきょう》、宗右衛門もそう考えたに違いない。

ならば――。

祟り呪いの風評さえも、利用しない手はないと、そうも思うたことだろう。

そう考えてみるならば、ヤレ祟り柳だソレ柳の精の末裔だのというような、愚にもつかない風聞も、可惜《あたら》評判を呼ぶための方便として、宗右衛門自らが流した噂であったのやもしれぬ。悪い噂程速く広まるものである。逆手に取ってしまうなら、良い宣伝にもなったろう。

いずれ真偽の程は知れずとも、旅籠の屋号がその巨柳に因《ちな》んだ命名であることは間違いないし、どうあれ祟り柳の大木を懐に抱く宿屋であったが故に、柳屋が評判を獲《と》ったことも違いはなかろう。

その後、品川宿は宗右衛門が見越した通り、東海道の玄関口として、また江戸の遊楽地として殷賑《いんしん》を極めた。場所柄旅客だけでなく江戸からの遊興客も多かったようで、やがて柳屋は、飯盛女《めしもり》の数も宿場一という立派な旅籠と相成《あいな》った訳である。

何時の頃か——中庭の柳の横には小さな祠《ほこら》が建てられた。

名はないが、柳を祀《まつ》ったものであった。

祟り柳は柳屋の守り柳となったのだ。

祟り神が守り神へと転じた訳だが、この守り神、大層ご利益《りやく》があったようである。

何年何十年経とうとも、枯れるどころか益々葉を繁らせて、柳屋もまた柳の如く長きに亙《わた》り繁盛し続けた。柳見たさに立ち寄る客も、未だ少なからずあるそうである。

柳屋は老舗旅籠として盤石の地位を得たに留まらず、旅籠以外にも質屋、小間物《こまもの》屋、鮨渡世《すしとせい》と、次次手広く商売を始めて、いずれも繁盛したのである。

正に柳様様といったところであろうか。

だからこそ、宗右衛門の子孫達は盆暮れ正月、ことあるごとにこの祠に参り、柳を崇《あが》め讃えたのである。それを思えば——宗右衛門の子孫達は自らを柳の精の血を引く者と、敢えて名乗ったのかもしれぬ。

しかし——その祠は、今はない。

取り壊されてしまったのである。

ひと昔程前のことだという。

取り壊したのはこともあろうに宗右衛門の十代後の子孫——今の柳屋主人であるという。

今の柳屋主人、名を吉兵衛《きちべえ》という。

この吉兵衛、中中学もあり、元元庭の祠を信心することに疑問を持っていたらしい。

それが丁度十年前、南品川の千体荒神堂《せんたいこうじんどう》——所謂《いわゆる》品川の荒神さんの講に加わったのを契機《きつかけ》に、すっぱりと信心を切り替えたのだそうである。

半ば流行神《はやりがみ》に気触《かぶ》れたようなものだったやもしれぬ。

「神仏聖人を崇めるならば兎も角も、たかが樹木、しかも嘗《かつ》ては祟るの障《さわ》りがあるのといわれた怪しきモノを奉《たてまつ》るなど以ての外——」

と、吉兵衛は言ったそうである。

そして庭の祠を打ち壊し、三月二十七日の荒神様の大祭の日に、止める家人達の手を振り解《ほど》き、護摩壇《ごまだん》の火にくべてしまったのだという。

吉兵衛は、次に庭の柳自体を伐ると言い出したのだそうである。しかし柳は中庭にある。大屋根を越す巨木であるから、建物を壊さぬ限り伐るに伐れなかったのだといわれる。

その後、吉兵衛は何が納得出来なかったものか、次次と宗旨を変えた。しかし、庭の祠は二度と建て直されることはなかったのであった。

大樹は残った。しかし当主からしてそうなのだから、樹を崇める者どもは、表向きは――絶えてしまったことになる。

これでは折角の守り神も再び祟り神に変じはせぬか、否、柳屋の命運もこれまでだろうと、宿場町には少なからず噂が立ったようである。

だが。

柳屋に然《さ》したる変化は見られなかった。相変わらず客足は絶えず、繁栄に翳《かげ》りは見られなかった。寧ろ商売は益々繁盛したのであった。

思い起こせば、創業者宗右衛門がこの地に旅籠を建てたこと自体が罰当《ばち》たり畏《おそ》れ知らずの行いであったのだろうから、吉兵衛の行いもまた、その血を引いた行いではあったのだろう。所詮言い伝えは言い伝え、何の根拠もない迷信と、誰もがそう思い直したのであった。

以来十年、商売上の支障《さわり》は何もない。今も柳屋は依然として栄えているのである。

ところが――。

それが祟りか否かは別にして、柳屋に禍《わざわい》がまったくなかった訳ではない。

禍は店にではなく、ひっそりと、吉兵衛本人に降りかかっていたのである。

吉兵衛は今年で四十だから、十年前は三十路《みそじ》になったばかりだったことになる。

その頃、吉兵衛には妻と子が居た。

そして祠を壊したのとどうやら同じ頃に、吉兵衛はその子供を亡くしているのである。

事故死だったそうである。

その後、暫《しばら》くして女房も死んだという。

子を失った故の錯乱——自害であったらしい。

噂に依ると——吉兵衛の女房は庭の柳の下で死んでいたそうである。

それから三年後、吉兵衛は後添えを入れた。

ところが、この後妻にはどういう訳か子が出来なかった。

三年経って子なきは去れの言葉通り、後妻は三年後に里に戻されたのだということである。

その翌年、吉兵衛は三人目の妻を迎えた。

今度はやがて子も生まれたが、その子もまた、僅《わず》か三月で死んでしまったというのである。

病死であったという。

三人目の女房は子供を失って狂乱し、そのまま家を走り出て行方不明《ゆくえしれず》になったらしい。

吉兵衛はその後、更に四度目の妻を娶ったが、その女もまた、子供を流して自らも命を落としたのだそうである。

結局、吉兵衛は十年で四人の妻を失い、流れた子を勘定に入れれば、三人の子を失ったことになる。夫婦《めおと》の縁《えにし》に薄かったのだと言ってしまえばそれまでなのだが、この数は幾らなんでも多過ぎるだろう。

考えようによっては、これだけの凶事の連続は、明白な祟り——と捉えられても、一向差し支えのない類のものである。何しろそれは祠を壊したのと期を同じゅうして始まっているのである。しかも壊した本人の身にのみそれは起きているのだ。

それは皆、子孫を絶やしてやろうぞという、柳の意志なのではなかったか——吉兵衛が神木の怒りに触れるような行いをしたために、忌まわしき呪いが発動し、子を殺し妻を殺したのではあるまいか——少しでも迷信を畏れる気持ちがあったなら、そう考えるのが普通ではある。

実際、祟りなのだと言う者も居なかった訳ではないようである。それだけ幾度も不幸が重なれば、仮令火種がなかろうと、煙ぐらいは立つだろう。良からぬ噂も少なからず囁《ささや》かれはしたようである。もしそうならば吉兵衛が、神信心をあれこれと手当たり次第替えるのも、もしや子や妻の供養のためであるのやもしれぬと、そう言う者もあったのだ。

しかし——。

当の吉兵衛は、神信心こそはしたけれど、漢詩唐詩に精通した智者でもあった所為か、頑としてそのような迷信は信じなかったのである。

「これは偶偶《たまたま》の積み重ねである。そうでないなら己の精進《しょうじん》が足りぬのだ。決して庭の樹木の所為などではないのだ——」

と、吉兵衛は公言して憚《はばか》らなかった。

そうした毅然とした態度は悪い噂を撥《は》ね除けた。

凶事が続いても尚、柳屋の主人は女運がない、子宝に恵まれぬのは哀れだ——と、それは至極世間並みの不幸として扱われたのであった。

しかし、それも商売が上手く行っていた所為だったかもしれぬ。栄えるものに忤《さから》う者は、矢張り少なかったのである。

2

あら。

おぎんちゃんじゃァない。

矢ッ張りおぎんちゃんだ。久し振りだねェ。

何年振りだろう。

モゥ七年から経つンじゃないかねェ。何しろあの頃は、妾《あたし》もあンたもこんな小娘で——。

え？

齢《とし》のこたァ言わぬが花かい。そうだよねェ。

それより何だいその格好。飴屋《あめや》じゃァないし、何だか派手な着物だねェ。え？　おぎんちゃん、踊り教えてるのかい？　そうなのかい。へェ。あンた、唄も踊りも三味線も、そらァ上手だったからねェ。妾はあンたなら一端《いっぱし》のお師匠《し》さんになると思ってたンだよゥ。

へェ、そうなんだ。え？

まァ色色あったのは一緒さァ。どうだい、一寸《ちょいと》休んで行かないかい。お団子でもご馳走するよゥ。

やだよゥ。何だか懐かしくッて、涙が出ちまった。

ねえ、おぎんちゃん。

本当に——些細《ちっ》とも変わらない。娘ン時のまンまじゃあないか。羨《うらや》ましいねェ。え？　妾かい。

まあ、色色とさァ。

うん。

苦労したサ。

何たって妾はお師匠さんに挨拶もしないで、黙って辞めちゃったただろ——心配した？　本当かい。嬉しいよゥ。あン時妾が何より悲しかったのは、あンたと離れ離れになッちまうことだったから。

お父ッつぁんが死んじまったろ。そう。

あれからは悲惨さ。お店《たな》畳んで長屋に越してサ。お稽古も出来なくなッちまったんだよ。

おッ母さんが内職してね。妾もお針子《はりこ》したりして何とかやってたンだけど、借金がさァ。

うン。

結局逃げたの。

お店の方はお父ッつぁんが生きてた頃から左前でねェ。相当に酷《ひど》かったンだよゥ。その辺の烏金《からすがね》から手当たり次第、そりゃア沢山借りててねェ。

割り切って身売りでもしてればまだ楽だったのかもしれないよね。今はそう思うよォ。別に女郎だって、そんなに悪いもンじゃないよ。そうだろ？

泥水啜《すす》るような暮らしだったよ。

それでもずっと江戸には居たンだよ。百姓は、しようッたって出来ないじゃないか。おッ母さんは元元江戸の人だもの。そう。だからどっか他の土地に行って暮らすって頭はなかったンだよ。上方に渡る程度胸はなかったし。江戸で駄目なら上方だって駄目だろうさ。何しろ女ばかりの所帯だから。

塵芥溜《ごみた》めみたいなところをね、西へ行ったり東へ逃げたり、辛かった。そのうちさァ。

おッ母さんが病みついちまッたのさ。

それも癆痎《ろうがい》だよ。

養生《ようじよう》させるどころの話じゃないのさ。薬買うは疎か、医者坊《いしやぼん》に診《み》せることだって出来やしなかった。お飯《まんま》食べさせるだけで精一杯だった。うん。そう。半年保《も》ちゃあしなかったよ。野垂《のた》れ死にだよねェ。妾はおッ母さんの骸《むくろ》と、お父ッつぁんの位牌《いはい》抱えてサ、茫然としたものさ。涙も出やしない。

葬式だって出せやしない。埋めることも出来ないンだから。仕方がないから夜のうちにさ、お寺の前まで何とか運んでね、でも供養頼むったって一文のお金もないのさ。だから置き去りにするよりない。

無縁仏だよォ。

情けなくって、寂しくって、随分泣いた。

うん。お父ッつぁんが死んで、丁度三年くらいだった。だから、妾はもう――二十歳になるかならないかだよ。十分働ける。でも、そんな身許も知れない乞食みたいな娘は、どこも雇ってくれなかったよ。

駄目だったねェ。

その昔は薬問屋の娘でした――なんて、どれだけ言ったところでさ、誰も聞いちゃくれないよゥ。本当だって判ったって、昔の話だろ。どうってこたァないのさね。お銭《あし》持ってる訳でもないし、雇ったって何の得もないもんねェ。

ああ、お銭がありゃそんな苦労もしないよねェ。

それでも躰《からだ》売るって考えにはならなかった。

おッ母さんが、神懸けてそれだけは駄目だと、口を酸っぱくして言ってたから。そう。遺言みたいなもンだろう。

そのために自分が躰毀《こわ》してさ。死んじゃったらそれまでなのにさァ。おッ母さんは、自分の命削《けず》ってまでも、妾が身売りするのを嫌がったんだ。

だからね。だからさ。

うん。

別に、どうということはなかったんだけどね。夜鷹《よたか》にでもなれば話は早かったんだけど。

だからさ――。

うん。大丈夫だよ。御免ねェ。久し振りに会ったってのに、こんな辛気臭《しんき》い話ばッかりしてさァ。あンたと唄や踊りのお稽古してた頃が、妾にとっちゃ何より良い思い出なンだよゥ。だからさ。

うん。思い出したら湿っぽくなッちまった。

ああ。

結局ね、妾ァ料理渡世の下働きなんかした。

最初は汚い小さい店だったけどね。一所懸命働いたよ。でも長続きはしなかった。旦那がさァ、手を出したのさ。妾に。それで——辞めて。

違うよゥ。そういうんじゃない。

まあ、小娘って齢じゃあないからさ。それも仕方がないことさ。そんな齢になってそんな仕事しててサ、男知らないってのもね、通らないじゃないか。幾ら嫁入り前ったッて、嫁に行ける算段なんかないんだしね、そんな綺麗ごとで通る齢じゃやないだろ。二十歳過ぎててサ。

そう。

その頃の妾は、モウ大店《おおだな》のお嬢じゃァなくって一膳飯屋の下働きだもの。

でもね、駄目なンだ。駄目だったのさ。

女将《おかみ》さんに追い出されちまッたンだよゥ。こっちが良くたって向こうが駄目なんだ。

妾が淫蕩《たらし》込んでると思うンだろうねェ。

悋気《りんき》出しやがるのさ。嫉《や》くんだよゥ。

ところがさ、何処《どこ》に行ってもね、すぐにさ、手をつけられるンだよ。早いとこはその日のうちに手ェ出しやがるのさ。躰目当てで雇うとこもあった。

拒《こば》めば拒んだで、生意気言うなと責められる。この女《あま》ァ、他に取り柄でもあるのかと怒鳴られてサ。追い出されるのが落ちだ。拒まなきゃいいかッてェと、今度は泥棒猫《どろぼうねこ》と詰《なじ》られて叩き出されるし。

とどの詰まりは辞めさせられる。そんなものだよゥ。

中にはさ、囲ってやろうって助平親爺もいたけどね。それは御免だって——まあ未通女《おぼこ》じゃなくなってもさ、躰売ってる訳じゃないって、そんなンなってもまだ思ってた訳さァね。

そう。

流れ流れてね、ここに落ち着いたの。

飯盛女。そう。結局女郎なのさ。飯盛女ってのは要するに宿場女郎だもの。躰開いてなんぼのもンだものさ。可笑《おか》しいよねェ。悲しいよねェ。

でも江戸で夜鷹なんかするよりはマシさ。夜道で袖《そで》引くこともないし、莫蓙《ござ》で寝ることもないし。それに岡場所なんかと違って、宿場暮らしは気楽なもンだから。だって、売られた訳じゃないから。年季がある訳じゃなし。

それにね——。

え?

ふふふ。

それがさ。

うん——。

今は仕合わせサ。

実はね、妾の境遇を聞いてね、豪《えら》く同情してくれた人が居てサ。なんていうのかねェ。

ううん。何だか言い難いねェ。

照れ臭いよう。

身請けというんじゃなくッてね。妾は年季奉公じゃないからさ。

お金だって貯まってるしさ。うん。そういうことさ。

ううん、客じゃないんだ。

そう。実は——旦那様なんだよう。妾の居る旅籠のさ。

そう。え？　玉の輿だって？

嫌だおぎんちゃん、何だか恥ずかしいじゃないか。ヤだよもう。そう。だから妾は、お客はとってないんだよ。

でも、幾ら元は町屋の娘だといっても、飯盛女には違いないじゃないか。色色とね。反対する声も多くって。苦労もしたンだけどね。当たり前じゃないか。妾はもう二十五だもの。でもね——うん。

漸《ようや》く祝言が決まったンだ。三日後なんだよ。

やゝ、やゝが——出来たからね。

3

世間は狭ェなおぎん――そう言い放ってから、白い帷子《かたびら》を纏《まと》った男は手に持った白木綿《もめん》を手拭《ぬぐ》いの代わりにして、最近剃り上げたばかりの坊主頭をつるりと撫《な》でた。その木綿は、先程まで自《おの》が坊主頭を行者包《ぎょうじゃづつ》みにしていたものである。

男は――小股潜《こまたくぐ》りの又市《またいち》である。

「それじゃあ何か。偶偶《たまたま》出ッくわした女がお前《めえ》の幼馴染《なじ》みで、その幼馴染みが流転の果てに向けェの旅籠の飯盛女になっていて、しかもその飯盛女が件《くだん》の吉兵衛の――五番目の嫁に見初《そ》められたって、お前はそう言うのかい」

「そうさ」

そう答えてから、山猫廻《やまねこまわ》しのおぎんは障子をつうと開け、格子に肘を懸けて視線を外に飛ばした。

派手な江戸紫《えどむらさき》の着物に草色の半纏《はんてん》。抜けるように白い肌と切れ長の妖艶な眼――山猫廻しとは大道芸の傀儡師《かいらいし》のことである。

おぎんは眼を細めた。

その位置からは真向かいの旅籠の屋根瓦《がわら》と、屋根より高い柳の木が見える筈《はず》である。柳屋の真向かいにある小さな旅籠――三次屋《みよしや》の二階なのである。

「それにしたってサ」

大きな柳じゃないかえ――とおぎんは言った。

話を逸《はぐ》らかすンじゃねえよ――と又市が言う。

「どうする気だよおぎん」

「どうするって、何をさ」

又市は脚半《きやはん》を解《ほど》き乍《なが》ら続ける。今しがた到着したばかりなのである。

「今回の話の出所はお前だからな。やめるなら――こっちは構わねェよ。銭も返《けえ》すぜ」

「又さんこそ何を言ってるのサ――」

おぎんはそう言って、障子を閉めた。

「――このままにしておける訳がないじゃないか」

三味の音を思わせる声である。

「だってよ」

「だって何だい」

「聞けばその――八重《やえ》さんか？　その八重さんってのは――相当苦労したんだろうによ。長ェこと辛ェ目を見続けて、ようやっと摑んだ仕合わせだって、そういう話なんじゃねェのかい」

「そうさ――」

おぎんは眼を伏せ、白い項《うなじ》を伸ばした。

「――八重ちゃんはね、茅場《かやば》町の薬問屋のお嬢だったンだ。又さんだったら知ってるだろ。ほら――七年前に首吊って死んだ」

「茅場町の薬問屋なァ。七年前《めえ》か――」

又市は人差し指で顎の先を掻き、やがてぽんと手を打った。

「――ん？　そりゃ、あの――旗本奴《やっこ》に難癖つけられて身上潰した、あの須磨屋《すまや》のことじゃあねェか？」

「そうだよ。その須磨屋だよ」

「おウ。それなら聞いてるぜ。あれは災難だったそうだな。ヤレ薬が効かねェの腹が痛ェの、挙げ句の果ては客あしらいが悪いのと、謂《いわ》れのねェネタで強請《ゆす》られて――それでそうかい。そりゃあ、あそこの娘のことかい――」

又市は顔を顰《しか》めて暫く黙り、やがてにやりと笑ってから、声を出さずに肩を揺らした。

「何サ。何が可笑《おか》しいンだよ」

「だってよ。するってエとおぎん、お前はその頃、まだ素ッ堅気の小娘で、大店の箱入り息女《むすめ》とご一緒に習い事してたと、こういうことかい」

そうだよ――おぎんは又市に面を向ける。

切れ長の眼の縁だけがほんのりと朱《あか》い。

「――それがどうしたってのさ」

又市は声を上げて笑った。

「お前に娘時分があったなんてェ話はそもそも笑わせるじゃねェか。泣く子も黙る山猫廻しのおぎん姐《ねえ》さんにも、そんな垢抜《あかぬ》けねェ頃があったのかね」

馬鹿にしてるよゥ——とおぎんは答えた。

「残念乍らあたしは昔ッから垢抜けてましたのさ。それを言うならあどけないとか、初初《ういうい》しいとか、少しはマシに言ったらどうなんだい。垢抜けないとか笑わせるとか、口が減らないにも程があるじゃァないか。この御行《おんぎょう》め」

ふン——と、御行は鼻を鳴らした。

「冗談じゃねエや。口が減らねェのはお前の方だぞ山猫廻し。その、小生意気なことをかます口がなかったらな、奴《やつがれ》も少しはお前の見方を変えてやろうじゃねえか。その、他人を嘗《な》め切った口の利きようは五年や十年で養えるものじゃァねェ。餓鬼の頃からてめえって女は、そうだったのに違いねェ」

「何だい。相変わらず口ばっかり達者で女を見る目がないね。あたしはねェ、そりゃあ可愛らしい、小町と評判をとる娘だったのサ。お八重ちゃんは、丁度あたしのひとつ下でさ。素直ないい娘だったンだよ。踊りの筋も良かったしね。それが——」

おぎんは横を向く。

「まあ——」

又市は白木綿を広げて、矢張り横を向いた。

「——まあ災難ってなァ瀑《にわかあめ》みてェなもんで、突如《いきなり》来やがるもンだからな。避けようたって避けられやしねェのよ。いずれ俺だってお前だって、似たような境遇じゃァねえか。死なずに生きていたんなら、良しとしなけりゃなるまいよ」

「そうだよ。生きてて何よりサ。生きていたからこそ、玉の輿にも乗れたってものサ」

だからその玉の輿だよおぎん——と言って、又市は身を乗り出した。

「まあ——これ程の老舗の主《あるじ》が飯盛女を嫁に取るってこたァ、普通はねえ。慥かに玉の輿だがな」

解ってるよとおぎんは言う。

「何のかんの言ったって、ややが出来た所為なンだろうさ。柳屋はこの十年、偏《ひとえ》に跡取りが居ないことだけが悩みの種だった訳だからねェ。飯盛女だろうが下女だろうが、孕《はら》めば素姓は別だったンだろう」

又市は旅仕度をすっかり解いて胡坐《あぐら》をかき、素姓ってェんなら問題はねェんだろう——と問うた。

「まあ——お八重ちゃんは今でこそ身分の卑しい白ッ首だけど、元を辿りゃあ商家の娘。根っからの遊女でもなけりゃ百姓娘でもないからね」

「そうだろうよ。いや、俺が思うにそのお八重さんは、飯盛女ァ成り立てだろう。吉兵衛は曲がりなりにも旅籠の主だ。手前《てめえ》ンところの飯盛女に手ェつけるにしたって、何年も奉公したような草臥《くたび》れ女郎にゃつけやしねェよ」

「そりゃそうかもしれないけど」

「そうさ。いいかおぎん。須磨屋が潰れたなァ七年前《めえ》だ。それから三年後にご母堂が亡くなった。ならお八重さんが一人で暮らし始めたなァたった四年前じゃねェか。そのうえご母堂のご遺志を継いで、暫くは身売りする頭ァなかったと言ってたんだろ。夜鷹になる気もなかった。で、江戸から出てもいいねェ。ならきっと、飯盛女になったなァこの品川が――」

「最初だって言うのかい？」

「そうだろ。東海道の最初の宿場ァここだぜ」

「じゃあ――お八重ちゃん、柳屋が初めての」

「そうだろうよ。生娘《きむすめ》だったかどうかは別にしてもよ、客を取るようなこたァ、ここに来るまでしてねェ筈だぜ。吉兵衛は多分――八重さんを採る時に目ェつけたのに違いねェ」

「つまり――飯盛女に採ると言っておいて、半ば囲ったようなものだと？」

そうに決まってらァと又市は言った。

「てめえが惚れて雇ったンなら他の男に抱かせやしねェよ。八重さんの客ってなァ思うに吉兵衛だけなんだろう。なら何の支障もねェことよ。しかしおぎん。だからこそ俺は心配してるンじゃねェか。慥かに八重さんは今仕合わせだろう。でもお前がその、おもんとかいう女郎から聞いた話が本当なら――」

とんでもねェことになるぞと言って、御行は真顔でおぎんを見据えた。

「おもんの話が真実なら――」

「あの人は——」

おもんさんは嘘吐《つ》いちゃいないサ——とおぎんは少しだけ声を荒げた。

「——おもんさんの言葉は本当だ。あの人は——地獄を見たんだよ。信じられない思いをしたのさ。ただ、それでもあの人にはあの人自身の身に起こったことしか判らないよ。それが真実かどうかは——判じられるもンじゃないだろうさ。それはそうなンだろうけれどね」

お前はどう思うよ——又市は身を低くした。

「吉兵衛って男は——」

「おもんさんの言う通りの人間だろうサ。そんなこたァ——然然《そうそう》出来ることじゃないだろ」

「でも証拠《あかし》がねェ——そういうことだな」

「それを見つけに来たンじゃないか」

だからよ——又市は一層身を低くとった。

「見つけるには時が要ると言ってるんだよ。一方祝言まではもう三日しかねェ。俺が言ってるなァそういうことだ。時が足りねエンだよ。吉兵衛の野郎がおもんさんの言う通りの男だとしてもだぜ、そうなら簡単に尻尾ォ出しゃあしねェだろ。だからといって——真偽の知れねえことを、これから嫁ごうてェ花嫁に報せる訳にも行くめェよ」

「そんなこと——もし本当だったとしたって、信じるもンはいないよ又さん。そんな奴ァ普通に考えりゃ居る訳ないじゃないのさ。信じないなら言うだけ無駄さァね。そりゃあただの嫌がらせじゃァないか」

「それはそうだが――じゃあどうする。何も告げずに嫁入りを諦めさせるか？　まあ、真実かどうかは別にして、危険を避けるつもりならそれが一番だ。何なら――俺が双方角の立たねェように、縁組破談にしてやるぞ――」

この又市という男、格好こそ僧形の札撒き御行ではあるけれど、舌先三寸口八丁、口から先に生まれて来たような小悪党なのである。欺《だま》す賺《すか》す騙《かた》る謀《たばか》るはお手のもの、それ故に、小股潜りの異名を持っているのである。縁切り仲人口は得手中の得手。慥かにこの男なら、女一人言い包《くる》めるのも、縁組を破談に持ち込むことも朝飯前のことだろう。

「――添っちまってからじゃ遅《おせ》ェだろう。祝言の前になンとかしなくちゃなるめェよ。なァにそれならば簡単だ。仕掛けも罠も要らねェぜ――」

駄目だよそれじゃあ――とおぎんは言った。

「駄目とはなんだ」

「だッてお腹《なか》の子はどうするっていうのさ」

「どうするって」

「子供に罪はないだろうよ。折角《せっかく》授かったものを堕ろせというなァ非道《ひどう》じゃないか。かといって、女一人で放り出されちゃあ路頭に迷う。赤子おぶって客引く訳にも行くまいよ。そのくらいのこたァ又さん、あんただって承知のことだろうに」

おぎんは細い頸《くび》を傾げて又市を見据えた。

又市は訝《いぶか》しそうな顔をする。

「だってそれじゃあ千日手だ。関わらねェ方がマシってことじゃねえのか、オイおぎん。だから俺は最初《はな》ッから、この度は引こうか、と言ってるんだよ」

「何だい。いつもの又さんらしくないね。考えるまでもないことじゃないか――」

おぎんはぴしゃりと言ってのける。

「――お八重ちゃんには仕合わせになって貰うのサ。それでおもんさんの頼みも果たすンだ。それでこそ小股潜りの本領発揮じゃないのかえ――」

山猫廻しは更にきつい口調で続けた。

「――あちら立てればこちらは立たず、だから両方立ちませんなンて野暮天《やぼてん》な能書きは、酒屋の小僧にだって言えることじゃないのさ。立たぬ双方立ててこその小股潜りだろ。そのために大枚叩《はた》いてるンじゃないか。出した分は働いておくれ」

煩瑣《うるせ》ェな、口の減らねェのはどっちだよ――と、又市はぼやいて、自《おの》が頭に木綿を器用に巻いた。それから脇に置いてあった偈箱《げばこ》を引き寄せて首へと掛け、大儀そうに立ち上がった。

「どこ行くのさ」

「仕方がねエじゃねえか。一寸《ちよいと》この界隈で商売して来らアな。幸い考物《かんがえもの》の先生もまだ到着してねエようだしな。どうであれ――仕掛けるにしてもあれこれと仕込みが要るだろう。まずは檀《だん》那寺《なでら》へと挨拶に参り、その辺り一回りして、この有り難い、霊験《れいげん》あらたかなお札でも撒いて参りやしょう――」

そう言って又市は、偈箱の中から化け物の絵を刷った札を一枚取り出して、宙に放った。

4

あれは祟りだ。
祟りに違いなかろ。
あれを祟りと言わずして何を祟りと言うか。
そりゃ柳の祟りに決まってるじゃろ。
うんにゃ、祟るってより、怒ったのかもしンねえな。
酷《ひで》ェ扱い受けてよ、柳も肚《はら》を立てたんだよ。
樹は祟ろうぞ。おう祟るともさ。
信じてないな。
儂《わし》は信州の生まれなんだがな、あんな田舎にも祟る樹は沢山あったわい。
あったさ。そんなの何処にでもあるわ。
儂の生まれ在所《ざいしょ》のな、大熊《おおくま》ちゅう処にもな、飯盛松《いいもり》ちゅう松があってなぁ。
立派な松じゃけれど、こう、枝振りが飯を盛ったように見えるんじゃな。
綺麗な松じゃったよ。

その昔、源頼朝《みなもとのよりとも》公がその前を通りかかった際にな、この飯盛松に月が懸《か》かるのを御覧になって、あまりの美しさに褒め称えたという申し伝えも残っておる程の由緒正しい松じゃった。この松の葉をな、飯に炊き込むと、炊き損じることがないともいわれてな、儂のところでも入れていたねえ。

懐かしいのう。

この飯盛松をな、伐ろうとした者が居った。

儂の子供の頃のことじゃったけどな。こう、斧を打ち入れたらな、途端に血が噴き出したってェんだな。樵《きこり》は驚いたさ。すると傷口から蛇が一匹這《は》い出て来て、樵に襲いかかって来たそうじゃ。

え？

儂は見てないさ。儂は樵じゃないから。でもその樵のことは知ってる。そいつはその後本当に死んじまったし、飯盛松には傷がついていて、そこには黒い血の固まったのがずっと残っておったからな。

そういうことはあるもんじゃ。

樹だって生きておるんだからな。

歳月を経りゃ色色と障《さわ》りも為すわい。

あの柳屋の柳はな——お前さん見たか？　うん、そりゃ見るわな。宿場に入りゃ嫌でも見えるものな。あれは立派なものじゃろう。

儂もこの齢になるまであんな柳は見たことがないわい。

飯盛松なんかよりずっとでかい。つまり古いんだな。

飯盛松程度でもそんな霊威を成すんじゃよ。あれだけ大きいんだから、そりゃあ畏《おそ》ろしい力を示すじゃろと、儂なんかは思うがね。

ん？

いや、悪いことばかりじゃなかろうよ。

人だってそうじゃないかね。誰だって良くされりゃ恩も感じるし、恩を知りゃ恩返しもしよう。反対に辛くあたれば恨みも持つし、そうなりゃ仕返しもしよう。尤《もっと》も人の場合は恩を仇で返すってこともあるがな。動物や樹木はそんな道に外れたことはせん。

だから大事にすりゃいいこともあるわい。

粗末にすれば祟りもするな。

祟るんだ大樹は。

だってありゃあんた、あの大きさだもの。

ただでさえ祟り柳って評判の柳だったんじゃよ。樹齢数百年、いや千年にもなんなんとする国一番の柳だからなあ。飯盛松じゃねェが、伐れば血が出る、倒そうとすれば必ず祟るといわれていたそうじゃよ。手ェ出して死んだ者もおったそうじゃ。それが禍《わざわい》を呼んだなら、そりゃあ畏ろしいことにもなろう。

そう。そうさ。あそこは元元、人の棲《す》む場所じゃねェもの。

おう。柳の場所じゃよ。柳屋は、そこに無理矢理旅籠建てた訳だろ。つまり間借りしてるようなものだわいな。借りてるならば礼は尽くさなきゃなるまいよ。それが筋だろ。何もなくったってよう、感謝して、慈《いつく》しんで、大事にするのが当たり前じゃないか。そうだろ。

え？

だってお前さん、あの吉兵衛は、ものの理屈は判る癖にそういう道理だけはまるで弁《わきま》えないんだな。樹木の神性というものをまるで信じてないのじゃ。木は木だ。木を伐るのが怖いんじゃ家も建てられないし、杓子《しゃくし》も削《けず》れないと、こういう訳だ。

まあ、それも道理といえば道理なんだがな。何だかんだいって、儂等は木ィ伐って家を建てとるんだし、薪《たきぎ》にくべて煮炊きをしておるわい。でもなお前さん、それもな、気持ちの問題じゃろ？

そう。気持ちの問題よ。

山川草木《さんせんそうぼく》どんなものにも仏性《ぶつしょう》はあると、伝教《でんぎょう》様も仰《おっしゃ》っておるわい。だから、木なんてどうでもいいちゅうのは思い上がりってものじゃろ。有り難いと思いこそすれ、粗末にしていいちゅうもんじゃねェじゃろうて。

樹木があるからこそ家も建てられる、煮炊きも出来れば汁も掬《すく》えると、こう思うのが真っ当な者じゃ。

十年前、柳の祠を壊した時だってな――。

そりゃにべもない有様だったと聞くな。

それでもなあ、何かこう、信心でもあったてンなら話は別よ。阿弥陀様でも観音様でも信心してて、だから柳なんか崇められんというならな、仮令《たとえ》柳が祟っても、念じておる神仏が護ってくれるじゃろうて。そりゃ、神さん仏さんは、有り難いものじゃからなあ。信心して悪いことはないじゃろ。

その信心を貫くために木を伐ったとか、祠を廃したとかいうならまだ判るンよ。儂にも。

え？

違う違う。

そんな、荒神様の信心なんて上辺《うわべ》だけじゃ。

気の迷いだったンかな。半年も保《も》ちゃせんかったと思うぞ。

そう。すぐにやめちまった。

だからよゥ、あんな半端な信心したんじゃ、却って悪いことがあるわい。

儂はそう言うとるのよ。

大体、先祖代代の菩提寺がちゃんとあるってェのに、何だって隣の町の寺の講になんか入るよ。本当の信心があればそんなことはしないわい。

儂はな、童《わらし》の頃から吉兵衛という男を善く知っておるんよ。先代と違うて吉兵衛はな、外面はいいし商売上手なんじゃが――結局無信心なんじゃ。

無信心じゃて。

妙な智恵はあるんじゃ。それが邪魔するんかいなぁ。

信心は理屈じゃないじゃろう。

信心する気はあるようだがな。所詮は理詰めじゃどうもならんて。

オウ。そうじゃ。その通りじゃ。色色と拝んでいたようじゃなあ。

なあに、吉兵衛はな、商売でやっておるだけなんじゃよ。荒神講抜けた後もあれこれ宗旨を変えとるようじゃが、どれもご利益《りやく》目当てなんじゃ。ご利益ちゅうても吉兵衛の場合は気持ちの問題じゃないからね。目に見えるご利益よ。銭金だな。

信心と申すものはそういうものじゃあンめえ。

金が欲しいと祈る訳じゃないんじゃよ。それもあるのかもしれんがな。

それだけじゃあないのだ。どうやらなあ。

あの亭主、この頃じゃあ江戸の流行神《はやりがみ》に次次気触《かぶ》れてるようなんだがな。そりゃ節操がない程だが——どうも肚の底から信じてる訳じゃないようなんじゃよ。

あれは、客引きも兼ねている訳だ。

庚申講だの大黒講だの入るだろ。それで、暫く信心する格好をして、講仲間と親しくなってな、それからぞろぞろと講仲間を自分の店に引き連れて来て、金を落とさせるンだ。

なァに遠くじゃねえや。ここは品川だかンな。

江戸からは近い。それに下手な場所より賑やかだろう、この辺は。でもな、江戸から遊びに来る奴ァ大抵歩行新宿《かちしんしゅく》に行くだろ。それをよ、上手いこと自分の処に呼び込んでな、遊ばせる訳だよ。

ま、それも悪いこっちゃねえ。

いや、あの亭主はな、悪い男じゃねぇんだわい。寧ろ気立てはいいわさ。優男《やさおとこ》だしな、親切で人もいいよ。評判はいいんじゃやな。商売にも熱心だ。まあそれは少少熱心過ぎるくらいだろうがな。

守銭奴《しゅせんど》？　いや、そう吝嗇《けち》って訳じゃないようだがなあ。金儲けが好きというより、真面目なのかもしれんわい。真面目な童だったからな。代代繁盛してる柳屋の十代目として、責任を感じとるちゅうのはあるのかもしれん。なら哀れじゃやな。

それでも無信心は無信心よ。

信心が足りなきゃ祟られもするわい。

仮令《たとえ》本人に悪気はなかろうと、銭勘定をば念頭においた信心じゃあ、却って悪いわな。

それも流行神《はやりがみ》ばかりだろ？　護っちゃくれないわい。相手は樹齢千年だ。そんなだからさ。

そう。人間畏れを失っちゃ駄目さ。

神でも仏でも、庭の大木でも何でもいいのさ。本気で畏れ崇めてれば、謙虚な気持ちになるじゃろ。それが大事なんじゃや。神仏も信じない、木は伐ってしまえ——ってンじゃ、幾ら人が良くたって、何かに祟られたって仕方ないな。

祟りなんだって。

え？

いや、だから儂も何度か意見したんじゃや。

そんな訳の判らん神信心するくらいなら、庭のご神木にお神酒《みき》のひとつもあげてみろって。聞きやしないさ。

意地になっとる。

だから子供が死ぬ。女房が居つかない。

あのな、吉兵衛の最初の子供な、慥か信坊というたと思ったな。あれ、可愛い男の子だったがな。

あの子はな——。

うん。哀れなことだ。

あの子は柳が殺したんだ。

いや、その通りの話だよ。柳が殺した。

あの子はね、あの中庭で、しかも子守女の背中で死んだんだ。首が据わったばかりの頃だった。

こう、おぶってあやすだろ。その日は中中寝ついてくれなくて、子守女は中庭に出て、子守歌唄い乍ら寝かしつけていたんだそうだ。

風が吹いたんだそうだ。

ふわっとな。

で、泣いていた子が静かになった。

やっと寝てくれたと思ったんだそうだよ。

でな、蒲団に寝かそうと、こう歩き出す。するとな、こう引っ張られるような感じがする。

妙だと思って振り向くとな、枝垂柳の長い枝が一本、背中に引っ掛かっていたんだそうだよ。

何だと思ってこう振り払うな。

取れないんじゃと。

何度払っても取れない。

摑んで強く引くと、
背中でぐう、という。

はっと気づいてな、ねんねこを脱いでよ、子供を下ろすとな。

そう。

柳の枝が、幾重にも子供の頸に巻きついていたんだそうだ。

風に乗って巻きついて来たんだ。

赤ん坊はそれで頸絞められて声が出なかったんだな。

そうよ。

子供は柳に縊《くび》り殺されたんだよ。

子守の下女は半狂乱だ。女房の——お徳さんといったな。お徳さんも、もう取り乱してな。

儂も行ったがな、もう、見ているこっちが悲しくなった。

結局下女は居なくなって、お徳さんは柳の木の下の、丁度祠のあった場所で、胸突いて死んだ。

余程悲しかったんだろうな。

吉兵衛は腑抜《ふぬ》けみたいになった。

下女？

ああ、子守してた下女か。あれはその後、浜に打ち上げられた。身投げしたんだな。

祟りだろうさ。

これを祟りと言わずして何を祟りと言うか。

柳の枝が巻きついて赤ん坊の頸絞めるなんて。

おお、恐ろしい。

でもな、吉兵衛は一向に柳を大事にしようとしないんだな。

儂も、それから他の旅籠の者もな、皆で幾度も諭《さと》したンだが、駄目じゃったな。まあ、子供と女房を殺した柳だから、仕様がないかとも思ったさ。最初はな。怨んでいるからないがしろにするのかとな。女房子の怨敵《かたき》拝むのもどうかとよ。でも違うんだよ。そんなこたァあいつは微塵も考えちゃいねェ。吉兵衛はな――。

あれは不幸な――事故だと言うのさ。

まあ、事故は事故だが。屋根から落ちたの犬に噛《か》まれたのちゅうのとは違うじゃろ？　違うわい。でも吉兵衛の奴は同じだと言うのじゃな。そうとでも思わにゃ遣り切れなかったのかもしれんがな。それでもな。

その後もなあ――。

5

祟り？

祟りじゃァないでしょうよ。

ええ。祟りというか、寧ろ遺恨でしょうかねェ。

はァ？

柳の祟り？

そういうのはねェ。どうなんでしょう。

海老屋《えびや》の与吉《よきち》さんがそう言ったンですか。そうねェ。お年寄りは皆さんそう仰《おつしや》いますよ。でもそりゃァ、ねえ。この辺は皆、あそこのお寺の檀家で御座居ましょ。あそこの和尚様がそう仰るンですよ。だから言うンで御座居ましょ。

あれねェ。私はね、吉兵衛さんとは幼馴染みで御座居ますから、その辺りの事情は善く存じておりますのさ。

順序が違うンですよ。順序が。

忘れてるンで御座居ましょう。

まあお年寄りで御座居ますから、それも仕様がないことなんでしょうけどね。何しろ十年といえばひと昔。与吉さんなんかあのお齢ですからねェ。去年のことだって覚束《おぼつか》ないンじゃ御座ンせんか。何か思い込みがおありになるのかもしれませんしねェ。

吉兵衛さんが柳の祠を壊したのは、信坊が亡くなった後のことなんで御座居ます。

はいな。

信坊が亡くなったのは秋口で御座居ましたから。だってまだ柳の枝が青かったンで御座居ますから、間違いは御座居ませんよ。

はい。柳の枝が頸に絡《から》んで亡くなったのは本当ですよ。私、飛んで駆けつけたんで御座居ます。信坊の頸には柳の葉がまだついておりましたもの。

痛痛しい。

不幸な事故で御座ンすよ。

はい、事故で。

吉兵衛さんがね、祠を壊したのは翌年の春で御座居ますよ。だって、荒神さんのお祭りの護摩の火で燃やしたんで御座居ますから。千体荒神堂の大祭は三月にやるンです。あそこは荒神鎮めに加えて火伏《ひぶ》せのご利益がありますでしょう。竈《かまど》の神様で御座居ますからね、あたし等客商売なら信心したって、何も怪訝《おか》しいこたァありませんよ。

ええ。

荒神講は今も大層な賑《にぎわ》い振りで御座ンすよ。

はいな。だから理由はあるンで御座居ますよ。

吉兵衛さんは決して無信心な訳じゃないンですよ。

順番違えるから妙な具合に思えるンですよ。

ですからね、まず、信坊のことが先にあったンです。吉兵衛さん、そりゃあもう狂ったように泣いてましたよ。

あれは子煩悩《こぼんのう》な男で御座ンすから。大層可愛がっておりましたしね。

何たって最初の子で御座居ましょ。吉兵衛さん縁談が中中纏まらずに、身を固めたのが三十過ぎでしたから。

立派な跡取りが出来たって、吉兵衛さんそりゃ大喜びでしたからねェ。目ン中入れても痛くないってそんな感じでねェ。ですから悲しみもひとしおで。

私も貰い泣きしましたよう。

いずれにしてもそれが先です。それでその後、お徳さんが祠の前で胸突いて亡くなった。

ええ。祠の跡じゃなくて祠の前ですよ。信坊が死んで——何だかんだあって、そう、お葬式の前ですからね。祠はまだありましたよ。祠に血が飛び散ってたのを覚えてますから、これは間違いないです。

子守の下女はその日のうちに身ィ投げちまった。

土左衛門が浜で見つかったのは、結構後のことで御座ンすけどね。それで——すっかり吉兵衛さん頭に来ちまったんですよ。

え？　そりゃ柳に肚ァ立てたンですよ。

だって普通そう思うじゃありませんか。

子供死んだのは柳の所為で御座ンしょう。それを気に病んで女房も、下女までも死んじまッた。

凡《すべ》ての不幸の元凶は柳で御座ンしょう。

朝晩お神酒《みき》上げて、盆暮れ正月にご馳走上げて、そんなに崇め奉って、その挙げ句がこの仕打ちですから。頭にも来ましょう。恩を仇で返すとか気持ちの問題とか、そういう話じゃアないですよ。

そういうのを信じてしまっちゃ、説明がつきませんでしょ。

だってあなた、先祖代代何事もなくて、突如《いきなり》不幸なことが起きたンです。柳のご利益とか祟りとか、そういうの信じちまッちゃあ、どうしてそんな禍《わざわい》が我が身に振りかかったのか説明がつかない。

それにね、女房子殺した柳の木をね、有り難く拝めったって、そりゃ無理な話ですよ、実際。

え？　与吉さんもそう言ってた？　そりゃそうですよ。当たり前のことですよ。可愛い子供の頸絞めた柳ですよ。しかも祠には女房の血の痕が残ってる訳で御座ンしょう。

でね、吉兵衛さんはその正月に、祠に参るのをやめた。家人にも禁じた。勿論忌中で御座ンすしね、そりゃ当然で御座居ますよ。

そうで御座ンしょ？

はい。

何が悲しくッて妻子の怨敵《かたき》に手を合わせにゃならんのですか。そうでしょうよ。そんな馬鹿は居りませんよ。それでもね、周囲の年寄り連中は、柳様の祟りだ、もっと大事にしないと更に悪いことがあると脅かす訳ですよ。それで吉兵衛さんはね、どうにもこうにも遣り切れなくって、それでもって人伝てに聞いた、評判の荒神講に入ったんですよ。

それでね、祠壊して護摩にくべちまッた。相当に怒ってたんですよ。恨んでもいた。お徳さんの血痕は洗っても洗っても取れなかったンです。ですからね、吉兵衛さん、祠見る度に思い出すンですよ。辛い想いをね。ですからね——。

でも、柳は残ってる訳でしょう。厭ですよ。子供の頸絞めた木ですからね。いっそ忌まわしい木も伐ってしまおうと。ところがそれは無理だった。

それからもね、どんなに懸命に信心しても、その悔しい想いは拭えなかったようで御座ンすよゥ。

それでね、吉兵衛さんは次次信心を変えた。

そうですよ。

だから順番が逆なんですよ。

信心変えたから祟られたンじゃない。柳を粗末にしたから祟られた訳でもないンです。最初に事故があって、吉兵衛さんはその結果信心を変えた訳ですしね、その結果柳を恨んだんですよ。

お解りですか。

それからして柳の祟りだと言ってしまえばそれまでですがね。そうなら、どうして何百年も黙って立ってただけの柳が急に祟り始めたんですか？

怪訝《おか》しいじゃないですか。

祟りだとする方がずっと妙で御座ンしょう。

いやね、先祖代代祟られてたッてェなら、これは話が解りますよ。しかしねェ、初代の宗右衛門さんからして何の祟りも受けないでいて、以降代代ずっと大丈夫で、十代目にして祟られるってのは、得心が行きませんでしょう。

私だって変だと思う。

ですから、どれだけ不幸が続こうと、そりゃ柳の祟りなんかじゃない。そう思うよりないでしょう。私が思うに、吉兵衛さんの恨みでね、柳の方が枯れちまったっていいくらいなンですよ。

だって。

その後も、その十年前の事件がね、ずっと後引いてる訳ですから。

そう。そうなんですよ。仰る通りで御座居ますよう。ですからね、この十年間、吉兵衛さん不幸続きで御座ンしょう。何を信心したってね、いいことなんざありゃしない。宗旨替えもしたくなる。

はいな。

最初の後添えのお喜美さんも、次のおもんさんもその次のお澄さんもね、どなたも——結局ね。

そう。吉兵衛さんはその後、もう後添えは貰わないと、そりゃ頑《かたく》なでしてねェ。でもほら。跡取りのことが御座ンしょう。

周囲《まわり》はかなり執拗《しつこ》く勧めたンです。

それでお喜美さんとね、添ったンですけどね。

ええ。

その辺はさっぱりしたお方でしたよ。吉兵衛さんはね。ほら、姿もいいでしょう。物ごとは解ってるし、そんな理不尽な我が儘《まま》は言いませんやね。後妻を入れる以上は、決然《きっぱり》と昔のことは忘れて遣り直すって言ってましたね。

私も安心したんですけど。

それがあなた。

はい。子供が出来なかった。

いいや、夫婦仲は良かったですよ。そんな、子が出来ないからって苛《いじ》めるような姑《しゅうと》小姑《こじゅうと》はいませんでしたしねェ。親戚連中も別に、そう焦《あせ》っていた訳でもないですよ。だってあなた、その頃吉兵衛さんはまだ三十三四でしょう。お喜美さんだって二十二三ですよ。子供なんて、その先まだ幾らでも出来ましょうよ。五十六十ってェなら話は別だが。

はいはい。

いや、上手くやってましたよ。慥か、そうそう、無理に作ることもない、養子でも取ろうかって話になってたようにも思いますけどね。

突然ですよ。突然。

お喜美さん、実家に帰っちゃった。

戻されたンじゃない、逃げちゃったンですよ。

理由なんて解りませんよ。何かが怖いってね。

そう、怖いって。

親類が何度か連れ戻しに行って。それでも怖がって戻らないンですよ。一度か二度は連れて帰って来たと思いますけどね。結局帰ってしまって。

ええ。

多分——吉兵衛さんは何も言いませんでしたけどね、後のこと考えると——はい。逃げて正解だったように思いますねえ。おもんさんやお澄さんなんかはやられちまった訳ですからね。

え？　ですから。

出《い》るンですよ、きっと。

これです。これ。

幽霊ですよ。お徳さんの。

何たって柳の下ですからね。いや、冗談じゃないンですよ。啜り泣きの声とかが、聞こえるっていう噂は、少し前にもね、まま聞いたことですし。

そう。

だから言いましたでしょ。

柳の祟りなんかじゃないンですよ。

祟ってるならお徳さんです。子供が死んで仕合わせ摑み損ねたその遺恨が残ってて、出るんですよ。

はい。そうでしょう。

後添えに嫉妬するのかもしれませんな。

だって、ほら、自分の叶わなかったことをね。そう。亭主に対しても未練があるのかもしれませんしねえ。

慥かにお徳さんは可哀想《かわいそう》で御座ンすがね。

それにしたって恐ろしゅう御座居ますな、女子《おなご》の執念と申しますのはねェ。お互い気をつけなくっちゃいけませんなあ。

はいな。

だって、柳が祟ってるなら、先《ま》ず店を潰しましょうよ。

普通そうでしょうよ。それがあなた、柳屋さんは大繁盛ですよ。あんなに栄えてるじゃァありませんか。そんな半端な祟りはないでしょうよ。禍禍《まがまが》しいことは凡て吉兵衛さんひとりの身に降りかかってる訳でしょ。いや、吉兵衛さんというより、その女房、更にはお子さんの身に降りかかる。

三度目のね、おもんさん。あの人だって、相当怖い目に遭ってるンです。

子供さんは、あの子は庄太郎——庄坊といいましたけど、生後僅《わず》か三月で亡くなった。原因不明だと聞いてます。おもんさんはその後十日かそこらくらいは床に臥《ふ》していたようですがね、結局は家飛び出して行方が判らなくなッちまった。それもただ家出したンじゃない。泣き喚《わめ》き乍らそこの街道を裸足で走ってねェ。驚きましたよ。

気が狂《ふ》れちまったンですねェ。

尋常じゃあない。

それっきりですよ、おもんさんは。

お澄さんだってね。

もう、四度目ですからね。私等も心配したンですけどね。まあ吉兵衛さんは優しい人で、お澄さんも暫くは仕合わせそうでした。すぐにお腹がこう大きくなって、吉兵衛さんは嬉しそうでしたよ。

ええ。子煩悩なんですよ。

好きなんでしょう子供が。私なんざ、また出来たのか、面倒臭いと思ってしまいますがね、あの人は違ってて、孕み女には親切ですよ。もう、上げ膳据え膳で、商売そっち退けで面倒見ますから。

でもねえ。

ある日突然ですよ。

ぷっつりとお澄さんの姿が見えなくなって。

もう生まれても良い頃だとね、そう思ってましたから、こりゃきっと里に帰って産んでるのかなとか、そんな風に思ってたンですがね。

ところが。

それまではねェ、お澄さん、どこか躰が悪いとかいう話は聞かなかったンですがね。

はい。

子供流して、お澄さんも死んじまった。

祝い事の筈が弔い事です。

これには私も驚きましたねえ。はい。こりゃ間違いなくお徳さんの遺恨の所為ですよ。

許さないンですよ、お徳さん。吉兵衛さんが子宝に恵まれて――仕合わせになるのを。

呪いですよ。呪い。

だからねェ――吉兵衛さん、だからこそ色ンな神仏に頼ったンですよ。仕方がないじゃないですか。責めるこたァ誰にも出来ませんよ。

柳なんて関係ないでしょう。

関係ありませんや。

そうですよ。

ですからねえ。私は心配してるンですよ。

そうそう。今度の縁談ですよ。あのお八重さんですか？　あの人もねえ。

いいえ、身分のことじゃないンですよ。見たところ気立ても良さそうだし、中中の別嬪《べっぴん》ですしね。聞いたところに依りゃあ、あの娘さん元元は江戸のなんとかいう大きなお店の一人娘だったとかいうじゃありませんか。

はい、聞いてます。

え？

あなた、お前さんはお八重さんの？

お父ッつぁんに昔世話になったお方なんで？

はあ、それで――。

いや、それで判りましたよ。どうしてこんなこと根掘り葉掘り尋《き》くのかと思いましてね。そうですか。はあ――はあ、七年間も？　行方を捜してらした。ははァ。そうなんですか。それじゃあねえ。あの女《ひと》も苦労されてるンでしょうなあ。はい。はい、そうですよ。

そりゃあご心配でしょうな。

いや、飯盛女ったって、実際には客なんか取ってないですよ。

そう、あたしが保証しますよ。

はいな。ありゃ最初から嫁に娶る気で雇ったんですな。

そうです。そう。ご明察です。私の見るところ、あのお八重さんという人は、お徳さんに面差しが少ォし似てますな。はあ。そんな気がしますねえ。ですからね、口入れ屋が連れて来た時からね、吉兵衛さんは――。

はいはい。

でもねえ。

ええ。どうやらその、もう——出来てるようで御座ンしょう。

は？　いや、その、はあ、子供で御座ンすよ。やや。

お八重さん、もうお腹にややがいるようなんで御座ンすよ。

そうなんで御座居ますよ。吉兵衛さんも言ってましたからね。子供でも出来たら祝言を挙げようと思うって。ええ。吉兵衛さんが。

はいな。もう祝言は明後日で御座ンすよ。

でもほら、今申し上げたような具合ですからねェ。事情知ってる私なんかは心配してるンですよ。また前の二の舞い三の舞いにならないかって。勿論、喜んでる吉兵衛さんに面と向かっちゃ言えませんけどね。

言えませんよ。今度もまた、妻子諸共取り殺されるンじゃないか、なんて。

言えないでしょ。

え？

お喜美さん——ですか？　二番目の？

お喜美さんは——まだ生きてますよ。はあ、別にどうにもなっちゃいないでしょう。里に帰っただけの筈です。子供が出来なかったのが幸いしたんですな。慥か、大井の方の小間物屋の後妻に入ったとか——。

6

柳屋吉兵衛と八重の祝言は、盛大且つ粛粛《しゅくしゅく》と、何 滞《とどこお》ることなく行われた。

と懸念されていた親類筋との若干《じゃっかん》の揉め事——八重の素姓を巡る紛糾《いざこざ》——も、八重の昔を知るという男が現れたお蔭で取り敢えず丸く収まり、表向きは何の支障もなく、祝いの宴は実に穏やかに執り行われたのであった。

親類筋が気にしていた原因は、八重が下賤な職に就いていたことでも主従の婚礼は外聞が悪いとかいうことでもなく、偏《ひとえ》に吉兵衛が欺《あざむ》かれているのではないかという懸念だった。仮令《たとえ》下賤の者であろうとも、柳屋だとて所詮は町人、侍身分でもあるまいし、気にするまでには及ぶまい。しかしもし八重が柳屋の身代を狙った悪党であったなら——。

これは話が別である。

八重がただの宿場女郎であったなら、親類筋もこれ程慎重にはならなかったのだろう。子を生《な》したということもある。女郎芸者の類であれば、金を払って身請けすれば済むことである。しかし八重は女郎でも芸者でもなく、落魄《おちぶ》れた大店の娘であるという触れ込みだった。これが怪しく思えたらしい。八重の身許を保証するものは何もなかったのである。

そこで強硬に反対する縁者が現れた訳である。しかし多くの者は、八重の人柄に触れるにつけ、そんな疑念は単なる杞憂に過ぎないと、思い始めてはいたらしい。そこで吉兵衛、腹が目立ち始める前にと祝言の日取りまでも決めたのだけれど、それでもまだ、反対する者は居るには居たのであった。

しかし、その昔、八重の父である須磨屋源次郎《げんじろう》の世話になったという男——京橋に住まうという戯作者《げさくしゃ》の山岡百介《やまおかももすけ》——が現れたお蔭で、一挙に懸念は払われたのであった。

尤も八重は百介のことを覚えてはいなかった。

しかし百介の語る八重の昔は、いちいち八重の語るものと一致していたし、調べてみると百介の身許というのも確かなものだったのである。

それに加えて、偶然噂を聞きつけたという八重の幼馴染み——根津で踊りの師匠をしているという、ぎんと名乗る女まで現れた。ぎんのことは八重も善く覚えていたようで、この女もまた、八重は須磨屋の娘であると証言したのであった。

こうして——。

大勢に祝福され、八重は晴れて柳屋の女房となったのであった。

白無垢《しろむく》を着ることなど生涯ないと思っていたと言って、八重は紅涙を流し、列席した者の多くもまた、その清楚な涙に当てられて同情の涙を流したのだった。疑っていた親類の者までも貰い泣きした程である。これは良縁である。

良い祝言だと。

その祝言から数えて二日目の夜のことである。

最初に見たのは下働きの女だった。

深夜――庭の柳が光を発していた、というのである。

怖ごわ確かめに行くと、中庭を鬼火がふらふらと飛んでいたという。

くだらぬことと、吉兵衛はまるで取り合わなかったようだが、矢張りと思う者は少なからず居たようだった。

矢張り出たか――と。

更にその翌日。

啜り泣きの声が聞こえた。

勿論中庭の方から聞こえて来たのだそうである。これは夜回りの爺ィも聞いているし、泊まり客で気がついた者も居た。下男下女も聞いている。

愈々《いよいよ》出たか――と思ったのは、吉兵衛の幼馴染み、柳屋の向かい三次屋の若旦那、三五郎であった。

この三五郎、人一倍臆病な質《たち》であり、臆病であるにも拘らず、野次馬でもあるという難儀な男であった。噂を聞くと三五郎は居ても立ってもいられなくなり、柳屋へと向かった。

三五郎、吉兵衛にそれとなく当たってみたが、吉兵衛は若い頃から極めて合理的な種類の人間で、筋金入りの迷信嫌いでもあり、どうもまるで意に介していないようであった。しかし三五郎、甲斐甲斐《かいがい》しく働く新妻お八重の顔を見る度に心が痛んだ。

何しろ三五郎は、友人の妻子が次次と凶事に見舞われる様を都合四度も見ているのである。それもただの不幸ではない。自害、逐電《ちくでん》、発狂病死と、目を覆いたくなるような徒《ただ》ならぬ不幸なのである。

だからこそ、八重が明るく振る舞えば振る舞う程に、三五郎の憂慮は募ったのだった。可惜《あたら》八重自身の不幸な境遇を聞いていた所為もあっただろう。三五郎の見ている情景は、哀れな境遇の娘が艱難辛苦を乗り越えた末に、漸く摑んだ仕合わせの場面なのである。

——このままでいいのか。

三五郎はそう思った。

善人なのである。

そこで三五郎は、柳屋に逗留している件《くだん》の山岡百介のところに赴いた。百介とは祝言の二日前に知り合い、この件に就いての長話をしているのである。

聞けば百介は戯作者の卵であり、実際に江戸で考物などを作っているという。考物といえば童の好む頓智《とんち》の問題集のようなものであるが、中には大人でも解けぬようなものもある。ならば中中の智恵者でもあろう。しかも諸国を巡り歩き、怪談奇談を聞き集めて、今流行の百物語を開板《かいばん》するつもりもあるという。こうした怪異、幽霊妖怪には詳しいようであった。

良い智恵もあるかと思うた訳である。

襖を開けるなり三五郎は言った。

「出ましたよゥ」

総髪の戯作者は、矢立を開けて筆を嘗め、帳面に何かを記しているところだった。数日前に三五郎の話したことも、その帳面に記されている筈である。

百介は顔を上げると、そのようですねと言った。

「今朝も女中さんが騒いでいました。私は気がつかなかったけれども」

「この部屋は表通りに面してますからねェ。私ン店《ち》なら善く見えるけれど——」

開け放たれた障子の向こうには、三五郎の父親のやっている旅籠——三次屋の二階が覗いている。

「——ここン家《ち》の中庭からは遠いでしょう」

「そうですね」

百介は筆を矢立に仕舞い、躰を座卓から離して、まあどうぞと言い乍ら、三五郎に座蒲団を勧めた。

「しかし——本当でしょうか」

「そりゃ本当で御座居ましょう。暫く途絶えていた啜り泣きが聞こえ始めたのは祝言の後で御座ンすからね。しかも、祝言があってすぐの夜には、柳の横に鬼火が灯ったそうじゃありませんか」

「ああ。でも中庭に火が灯ったのは祝い事の翌翌日ですよ。すぐじゃない」

「初日は誰も見なかっただけ——ってこたあ御座ンしょう。しかも鬼火が出たのはお徳さんの亡くなった場所じゃないですか。あなた、見ました？」

「何をです？」

「中庭で御座ンすよ。あの柳のある」

「ああ――」

百介は帳面を開いた。

「――拝見させて戴きました。中庭を囲む周り廊下から見ると、あれは圧巻ですなあ。柳の木というのはあんなに大きくなるものですかね。しかし祠のあった場所というのは、私には判りませんでした」

「草芒芒《ぼうぼう》で御座ンしょ。あそこは手をつけないってことになってるンです。吉兵衛さんの方針で御座ンすね。祀りもしない手入れもしない。ま、怖がって誰も手はつけませんがね。しかし折角のお庭があれじゃやねェ。この宿の売りで御座ンすから。勿体無いと言う者も多《おお》御座居ますけれど――」

「野趣があっていいじゃないですか」

「そうそう。怖い感じの方がね、祟り柳って感じはしますからねェ。まあ、そんなことはどうでもいいンです。祠があったのは池の端ですよ」

「池の――ああ、この辺りですね」

百介はそう言い乍ら開いた帳面を三五郎に向けて見せた。中庭の絵が描かれている。隙間には色色な但し書きが書き込まれている。

「あらま。絵もお描きになる。お上手ですなァ。そうそうこの辺りで御座居ますな」

「この——少し出っ張ったところでしょうか」

「そうねえ。十年前とは様子が変わってしまったからなあ。ああ、はいはい。お徳さんはこの辺りにこう倒れていましたねえ。足は池に浸かってた。で、こうこの辺に祠がね、御座居まして、血が」

三五郎は指で色色と示した。

百介は筆を出し、三五郎の話を帳面の余白に書き込んだ。

「——なる程ねえ」

「百介さん。このままだとお八重さんが危ないンじゃアありませんか。いいんですか」

良くはないですと百介は答えた。

「恩人の娘さんですからね」

「しかしお徳さんの呪いは強力で御座ンすよ。私ゃ前の女房殿の顚末を知ってます。あの人をあんな目に遭わせちゃいけませんよ。後半年もすれば子供が生まれる。その前に何とかしないと」

何とかすると言ってもねえと百介は腕を組んだ。

「——当のお八重さんにはまだ何も起きていないのでしょう。啜り泣きも鬼火も、本当かどうか」

疑り深いなあと三五郎は顔を顰めた。

「あなた諸国の奇談怪談を蒐集《しゅうしゅう》してるって、そう言ってらしたじゃァないですか」

「そうです。だからこそ慎重になるんですよ、若旦那。こうした話には嘘が多いんです。何でも頭から丸呑みにすると、笑い物にされることになりますから」

「そんなものですか」

そんなものですと言って百介は帳面を捲《めく》った。

「ここの話もねェ。別に若旦那や与吉さんを疑う訳ではないんですが——」

「何かご不審な点でも？」

ええ、まあねえ——と百介は言葉を濁らせた。

「与吉さんやら、その他多くの方がね、柳の祟り説を主張してらっしゃるでしょ。それで私はこの間、若旦那があれこれ仰ってたのを聞いたんで、その——柳屋の菩提寺にお伺いしましてね、ご住職にもお話を伺ったんです」

「覚全《かくぜん》和尚ですな。言ってましたでしょ。先祖の供養をしないからだとか」

「はあ。そう仰っていました。私はですね、その——若旦那が仰った、前後関係が入れ違ってることに関しても質《ただ》したんですよ。柳を粗末にしたから祟られたのと、柳に酷い目に遭わされたから敬《うやま》うのを止めたのじゃ正反対でしょう」

「何と言ってました？」

「ええ。初代宗右衛門さんの奥さんのお柳さん、この方が柳の精だったと——ね、そう仰る。吉兵衛さんが祟られたのは、そのお柳さんの供養を怠ったからであると。それで起きた不幸なのに、当山を頼らず他宗を信心するからいかんのだと」

ものは言いようで御座ンすね、と三五郎は呆れたような声を出した。

「じゃあお徳さんの幽霊は？」

「それはちゃんと自分が供養したから、迷う訳はないと仰っていました。お徳さんと息子さんはちゃんと送ってあげたと」

「おやまあ。何とも都合の良いことを言う坊主で御座ンすねェ。そうなら送り損ねたんでしょうよ——」

三五郎は顎をポリポリと掻いた。

「——柳の精だなんて、そんなモノある訳ないじゃ御座ンせんか。あなた、ご自分の婆さまが銀杏《いちょう》だったとか杉の木だったとか言われて信じますかい？」

「それは信じませんけれどね。そこで——まあ、和尚さんの言うにはですね、何が起きていても凡ての元凶は、最初の子供、信吉さんの死んだことだろうと」

「それはそうでしょうけど」

「それが柳の祟りであると」

「祟りって、それも先祖供養を怠った所為と言うんで御座ンしょ？　そんな話がありますか。大体先祖が柳なら、死んだ子供もその血を引いてることになるじゃァ御座ンせんか。柳っては自分の可愛い子孫を取り殺すんですか？　そりゃ間尺に合わない話だねェ。それに供養供養と言うが、そもそも柳の木はそこに元気に生きて繁ってるじゃ御座ンせんか。余程お布施が欲しいんですねえ。あの坊主——」

まあまあと百介は取り成した。

「まあ、それはいいとしても——私が気になっているのは、その最初のお子さんの死因なんです。与吉さん達の話を信じるなら、そりゃ柳の祟りというよりありますまい。こう、柳の枝がするすると伸びて来て頸に絡みついたようなことを仰る。和尚さんもそう仰っていた。柳が殺した、だから柳の祟りなんだと、そういう理屈です。そこで——」

お子さんの頸には本当に柳の枝が巻きついていたんですか、と百介は小声で尋いた。

三五郎は眉を八の字にして、

「前にも言いましたが、葉っぱは見ましたね。小さな可愛らしい頸にね、こう絞められた筋がついていて、そこにこう青青とした葉が——おお厭だ。思い出すだに可哀想で、胸が痛くなりますねェ」

そうですか——百介は腕を組んで考え始めた。

「それが何か?」

「いいえ——これはですね、故事にある話なんですね。唐土《もろこし》にあるのです。宋の時代、士捷《ししょう》という人が柳の枝に頸を巻かれて死んだという」

「ははあ。矢張りあるんで」

そうじゃないんですよ——と百介は言った。

「そんな話は——それしか聞かないのですよ」

「は?」

「慥かに柳は女人に化けるといいますよ。浄瑠璃の『祇園女御九重錦《ぎおんにょうごここのえにしき》』なんかでも取り上げてるくらいですから、これは一般的なんでしょう。幽霊の出るのも柳の下が相場です。これは理由がある。例えば松の木というのは、こう雄雄《おお》しいものです。勇猛故に武者の後ろ盾《だて》になる訳です。反対に柳は女女《なよなよ》と優しい形をしている。これが女の粧《よそお》いに類する訳ですね。幽霊の手の形、つまり陰の形ですね。それに柳は水端に立っている。如何《いか》にも陰ですよ」

学があるお方は仰ることが違いますねえ、と言って三五郎は妙に感心する。

「で？」

「ですからね、柳に幽霊はつきものなんです。江戸じゃあ立ちン坊の夜鷹も柳の下に立ちますからね。川端の淡昏《うすぐら》いところに女がすっと立っているというのは、絵面としても親しみ易いんですね。ひゅうどろどろと、お芝居やら読み本の挿絵やらでも、こりゃあすっかりお馴染みの形ですしね」

「なる程。それで？」

「ですから若旦那の仰るように、柳の下に現世に遺恨を持った亡魂だの、未練を残した亡者の類が出るという話でしたら、これは普通の感覚だと思うのですよ。誰でも思いつきましょう。それから——柳が女に化けるというのも、これも伝統的にある話ですよ。田舎の方じゃ、まだ実話でも通るでしょうね。でもですね、柳の枝がするする伸びて子供の頸を絞めるというような話は——」

「珍しい？」

「珍しいというよりも、突飛な発想ですよ。その、唐土の例を知っていたなら兎も角――」

「はあ」

でも本当に起きたなら――と言って、三五郎は頸を傾げた。

「――いや、それは慥かに妙で御座ンすよねェ。柳が祟るなァ怪訝《おか》しいと、私ゃ今この口で申しあげたばっかりだ。祟りでないなら――そんな事故があり得ましょうかね、先生」

「そんな事故は寡聞にして存じません。自然に起きることじゃない。もしそれが事実だったなら――まあ、子供を殺されたと怒る吉兵衛さんの気持ちも、化けて出るお徳さんの気持ちも少しは判りましょうが。滅多にない事故ですから――」

でもね――百介は矢立の蓋をパチリと開けた。

「――ご老人達祟り肯定派の方方が最終的に拠り処とされているのは、正にその点なのです。最初の禍《わざわい》は柳によって齎《もたら》された非常に特殊なものである、だからこそ一連の不幸は柳の祟りであると――」

ううんと腕を組み、三五郎は珍しく神妙な顔で考え込んだ。

「それだって――矢張り柳の祟りじゃァないでしょう。私はそう思いますよう。慥かに珍しいことなンでしょうがね、もしそれが祟りなら、お徳さんだって、その後の子の庄坊だって同じようになってた筈で御座ンしょう？　こう、寝所にするする伸びて来てきゅう、と。最初だってのはねェ――」

そして暫く俯《うつむ》いて、そうそう、と膝を叩いた。

「——吉兵衛さんはね、あれで中中学がある。唐土の詩なんか吟じることもありますよ。私なンかァ何を言ってるのか珍紛漢《ちんぷんかん》で御座居ますがね。もしかしたら——」

なる程ね——と不敵に言って、百介は矢立の蓋を閉じた。

「柳の祟りか。将《はた》またお徳さんの幽霊か——いずれ放っておく訳には行きませんでしょうね。ただ、庭で毎晩何が起きているのか、確かめる必要はある」

「た、確かめますか」

「それを確かめなくっちゃァ何も始まらないでしょう。ただ怖がってたんじゃ埒《らち》が明かない。吉兵衛さんにも何も言えません——どうです若旦那。私とあなたと、中庭に張り込んでみるというのは」

うひゃあと三五郎は声を上げる。既に冷や汗をかいている。

「そ、そんなことして、累《るい》が及びませんか」

「柳の祟りなら及ぶかもしれませんが、私達はお徳さんに恨まれるような筋はない。本当に幽霊が出るのなら、私はお八重さんを護らなくちゃいけませんからね——」

怖いのでしたら結構ですが——と言って、百介は居住まいを正した。三五郎は慌てて手を振った。

「怖いというか、その——」

「そうですか。それでは何かと準備もありますから明晩、いや、明後日の子《ね》の刻にでも——」

百介はそう結んだ。

7

いやあ聞きましたか御坊。

あの柳屋の。はい。そうそう。

今晩ね、ほら、御坊がお泊まりになってる三次屋の若旦那がね。へェ、あの女形《おやま》みたいな。そうそう。ありゃ物好きですよ。あの三五郎旦那がね、あの柳屋の客――江戸から来た物書きの先生ね、あれと一緒に、あの祟りの庭を張り込むっていうんですからねェ。

命知らずもいいところでさァ。

いや、それがね、当の柳屋の亭主ってのはね、ほら、そんなこたぁ毛程も信じねェお方でしょうよ。そうなんですよ。あの人は学問がある。ほれ、何ですか、子曰《のたまわ》く何だ、怪力乱神を語らずとかいうでやしょう。あれですな。

そういう堅物だから、その噂聞きつけてね、三五郎さんとあの客を呼んで、馬鹿馬鹿しいことは止せと言ったらしいですがね。

でもねえ御坊。あの客は柳屋のご新造と――この間祝言挙げたばっかりの、あのご新造ね。あの女房殿と、ほら、深《ふけ》ェ縁があるンだそうでね。

噂が本当なら捨てておけないと、こう言う訳ですよ。亭主は嘘だから安心しろと、こう返す訳でさァ。しかし、ホラあの客も中中学がありそうでやしょ。嘘だと言うなら嘘でも良い、本当に嘘ならば別に一晩庭に居るくらいはいいだろうと、こう詰め寄った。

ま、吉兵衛さんって人はね、肝《きも》の据わった人だし、道理の判ったお方でやすからね、筋が通れば納得しやすわ。ご本人は、火の玉だの啜り泣きだの、そんな世迷い言はまるで眼中にない訳だから、それで納得行くならね、やってもいいと言ったたってェんですよ。

どう思います？

いや、でもね、本当に出るンすよ。出る。

柳のお化けか、死んだ先妻の怨霊か、そいつは知りませんけどね。出るんですよ。

だってあなた、三次屋の若旦那てェ人は、口が軽いので有名でしょう。

いやそうなんですよ。あの人に知れたら瓦版《かわらばん》に載るのと変わりませんや。だもんだからね、そういう話が決まる前にもう、そこら辺中に言い触らしちまッてたんで。

そうなんですよ。

この品川界隈で知らない者はいませんよ、ッてなもんですわ。いや、江戸まで届いたンでしょうな。昨日辺りから人が多いでしょう？　こりゃ皆、柳屋のお化け見物なんですよ。本当のところ。

へへへ。

あっしですかい？

行きました。ゆんべ。

いいや、簡単には見えないですよ。中庭ですからね。建物に忍び込む訳にゃ行かねェでしょう。でもね、往来は夜中だってのに人集《ひとだか》りでやすよ。

悪趣味だ？

へ。こんな面白いこたァねェでしょうよ。

それがね、聞こえた。いや、本当の話でやす。

大きな声じゃ御座居ませんよ。往来から聞き耳をば屹《そばだ》ててるンでやすからね。あのでかい旅籠越しでやしょう。明瞭《はっきり》とは聞こえません。

でもね。

こう、すん、すんと啜り上げるような。

ええ。そのうちにね、何やら哀れな、蚊の鳴くような声で、ひい、ひいと。

いや聞こえましたぜ。あっしも水浴びせられたみたいになりやした。睾丸《きんたま》が縮み上がっちまッた。もう、大勢がこう、躰固まッちまいましてね。ぞおっとしましたぜ。

はい。やがてね、暫くするってェと、どうも何か語ってるように聞こえるんですよォ。それが——まあ善く判らねェんでやすがね。何だか、子供を返せェ、子供を寄越せェとか。

こりゃ本当ですぜ。

あっしがこの耳で聞いたンだから。

でね、こう大方の者は逃げた。さあッと人が引けやしてね。ええ。怖かったですから。

こりゃさっき聞いたンでやすが、ゆんべはね、柳屋に泊まってた客も大勢聞いてるンです。泣き声。しかも裡《なか》ですから、一言一句聴き取れたッてんですよ。

恨めしい、柳が恨めしい、子供を返せ、寄越せ、柳の血を引く者を絶やしてやると、女の声でね、こう呻《うめ》いていたという。

怖ェ。

あんまり気味が悪いから旅籠を変えるってお客も何人も居たンですな。あっしはその一人捕まえて聞いたンですよ。

でね、御坊。

いや、あっしはね、ゆんべ、それですッ込んじまった訳じゃねェんで。それで帰っちまっちゃ灰神楽《はいかぐら》の馬太郎《うまたろう》兄さんの名が泣くってもんだ。

野次馬だ？　そりゃあそうですよ。

それからね、あっしはこう、ひょいと上ェ見たんでさァ。ゆんべは月夜だったでやしょう。そしたらほれ、あそこンとこの右手の方に火見櫓《ひのみやぐら》があンでしょう？　あそこにね鈴生《すずな》りになってる。何がって、野次馬ですよ。あっしの同類。

駆けましたよ。

下まで行ってみますってェとね、御坊。何やら怪しげな歓声が上がってる。

オウとかヒイとか。

梯子《はしご》昇りましたよ。あっしも。

見えるんですよ、中庭が。

つッてもあのでっかい柳がね、こう覆い被さってやすから、真っ黒で善くは見えませんけどね。上の方から月明かりで見るってェと、こう、枝がさわさわ、さわさわと戦《そよ》ぎやしてね、まるで女の洗い髪みたいで、そりゃァ怖いの。

その隙間をね、こう、人魂が、すう、すうっと。

いや、嘘じゃありませんって御坊。

ありゃ人魂ですよ。

ッつうか、鬼火でやすかね？　人魂と鬼火と、ありゃどう違うんですかね？

まあ、火の玉ですよ。遠目ですが間違いねェ。

あっしがこの二つの眼で見たンでやすよ。誰が信じなくたって、あっしは自分の眼を信じるね。

ですから、出るンです。

幽霊だか妖怪《ばけもん》だか判りやせんが、出るこたァ出るんです。こりゃ間違ェねェ。正真正銘のお化けですぜ、ありゃあ。

おッかねェ。

ですからね、三次屋の若旦那もね、今晩あの庭になんか入《へえ》ったりしたら、そりゃ大変なことになるんじゃねェかとね。こう思うんですよあっしは。

こういうなァ拙《まず》いンでしょう。

御坊は霊験あらたかな御行様《おんぎようさま》でやしょう。

どうなんですかね。

え？

あ、あっしも危ねェ？

そ、そりゃどういうこって？

はあ、聞いただけじゃなくて見ちまったから？　さ、障りがあるに違ェねェと？　い、厭だなあ御坊。脅かさないでくださいよ。勘弁してくだせェよ。

へ？　本当で？　厭ですよ。ど、ど、どうしたら。

ご、御坊――。

へ？　これは拙い？　拙いって？

何とかしてくださいよゥ。はあ。

この、このお札を？　肌身離さずですか？

そりゃあ持ってますよ。親が死んだって離しゃしやせんぜ。こいつァ有り難ェ。

へえ、へえッ。頂戴、頂戴ッ。

お足は――へえへえ。それで悪霊が退散するなら安いもんで御座ンすよ。こりゃ効くんでしょうね。はあ。そうですか。良かった、お話して。

待ってくださいよ。あっし程度でそんなに拙いなら、柳屋の者は――どうなッちまうんで？

ご、御坊、御坊――。

8

その夜。

三次屋三五郎と山岡百介、そして柳屋吉兵衛の三人は、柳の巨木の聳える柳屋の中庭に降り立った。

主吉兵衛は、本来なら同行する予定ではなかったのだが、成り行き上そうせざるを得ない状況になってしまったのであった。

その日——柳屋には多くの人間が訪れた。

八重はそれまで諸諸の事情を殆《ほとん》ど報されていなかったのだが、噂を聞いて駆けつけた親類の老人どもやらお節介な連中やらにあることないことを一度に吹き込まれて、大いに怯《おび》えてしまったのだった。吉兵衛は頻《しき》りに大丈夫だ案ずるなと繰り返したが、その段階で中庭の怪異を否定する者は吉兵衛ひとりだけだったから、効果はなかったのである。

ヤレ祟りだソレ怨霊だ、いいや何もないの押し問答が何刻も続けられた。

当然騒ぎの元でもある三五郎と百介もその場に呼びつけられ、身の程知らず、危ないから妙な真似はやめろ、お柳様のお怒りになられるような行いは止せと意見された。

そのうえで、菩提寺による大大的な先祖供養をするべきだ、否、結局妖魔の仕業《しわざ》であるのだからお祓《はら》いをするべきだと意見は割れ、白黒明確になるまで旅籠を閉めろ、という話にまでなったのだった。八重は只管《ひたすら》に怯え、吉兵衛は孤軍奮闘した末に、結局率先して今夜、主たる自身が確認すると言い出したのであった。

親戚一同は猛反対し、座は膠着《こうちゃく》した。

しかし——丁度その場に、出入りの鮨渡世職人の馬太郎が、旅の行者なる者を引き連れて来たことで事態は急転した。その行者なる者、数日前から品川宿に舞い込んでいた御行坊主で、大道で加持祈禱をしたり、魔除けの札を売ったりしており、中中霊験があると評判になっていた男だったのである。

近在の者は既に見知っていた所為もあり、大いに歓迎したのだが、親戚一同は大いに訝《いぶか》しんだ。

しかし——この御行、菩提寺の住職覚全とも顔見知りの仲であったらしく、それが判明してからは、老人どもの態度も大きく変わったのであった。

御行は取り敢えず魔除けの札を部屋の四隅に貼ると、八重をその部屋へと入れ、夜が明けるまで決して出るなと言ったのだった。そして夜明けとともに覚全を呼び、打開策の協議をしようと提案した。

大方はそれで納得したが、納得しない者もいた。

勿論、吉兵衛と百介である。

吉兵衛は、

「この世に怪異など然然《そうそう》あろう筈もなく、それでもこれ程世間を騒がせたるは、凡て己の不徳の致すところである。ここは女房八重を安心させるためにも、自分の目で確かめたい――」

と、言ったのだった。

如何に御行が諭そうと親類が止めようと、吉兵衛の決意は変わらなかった。百介もまた、そもそも自分が言い出したことであると言って聞かなかった。

三五郎は行きがかり上仕様がないといった、如何にも情けない面持ちだったが、ここで尻込みする訳にも行かず、結局三人で行くということになったのである。後の者は仏間で念仏を誦え乍ら待つことになった。御行は、庭に行くに当たって、次の三点に就いて三人に厳重な注意をした。

先《ま》ず、柳の木の側《そば》には、絶対に近寄らぬこと。次に、万が一異形の者が現れたとしても、決して目を合わせたり言葉を交わしたりしてはならぬということ。最後に、魔除けの護符を肌身離さず持っていること――。

御行は執拗《しつこ》い程に繰り返しそう告げて、札を各自に渡したのだった。

しかし――吉兵衛はその札を受け取らなかった。

怪異我が庭にあらず、よって斯様《かよう》なまじないものは不要――と、頑なにそれを退けたのであった。

御行は悲しげな顔をした。

やがて——深夜を告げる鐘が響いた。

そして——三人は庭に降り立ったのである。

前夜と違って幽陽《ゆうよう》には雲が懸かり、中庭は漆黒の暗《やみ》だった。

ただ騒騒《ざわざわ》と草の靡《なび》く音やら、池の水面《みなも》がさざめく音だけが、黒の中から染《し》みて出て来た。

中でも一番の気配を発散していたのは、勿論庭の真ン中に聳えている祟り柳であった。見えはしないものの、その蛇の如き枝垂れの髪の毛がぞろぞろと風に蠢《うごめ》いていることは、容易に判ったのだった。

声を立てる者は居なかった。皆息を殺していた。

そのうち。

ふうと風が三人の頬を撫でた。

さわさわさわ。

そして。

——う。

——うらめしや。

怯《び》気《く》りと三五郎が跳ねる。

——うらめしや、このやなぎ。

ぼう、と柳の蔭に陰光が漏れた。

やがて——。

生白い女の姿が闇に浮かんだ。

三五郎は悲鳴を上げ、廊下に駆け上がって柱の蔭に身を潜めた。

百介は眼を瞠《みは》って硬直し、吉兵衛は——前に出た。

さわさわさわ。

女は——胸に懐剣を突き立て、
柳の枝が巻きついた赤ん坊を抱いていた。

さわさわさわさわ。

——恨めしや旦那様、憎らしや吉兵衛。おのれ斯様な所業をしておき乍ら、のうのうと後妻など貰うとは、如何なる了見であろうかや——。

女は、我慢ならぬ程の陰気な声でそう言った。

「お、おのれ何者ッ！」

吉兵衛はそう叫ぶと、懐から匕首《あいくち》を抜き放って庭の中心へと突き進んだ。

——ここにも埋めたな。

「黙れッこの物の怪が！」

——この。

いいい、
人でなし。

さあっと柳が戦《そよ》いだ。

ふっと、凡てが消えた。

「うひゃあああ」

顔面蒼白になった三次屋三五郎がけたたましい悲鳴を上げ乍ら、仏間の中に転げるように逃げ込んだので、そこに控えていた親戚一同と御行は、その様子から徒《ただ》ならぬことが起きたと判じ、やおら中庭に向かった。

しかし――その時庭は、然《さ》して変わった様子でもなかったという。

回廊の側の地面に山岡百介が平伏しているだけで、柳屋吉兵衛の姿は闇に呑まれているものか、全く見えなかったのだそうである。それでも気配だけは尋常ではなかったと、皆は口口に言った。

ただ、与吉老人を始めとする数名の耳には、吉兵衛の悲鳴と女の笑い声が聞こえたという。

又市は庭を屹度《きっと》睨《にら》みつけ、鈴《りん》を掲げて一振りすると、

「御行　奉為《したてまつる》――」

と言った。

途端に禍禍《まがまが》しい気配が失せたのだと、その座にいた一同は証言した。

やがて又市の指示で篝火《かがりび》が焚《た》かれた。

夜の庭が怪しく照らし出され、真っ黒い池の水面やら柳の奇怪な木肌やらが夜陰に浮き上がったが、吉兵衛の姿だけは忽然《こつぜん》と消えていたという。

折角の御行殿の忠告も聞かず、札を持って出なんだ故にあやかしに呑まれたかと、老人達は一様に顔を顰《しか》め、肩を落とした。漸く落ち着いた三五郎と百介が語ったところに依れば、赤子を抱いた女怪が現れて恨み言を語ったのだというし、吉兵衛は逆上して刃《やいば》を翳《かざ》し、叫び乍らそれに突進したというのだから、かの主は御行の三つの戒めを悉《ことごと》く破ったことになる。故に、これは仕方があるまいと、縁者どもは納得したのであった。

「ご一同――」

そこで御行は一同を見渡して、

「――この度のことは柳の仕業に非《あら》ず」

と言った。

「この方達の話を開き、また熟熟《つらつら》と拝見致しましたるところ――これなる柳は悪しきものでは御座りやせん。これなるはこの家の守り柳に御座りますぞ。祟る祟ると申すは失礼千万」

御行がきつく言ったので、老人達は驚いたような顔をした。

「凡ては――この柳の横に埋まりたるまじものの齎《もたら》す災厄で御座ります。これなる柳は、そのまじものの魔力から、必死でこの家を守って来たので御座りましょう。吉兵衛殿はその柳の功徳を信じることもせず、また有り難き御仏のご慈悲も神のご加護も退けられたが故に――妖物に取られたご様子です。残念乍ら――戻りますまい」

御行はそう言って、もう一度鈴を鳴らした。

老人どもはその場にへたり込み、ただ柳に詫び、祈ったのだった。

9

又市の言葉通り——吉兵衛は二度と柳屋に生きては戻らなかった。

庭で掻き消えた吉兵衛の捜索は夜っぴて行われ、朝日が差してからも続けられたが、天に昇ったか地に潜ったか、その姿は一向に見当たらなかったのだそうで、結局それから数えて十日の後、吉兵衛は骸《むくろ》となって浜辺に打ち上げられたのだそうである。外傷はなかったという。

一方——八重は無事だった。

柳屋の親族達は、ともあれ女房殿だけでも無事で良かったと胸を撫で下ろした。

三次屋三五郎にも取り立てて異変はなく、これも皆、御行殿のお蔭かと、礼を尽くすべく捜したのだが、気づいた時には既に遅く、その姿は宿場のどこにもなかったそうである。御行は百介を連れ、夜明けを待たずして姿を消してしまっていたのであった。その後も、柳屋の一党は品川中を随分捜したのだったが、御行の姿は遂に見つからなかったということである。

やがて菩提寺住職の覚全和尚を中心にして、近在から大勢の僧が呼ばれ、大掛かりな吉兵衛の法要が営まれた。この度は千体荒神堂の住職等も加わり宗旨を越えての供養となった。

それは盛大なものであったという。

その後、吉日を選んで、件《くだん》の中庭には新たに柳の祠が勧請された。

祠を建てる際、土中から小さな欠け髑髏《どくろ》が二つばかり出て来たという。

これこそがかの御行の言ったまじものであったかと、一同は重ねて驚き、改めて塚を作って埋葬し、ねんごろに供養したそうである。

八重は——その後無事男子を産み落とした。

吉兵衛の遺児——跡取り息子の母親となった八重は、名実共に柳屋の女主人となったのだった。その評判は上上で、勿論庭の柳聖は益々繁り、柳屋は以前と変わらぬ、いや、それ以上の繁盛振りとなったのであった。

吉兵衛の死後半年で、北品川は平穏を取り戻したのである。

そして——。

品川宿の入口を望む、小高い丘の上に屯《たむろ》する三人の人影があった。

「良かったじゃねェか——」

語り終えたおぎんを上目遣いで見て、又市は北叟笑《ほくそえ》んだ。

「——八重さんもこれで安心だろうぜ。あそこは親戚連中がやけに確乎《しっか》りしてるようだしな。それに——約束通り、おもんさんの依頼も果たしたぜ」

遅くなっちまったけど、後金だよ——そう言い乍らおぎんは背負った笈《おい》から袱紗《ふくさ》で包んだ金を出した。

「私は——例によってさっぱり判りません」

その金子を受け取り乍らそう言ったのは、考物の百介である。

「私に判ったのは、あの時の幽霊がおぎんさんだということと――鬼火の正体が松明を持った又市さんだということだけです。後はお二人の言いなりに演じていただけで、全く理解出来ない。いつものことですが、果たして今回私は役に立ったのでしょうか。このお金は――受け取って良いもんなのでしょうか」

百介は申し訳なさそうにそう言った。

「馬鹿なことを言いなさるなァ先生も。先生がお喜美さんの行方も、お澄さんの子供の行方までも探り当ててくれたンじゃねェですか。なあおぎん」

そうさァ――と、おぎんは猫撫で声で言った。

「お蔭でおもんさんの話が真実だと判ったンだからねェ。しかし、あのお喜美さんが無事だったなァ何よりだったよゥ。唯一の生き証人だものねェ」

「しかし、そのおもんさんという人の依頼の内容からして私は知らないンですよ――」

百介は情けない声を出した。

「――おもんさんっていうのは慥か、吉兵衛さんの三番目の奥さんですよね。慥か庄太郎さんというお子さんを病で亡くして、錯乱して家を飛び出したとかいう」

「そうさ。錯乱というより、もう少しで気が違ってたッて程――怖い目に遭ったのさ、あの女《ひと》は。おもんさんはあの柳屋を飛び出してから後、今日まで命があったのが不思議なくらいだって、そう言ってたよゥ」

「それ程までに怖い目って――依頼の内容は何なのです」

子供の敵討ちですよと又市は言った。

「お子さんは――病死じゃなかったンですか？」

「そうじゃねェんだ。奴《やつがれ》もね、最初におぎんから聞いた時ゃァ、そりゃあどうかと思ったンですがね。幾らなんでもそんなことはねェだろう、子供亡くした悲しみが見せた妄想なんじゃねえかとね、こう思った訳だ。でもね――おもんさんの子供を殺したなァ――」

吉兵衛だったんですよと又市は言った。

百介は口を開けた。

「だ、だって――あの、吉兵衛さんという人は子煩悩だとか――それにそんなこと出来るような人には――とても」

とても見えませんやねェ――又市はそう言って眼を細め顔をくしゃくしゃにした。

「でも――そうなんだと、おもんさんは言いやした。それだけじゃねェ。最初の子供を殺したのも――柳じゃなくッて吉兵衛本人だった」

百介は開いた口が塞《ふさ》がらぬといった様子である。

「し、信じられません」

「あの吉兵衛という人はね、評判通り、物の道理は判ってる、学もあるし商才もある。人当たりも良いし、女にゃ優しい色男だ。童《こども》も殊《こと》の外《ほか》好きだったらしいですよ。最初の女房が子を孕んだ時は、そりゃあ喜んだンだそうですぜ。ところが――」

「ところが何です」

「それは——生まれるまでのことだったンだそうですよ。これはね、後に吉兵衛自身がおもんさんに告白したことなんだそうだが——赤ん坊の顔を見た途端にね、吉兵衛、押さえ切れない衝動を感じたンだそうですよ」

「衝動？」

「ぶち殺したい」

「そ、そんな——」

「叩き殺したい。首を捩《ね》じ切りたい——そういう強い、抑えられない想いが湧いたンだそうです。理性では可愛い、愛おしい、慈しみたいと思ってるンだそうですがね。堪え切れねェ、黒い欲動が湧いて来る。普通は——信じられねェことですよ。吉兵衛自身信じられなかったらしい。憎いとか、苛めたいとか、殺したいとかいうよりも、壊してェって感じだったと、吉兵衛は言ったそうですぜ」

「言ったって——その、おもんさんにですか？」

「そう。吉兵衛はね、已の過去の罪悪を、全部おもんさんに白状してるんだ——」

又市はそう言ってからおぎんをちらりと見た。

「——まあ、普通ならそんな告白はしねェわいな。したとしたなら冗談だ。だから奴《やつがれ》もね、俄《にわ》かにゃあ信用出来なかったんで」

「それで——本当だったんですか」

病なんだよ——おぎんが続けた。

「でも病とは考えないサ。人ってェのはなンか理由がある筈だと思うンだ。最初の子——お徳さんの産んだ子を何故そんなに壊したいと思うのか——吉兵衛はあれこれ思い悩んだのサ。だってそうだろう？　可愛くて可愛くて仕様のない子の筈なのに、顔を見る度に殺したくなるんだからねェ。こりゃあ何か理由がある筈だと、こう思うだろうサ」

「それで——理由を？」

「そうなのサ。あの吉兵衛ってお人はね、悩んだ挙げ句、後から無理矢理に理由をくっつけてサ、それで納得しようとしたんだよ」

「そんな——そんなことにいったいどんな理由があるというんです？　どんな事情があろうとも、自分の子供を殺したくなるような理由など、私には想像出来ません」

「これは自分の子じゃないから殺したくなるのじゃァないのか——とね、そう考えたンだそうさ、あの人ァね。こじつけさァね。でも一度そう思っちまうってェと、もう抜け出せなくなッちまった。それでお徳さんにある筈もない不義の疑いを掛けて責めたンだとサ。お徳さんはそんな亭主の不可解な挙動——子への殺意を敏感に察して、判らないなりに警戒してたそうさ。そこでね——」

「吉兵衛は四六時中お徳さんの隙を狙ってたンだ。そんな中——ある日、子守女が赤ん坊をおぶってるのを見て、遂に我慢が出来なくなったんだな。それで、先ず下女を襲い、それから子供を——柳の枝で絞め殺したンだ」

酷いですよ——百介の顔から血の気が引いた。

「酷ェ——と自分でも思ったそうだ。これは人のやることじゃねェと、そう思ったと、おもんさんには言ったそうですぜ。しかし後悔先に立たずだ。殺した者は返らねェ。そこで咄嗟《とっさ》に、先生も言ってた唐土《もろこし》の故事を思い出したンだ」

「それで——柳の祟りに仕立てたんですか？」

「祟りというより、最初は事故に見せかけるつもりだったんでしょうね。柳は単なる凶器だった訳だから——それをね、自然に絡みついたんだ、という風に仕立てた。下女は——こっそり海に流した。事故ということにすれば、責任を感じた下女が自害するのも頷《うなず》ける。まず、誰も吉兵衛が下手人とは思わねェでしょうね。ところが、仮令世間は騙《だま》せても、お徳さんだけは騙せねェ。そこで——結局は刺し殺しちまったンですよ」

「自害に見せかけて殺した？　あの人が——ですか？」

「そう——あの祠の前で突き殺したんだと、決然《きっぱり》と言ったそうですよ。こりゃもう鬼だと、自分でそう思ったんだそうだ。吉兵衛が次次信心を変えたなァ、自分が怖かったから——だそうです。そうおもんさんに告白したんだそうだ」

百介は口を押さえた。

「そんな話って——あるでしょうか」

「あったんですよ。それを本人の口から聞かされて、おもんさんもさぞや狼狽したことでしょうよ。それもね、何故告白したかっていうと——」

「おもんさんが——孕んだから？」

「ご名答だ。吉兵衛は子供が腹にいるうちは、この上なく良い亭主なんです。しかし臨月が近づくに連れて、また自分は前のようになるのじゃアないかという恐怖に駆られたンですね。それでおもんさんに凡てを告白した。しかし——考えても見てくだせェよ。妊婦が亭主からそんなこと報されたとして、どうなります？」

「なる程——それは」

それはこの上なく恐ろしいですと百介は言った。

「そう。最悪でさァ。それでも——月が満ちれば子供は生まれちまう。逃げも隠れも出来ねェんです。案の定赤子を見た途端、吉兵衛の目の色が変わった」

「それは——恐ろしいです。怖い」

「そう怖ェ。戦戦恐恐だ。それでも生まれて三月は保《も》ったそうだが、結局吉兵衛は、おもんさんの子供も隙を見て殺しちまッた。病死だと言い張ったそうだが、おもんさんには判るでしょうよ。池に漬けて殺したんだと言っていた。それで——おもんさん、気も狂わんばかりになって柳屋を出奔したんです」

「それじゃあ——四人目のお澄さんも？」

「そう。お澄さんは流産して、それで亡くなったことになってたようですが、子供は生まれてたようですね。吉兵衛、今度はすぐ殺しちまったンだ。お澄さんは子供失った衝撃で亡くなったか、或《あるい》は矢張り殺されたのか——二人の死骸はあの祠の跡地に埋めたんですよ」

それが――まじものの髑髏なんですか――と百介は言った。

「なんとも――遣り切れません」

「吉兵衛にさ、五度までそんなことを繰り返させる訳にゃァ行かないじゃないかえ――」

そう言っておぎんは、笈《おい》の中から人形の頭を出した。まるで生きているかのような、赤子の生き人形である。柳の下で抱いていたものだ。

「――でも証拠がなかったのサ。ところが、先生が祠の場所やなんかを三次屋から聞き出してくれたから、又さんはお澄さんやその子供の骨を見つけることが出来たし、あたしは生きたお喜美さんに会って、どうして逃げたのか聞くことが出来たンだよ」

「それじゃあお喜美さんは――吉兵衛の本性を見抜いて、それで逃げた訳ですか?」

そうなんだよゥとおぎんは言った。

「でもね、一番辛かったなァ――矢ッ張り吉兵衛本人だったンだよゥ。何しろね、あたしの顔を近くで見た途端にさ、何にもしないのにどうやら心の臓が――止まっちまったようだッたからねェ。悲しいよねェ――」

悲しいよねェと、おぎんはもう一度そう言って、赤子の頭を撫でた。

帷子辻
かたびらがつじ

檀林皇后《だんりんくわうごう》の御《ご》尊骸《そんがい》を捨《すて》し故《ゆへ》にや
今《いま》も折《をり》ふしごとに女《おんな》の死《し》がい見へて
犬烏《いぬからす》などのくらふさまの見ゆるとぞ
いぶかしき事《こと》になん

絵本百物語・桃山人夜話／巻第三・第廿二

1

京洛の西に帷子辻《かたびらがつじ》と呼ばれる辻がある。

東に太秦《うずまさ》、北は広沢《ひろさわ》に到り、北東《うしとら》は愛宕常盤《あたごときわ》へと抜け、西に嵯峨化野《さがあだしの》と、多方に八達した道の分岐ではあるのだけれど、それでもどこか行き場なき想いが立ち籠《こ》める、道の別れ処ならぬ道の終わりの如き佇《たたず》まいの辻である。

それもその筈《はず》。

辻へと立ちて西をば向けば、その先は化野の露《つゆ》消ゆる時なくといわれた無常所《むじょう》。念仏寺《ねんぶつじ》八千の石塔の下に眠れる無縁仏と、小倉《おぐら》山麓にて朽《く》ち果て風塵《ふうじん》と化しし、数知れぬ名も罔《な》き死人が坐《おわ》す、正にこの世の果てなのである。

その昔。

嵯峨《さが》帝のお妃の橘《たちばなのかち》嘉智子《こ》、世にいう檀林皇后《だんりんこうごう》が身罷《みまか》られた折《おり》のこと。しめやかに進む葬列がこの地この辻に差し掛かるその時に、颯《さっ》と一陣の風が吹き、棺を覆うた帷子が、ひらと飛びては舞い落ちたがこの場所で、しかるにこの名がついたとも伝えられる。信心篤《あつ》き皇后様は嵯《さ》峨野辺《がのべ》にかの尼五山《あまござん》がひとつ檀林寺をお建てになったお方故、縁もあったという訳である。

しかし。

真実《まこと》か虚構《うそ》かは知らねども、この古《いにしえ》の皇后は、お隠《かく》れになるその前に、死して後我が亡骸《なきがら》は、弔《とむら》いもせず埋《うず》めもせず、辻にうち捨て野に晒《さら》せと、そう言い遺《のこ》されたのであると——そうと伝える者もいる。

誰あらん、帝の妃の御遺骸を、こともあろうに道端《みちのは》に捨て置けとは如何《いか》なる所以《ゆえん》と問うならば、そのご遺志こそ唯《ただ》ひとつ、無常《むじょう》の二文字を体現せしめるためなりと伝え聞く。

万物は縷縷《るる》変化して止まることなく、人生も人体もただ虚《むな》しきもの、永遠《とわ》なるものなど何もなしと、世に知らしめるためであった——というのである。

生ある時の皇后は、世に類《たぐい》なき麗人で、多くの者が見奉《みたてまつ》り、お目に掛かりて心動かさぬ者なく、邪《よこしま》なる想いを抱く者もまた少なからず、それ故に、七七四十九日の中庸《ちゅうよう》の間、この骸《むくろ》を野晒《ざら》し雨曝《あまざら》しとし、その変貌する様を具《つぶさ》に示さば、恋に惑《まど》いて仏心を忘れたる愚か者も世の無常を感得し、成仏の方便となるであろうとの、信心探きお心の現れと伝えられるものである。

唐僧《とうそう》儀空《ぎくう》に願い出《い》で、我が国最初の禅院をば建立《こんりゅう》したる、貴き仏法者の皇后であらずんば、とても遺せぬ有り難きお言葉であったろう。

その腐る様、朽ちて行く様消ゆる様、禽獣《きんじゅう》に喰わるる様は、色に惑い香に迷うた輩《ともがら》どもを多く導き救ったのだと伝えられる。

そのご尊骸を捨てたるが、帷子辻だというのである。

帷子は、死に装束の経帷子のことというのであろう。

ただ。

ご尊骸が朽ちたるその後も――。

如何なることか、この帷子辻に、折節《おりふし》に女の死骸忽然《こつぜん》と現れ、犬鳥などに食《は》まれる様が見えることがあったという。

辻が無常を覚えたか。

無常が辻に衍《はびこ》ったか。

ただ、真《まこと》この世が無常であるならば、同じ相が時を隔てて見えるは理に叶わぬこと。

これは仏に深く帰依《きえ》したる皇后の、功徳に反する相である。

ならば狐狸妖怪の為せることに違いない。

さもなくば幻覚白昼夢の類であったろう。

いずれにしても旧《ふる》き過昔《かせき》のことである。

流石《さすが》にこれは怪談昔話の類ならんと、誰もが訝《いぶか》しくも思い、信じる者もいなかったのであろう。やがて代《よ》は流れ、そもそもその故事すらも知る者は少なくなっていたようである。

ところが。

旧昔《きゅうせき》の故事より幾星霜《いくせいそう》、長き寒暑《としつき》を隔てた後の世に――。

この都の外れの荒れ辻で怪異が起きたのである。

檀林皇后の幻そのままに女の腐乱屍体が毎夜帷子辻に現れるようになったのは――。

夏も盛り、葉月の終わりのことである。

2

「凄《すげ》ェ様《さま》だなァ——」

嵐山《らんざん》の端《はし》、訪れる者すらいない破れ御堂《みどう》の板間の上である。そこに広げられた一巻の絵巻物を覗き込んでいるのは、白帷子《しろかたびら》に行者包《ぎようじやづつ》みの札撒き渡世——御行《おんぎよう》の又市《またいち》であった。

「——好んで見てェもんじゃねえな」

又市は腕を組んで、対峙する男の顔を見上げた。相手は僧形である。剃髪《ていはつ》し、墨染の法衣を纏《まと》ってはいるが、凡《およ》そ真っ当な僧侶ではない。その鬼でも呑んだかのような不敵な面構《つらがま》えから、敬虔《けいけん》な信仰心を汲み取ることは難しい。その外見はしかし、概《おおむ》ねこの男の素姓性質をそのまま映し出している。

この男、名を無動寺《むどうじ》の玉泉坊《ぎよくせんぼう》という。都を根城にしている小悪党のひとりである。

その名は、比叡山《ひえいざん》七不思議のひとつ、無動寺谷、玉泉坊の妖怪から戴いたものであり、勿論二つ名も含めての通り名である。本名生国《しようごく》は知れない。勿論僧形でいるのも世過《よすぎ》の方便でしかなく、叡山とは何の関係もない。大津《おおつ》辺りを縄張《なわば》りにした無頼漢《ぶらいかん》である。

有り難い絵やがな——玉泉坊は言った。

「こりゃ靄船《もやぶね》の野郎に頼まれて、儂《わし》がさる有名な門跡に頭ァ下げて、そのうえ大枚叩《はた》いて借りて来たもんやさかいな、汚さんといてくれまへんか」

もう汚れてるじゃねェかよ――と又市は毒突いた。

「それよりも靄船の野郎は元気かい」

「相変わらずやなあ、あの男は。もうすぐここに来るよって、それまでこいつを小股潜《こまたくぐ》りに眺めさしといてくれと、そう頼まれましたんや」

どやろ、と言って玉泉坊は首を突き出した。

「どやろもこやろもねェわいな。こンな気色の悪い絵ェ見せられたって何の功徳にもなりやしねェ。江戸でも無残《むざん》は流行《はや》りだが、ここまで穢《きたな》かァねェぞ。ドロドロの生き人形の方が余程可愛げがあるてェもんだ」

又市は顔を顰《しか》めた。

絵巻には――。

女が描かれている。

しかしその女が生きているのは最初の一図だけである。

二図目で女は臨終し、そしてそれ以降の絵はその死骸の朽ちていく様を克明に追っている。

いずれも目を覆いたくなるような惨《むご》たらしい絵柄である。

俗に九相詩《くそうし》絵巻、小野小町《おののこまち》壮衰《そうすい》絵巻などと呼ばれるものである。

要するに死後の人体が土灰に帰す迄《まで》の九つの相を描いた絵巻物――なのである。

これが有り難ェのかいと又市は問うた。有り難いやろうと玉泉坊は応えた。

「――有り難いで。こりゃ世の無常を説いておるのんや」

「無情だァな。花も羞《はじ》らう別嬪《べっぴん》の、ただ腐るのを放っておくなんざ情け知らずもいいところじゃねェか。大体こりゃ一日やそこらのことじゃねェだろう。こんなに長ェ間放っておくなんてなァ、正気の沙汰じゃねェぞ。気の短ェ江戸者にゃ向かねぇぜ」

違うで、情け知らずの方やない、常ならむの方やがな――と玉泉坊は言った。

「ええか又さん。こりゃ世の中てェのは移り変わるモンやちゅうことを表す絵ェだ。こないに飾り立てた綺麗なおなごもな、死ねば腐る。膨れて、蛆《うじ》が生《わ》いて、犬に喰われて骨になる訳や。時が経てば美も醜に転ずる。美醜は同じモノなんや。変わらんと美しいモノなんぞない、色は移ろうものやから、そないな果敢《はか》なげなものに心を囚《とら》われるんは愚かやと、そういう絵やな」

「へん」

又市は鼻を鳴らす。

「そんなこたァこちとら百も承知だぜ。オイ入道。おめェ坊主ンなり損ねて何年になる。生臭ェ暮らししてる割りに随分と抹香臭《まっこうくせ》ェこと語るじゃねえか。あのな、色は移ろい香は霞《かす》む、それが世の倣《なら》いだぜ。そンなことは当たり前《めえ》だ。知らねェ奴は莫迦《ばか》だろうが、こんな気色の悪いモノ見なくったって、誰もが承知してることよ。一瞬《ひととき》の夢と承知で惚《ほ》れる承知で拘《こだわ》る、それが粋《いき》ってものじゃねェかい。おめェに両国の花火ィ見せてやりてェよ」

又市は指で最初の図を示す。

「この一枚でモウ結構、ってことだァな。江戸っ子に残りは邪魔だ。こっから後は——知って知らぬ振りが上等だぜ。見せてしまっちゃァネタバレよ。仕掛け舞台の裏ァ覗くようなものだ。嘘と解ってい乍《なが》らも、驚くつもりがねェのなら、化け物屋敷はおまンまの喰い上げじゃねえかよ。そいつァ野暮だ。箱根から先だ」

ここは箱根より西やないか。何を吐《ぬ》かすか——と言って玉泉坊は笑った。

「あのな又さん。この手の絵はな、九相図いうてな、九相詩いう古い漢詩があるんやが、それを絵にしたもんなんや。古いもんやさかい、お前の言うような粋も野暮もないのんや。紅粉《こうふん》の翠黛《すいたい》ただ白波を綵《いろど》るのみ、男女《なんにょ》の淫楽《いんらく》互いに臭骸《しゅうがい》を抱くちゅうやつやな。ええか、人は死ねば九つの相を示す。その最初の絵は生前の相や——」

玉泉坊は、又市が示した図を指した。

「こら、花のかんばせ色香を誇る麗人や。お前の言うた通り、これやったら惚れるわ。ぽんと開いた花火の華や。しかしな、どんな美人も死ぬるんや——」

玉泉坊は次にその横の、莚《むしろ》に寝かされ、白帷子をかけられた女の図を示した。

「これが死んですぐやな。新死の相や。まあ死んでる訳やから顔色は悪いわ。病で死んだもんなら生前から衰えてるやろしな。ただ——これやと寝てるのと変わらんやろ」

「死んですぐなら変わるめエ」

「せやな。恩愛の昔の朋《とも》は留《とど》まりて尚あり、飛揚《ひよう》の夕魂《せきこん》、去って何処《いずく》にかゆく、という訳や。生前の面影があるよって、こりゃ中中見切れぬわい。そうやろ」

「未練が残るッてことかい」

又市がそう言うと、入道はそうや未練や、執着やと言った。

「執着があるやろ。何というても生きてた時と同じ顔や。死んでるとは思われへん。動けへんだけや。又さん、お前はさっき、こっから先は要らんと言うておったな」

要らねえよと御行は言った。

「死んでるんなら埋めりゃいい」

そうも行くまいぞ——と玉泉坊は言った。

「——寝てる時と同じなんやろ。これ見とっても思慕の情は中中断たれへんやないか。生きて返れ目ェを醒《さ》ませと思うわい」

「だから埋めるンじゃねえか」

「そうよな。だがこれはどうや——」

入道は、更にその横の絵を示した。

腫《は》れ上がっている。皮膚《はだ》も毒色《ぶすいろ》に変色している。

顔相も様変わりしており、元の容色は既にない。

「どや。これは肪脹《ぼうちょう》の相やな。死ぬと膨れ上がるやろ。臓腑《はらわた》は腐り、手脚《てあし》は固まって、こう棒のようになる——紅顔暗に変じて花麗を失い、玄鬢《げんびん》まず衰えて草根《そうもく》に纏《まと》わる、六腑《ろっぷ》爛壊《らんえ》して棺《かん》槨《かく》に余ると、まあこうなる訳やな」

見たかァねェな、と御行は言う。

「そやろ。その気持ちやがな。好いて惚れて焦がれて慕った相手でも、こうなったなら終《しま》いやろ。どや？」

「だからよ、奴《やつがれ》は最初から、こうなる前《めえ》から御免だと言ってるじゃねェか。生臭入道の説法など聞きたかねえぜ」

そうじゃろそうじゃろと玉泉坊は笑った。

「まあええやろ。靄船が来るまでの間や。この玉泉坊の有り難い話を聞いたらどないだ。ほれそないに顔を顰めんと。これが次の相、血塗《けつと》の相や――」

入道はその次の絵を指す。肌の色は益々黒くなり、皮のあちこちが破れ始めている。眼球も流れ出している。見苦しいことこの上ない。

「骨砕け筋壊れて北郡に在り、色相変異して思量《しりよう》し難《がた》し。腐皮悉《ことごと》く解く青黛《せいたい》の貌《かお》、膿血《のうけつ》忽《たちま》ち流る爛壊《らんえ》の腸《はらわた》――ちゅう訳や。人は高潔なもんかもしれへんけど人の躰《からだ》ゆうのは不浄なもんやさかいな、この相に到ってその不浄が顔を出しよる。続いてこれが肪乱《ほうらん》の相や――」

もう、人体とは言い難い。

虫が生《わ》いている。

「白蠕《はくじゆ》身中に多く蠢蠢《しゆんしゆん》たり、青蝿《しようじよう》は肉《ししむら》の上に幾許《いくばく》か営営《えいえい》たり――こら、もう穢《けが》らわしいだけのものやな。風が臭気を二里三里も運びよる。不浄そのものといった体《てい》や。しかしな、こりゃ人にとっては穢《けが》らわしいだけのものやがな、禽獣《けだもの》にとっては格好の餌《えさ》やで――」

玉泉坊はするすると絵巻物を伸ばし、隠れていた絵を晒した。

狗《いぬ》などの獣や鳥、鷹などが骸に群がり、腐乱した屍体を貪《むさぼ》り喰っている図である。

「——噉食《たんしょく》の相いいますねん。飢犬吠嘷《きけんべいこう》し貪烏《どんう》群集すということですわ。餌やな。人の尊厳もかけらもありまへんわ。でもな、犬をあさまし思うたらあきまへんな。これが犬にとっては当然のことですねん。こないになってしまうと——」

　憎形の小悪党は、更に絵巻を捲った。

「ほれ、これは青瘀《せいお》の相やな。絵巻によってはこれが先に来ることもおますが、この絵巻はこの順や。見てみ。もう顔は髑髏《どくろ》や。肉ももう殆《ほと》どないわな。残った皮も空《むな》しいもんやで。この後はもう、骨しかあれへん——」

　入道はするすると巻物を最後まであける。

「これは骨散の相や。い、い、いやりこうべやで。皮張っててこそ男女《なんにょ》の差はあるがな、こうなってしもうては男も女も、況《まし》や別嬪も醜女《しこめ》もおまへんわ。で、最後は古墳の相や。骨も散ってしもてもう塵芥《ちりあくた》やで。五蘊《ごうん》は元より皆空《むな》しかるべし、何によって平生この身を愛すや。どうや、小股潜り、少しは神妙な気ィになったか」

　煩瑣《うるせ》ェな早く仕舞えと又市は言う。

「——しんねこになった敵娼《あいかた》が、一夜明ければ糞婆ァだったみてェなよゥ、胸糞の悪い心境だぜ。大体な、油気の抜けた徳の高ェ法師の説教聞いたンならその気にもなるが——おめえみてェな、酒色に溺れた溺屍体《どざえもん》に聞かされたんじゃ、夢見の悪ィだけじゃあねえか」

　相も変わらず口が悪いやないかと坊主は言った。

生憎《あいにく》それだけが取り得でなと御行は答えた。

「そらそうやな。しかし又さんや、それにしては顔色が悪いな。ほんまに気持ちが悪《わる》ゥなったんとちゃうか。せやったらすまんことやが――真逆《まさか》海に千年、山に千年棲み分けた、弥勒《みろく》三千の小股潜りが、これしきの絵でどうにかなろうとは思うておらんかったよって」

女の死骸が嫌ェなだけよと又市は言った。

「――特に穢《きたね》ェなあ御免だぜ。最初に言った通りによ、人様の本性が汚れてるなァ承知してるぜ。でもその泥だか糞だか判らねえ薄汚ェモノがよ、皮着て色塗ってべべを着てよ、精一杯綺麗な振りして暮らしてるンじゃねェか。剝《は》いで殺《そ》いで正体見せたって愉しくも嬉しくもねェ」

そうは言うてはみたものの、又市の視線は絵巻に落とされたままである。

どうした又さんと玉泉坊は問う。

おおと御行は答える。

昏《くら》い眼である。

「ほんにどうしたね又さん、何があったか知りまへんけどな、どうも勢いがないわ。儂と組んで上方荒らしてた頃はそんな眼ェはしなかったやないか。それに――その格好や。信心知らずの小股潜りが御行振りとは、この玉泉坊も目を疑いましたで――」

放っておけと又市は言う。

「何や、里心でもついたんかいな。妙な塩梅《あんばい》やで。親御さんでも――死なはりましたか」

けッと又市は舌を鳴らした。

「小股潜りに親ァいねえよ。奴《やつがれ》はな、糞坊主。実をいうなら江戸っ子じゃねェ。武州生まれの百姓の子よ。親父というのが何ともだらしがねえ、どうしようもねえ酒乱《のんだくれ》でな、八つの時におッ死《ち》んだ。母親ァ俺が生まれてすぐに男と逃げた。正真正銘の天下孤独よ——」

「ほう」

玉泉坊、ぎょろりと眼を剝いた。

口八丁の小股潜りが身の上話をすることなど、一度もなかったことである。

「そうでっか。儂はまた、お前さんは江戸もんやとばかり思うておったんやが——それにしたって様子が変やで。これから頼みごともあるようや。なんぞ引っ掛かりでもあるようなら、聞かせておいて貰わんとな」

つまらねェことよ——と又市は言う。

「どうでもいいことだぜ——」

「言うてくれ」

女がなと又市は言う。女がどうしたと入道は問う。

「もう何年前《めえ》になるか——江戸でよ。気の狂《ふ》れた女に遭ったと思いねェ。女てェより婆ァだ。これがな、どうしようもねェ色狂いだ。男なしでは一夜といられねェ女よ。齢《とし》ィ喰って、ふた目と見られねェ程に老いさらばえてもな、斑《まだら》に白粉《おしろい》塗りたくって皹《ひび》割れた唇に紅ィ引いてよ。汚《きたね》ェ。吐き気がする程に汚ェ。その化けモンが、夜な夜な男の袖引いてやがったのよゥ」

「男漁《あさ》りかね」

「そうよ。その女ァな、夢見てやがった」

「夢とは」

「てめえは若ェ、若くて綺麗だという夢よ。てめえの本当の姿ァは汚ェ婆ァだと、醜い化け物だということを、その女ァ見ていなかった。いや、見ねェように暮らしていたのよ」

悲しいわいと言って入道は厚い唇を歪ませた。

「おうさ。奴《やつがれ》ァな——その女に袖ェ引かれてな——」

そこで、又市は黙った。

「それで——どうしたい又さん。買われたのかい」

「抱きやしねェよ。奴《やつがれ》は、その女に——現実《うつつ》を見せてやったのよ」

「夢から醒ました——と、言わはりまんのか」

そしたらその女どうなったと思う——と又市は尋《き》いた。

「さあなァ。落胆したか恥じ入ったか、悔い改めたか——」

「死んだよ。首縊《くびくく》ってな」

「死んだンか」

「おう。丁度——この絵みてェに浮腫《むく》んでな。涎垂《よだれた》らしておッ死《ち》んだ」

玉泉坊は黙したまま又市の示す絵を見た。

膨脹の相である。

こうして死んだのよ——と又市は繰り返した。

玉泉坊は眉を顰めた。

「さよか——しかし又さん」

「知ってしまって生きちゃいられねェやな」

又市は一層昏い眼をした。

「この世は悲しいぜ、玉泉坊。その婆ァだけじゃねえぜ。おまえも奴《やつがれ》も、人間は皆一緒だ。自分を騙《だま》し、世間を騙してようやっと生きてるのよ。それでなくっちゃ生きられねェのよ。汚くて臭ェ己の本性を知り乍ら、騙して賺《すか》して生きているのよ。だからよ——」

俺達の人生は夢みてェなものじゃあねえか。

又市はそう言った。

「無理に揺さぶって、水かけて頬叩いて、目ェ醒まさせたっていいこたァねえ。この世はみんな嘘ッ八だ。その嘘を真実《まこと》と思い込むからどこかで壊れるのよ。かといって、目ェ醒まして本物の真実見ちまえば、辛くッて生きちゃ行けねェ。人は弱いぜ。だからよ、嘘を嘘と承知で生きる、それしか道はねえんだよ。煙《けむ》に巻いて霞《かすみ》に眩《くら》まして、幻見せてよ、それで物事ァ丸く収まるンだ。そうじゃあねェか——」

又市はそこまで言って急に顔を上げた。大きな僧も振り返った。

堂の入口にこざっぱりした身なりの小男と、花の載った箕《み》を頭に載せた女が立っていた。

「久し振りやな、小股潜りの——」

それは——靄船の林蔵《りんぞう》であった。

3

靄船の林蔵――表向きは帳屋《ちょうや》を生業《なりわい》とする小悪党である。

靄船とは、靄の中を山に登る船のことである。盆になると琵琶湖から叡山に到る坂本の坂を亡者が船に乗って登って行くという――これも比叡山七不思議のひとつである。この男の手にかかったら、真《まこと》か嘘か判らないまま、まるで靄の中でも歩むかのように瞞《だま》されて、いいように玩《もてあそ》ばれるというところからついた二つ名であるらしい。

元は公家の出だとの噂もあるが、本当の処《ところ》は知れない。

「又市よ。義兄弟の杯《さかずき》まで汲み交わしたこのわてに、文のひとつもくれずにおいて――なんとも薄情な男やないか。暫《しばら》く噂を聞かなんだが、なんや、諸国を渡り歩いているそやないか。捜すのに苦労したで。さては已の悪行を悔いて巡礼にでも出たんか」

又市は林蔵に向き直ると、

「まあな。今は御覧の通りの御行渡世だ――」

と言って、懐から鈴《りん》を出してりん、と鳴らした。

「こりゃあ一層驚いた。ほんまに巡礼やないか」

「悪《わり》ィかよ。それもそうだが靄船の、見たところ大店《おおだな》の若旦那てェ身態《みなり》だが、てめェもいつまでも悪いことは出来ねぇぞ。さっさとこの入道みてェに頭ァ丸めるが身のためだぜ。態《なり》だけでも恭《うやうや》しくしてるてェと、少しは分別もつくようだしな」

お前見とったらとてもそうとは思えんわと言って林蔵は笑った。

「――仏鋳潰《いつぶ》して売ったのは誰やったかいな」

「だから頭まるめて精進してるンじゃねェか。それよりも――奴《やつがれ》のこたァ誰に聞いたよ」

又市は胡坐《あぐら》をかき直して問うた。

林蔵はにやりと笑って、御燈《みあかし》の小右衛門さんやと答えた。

「――なんやこの間の大名仕掛けは大きかったそやないか」

けッ、あのくたばり損ないが――と又市は言う。

「で、何の用だ、こんな京くんだりまで呼びつけやがって。これでも忙しい身だぜ」

「助《す》けて欲しい仕事があるんや――」

そう言ってから林蔵は堂の中に踏み込み、ああそうや紹介しとこ――と言って、背後の女を裡《なか》に引き入れた。

河内木綿《かわちもめん》を烏袖《からすそで》に折り、黒の掛け襟《えり》に太めの襷《たすき》、三巾《みはば》の前掛けに御所染《ごしょぞ》めの細帯――。

都の花売り――白川女《しらかわめ》の装束である。

「これは横川《よかわ》のお龍《りょう》というて、二年程前から組んでる身内や。こちらが――小股潜りの又市いうてな、わてが江戸におった頃の――悪い仲間や」

宜《よろ》しゅうにと言ってお龍は会釈をした。林蔵とお龍は扉を閉めて、絵巻の横に座った。

「――見たか又市」

「ああ見たぜ。だが見ただけだ。こりゃ何の謎掛けだ」

「それだがな――まず説明しとこか」

「入道から聞いたぜ」

このおっさんは無学やさかいなあ――と林蔵は言った。

「煩瑣《うるさ》いわい。こう見えても儂は十五の時まで寺におったんやで。説教なんざお手の物や。聞いておったろうが、なあ又さん」

「寺にいたといったって、墓守か手水《ちょうず》売りか知れたもんじゃねェ。寺にいるのが偉ェてえなら庫裏《くり》の鼠《ねずみ》はみな大僧正じゃねェか。そもそも門前の小僧なら可愛げもあるが、おめえじゃ図体がでか過ぎらァ。門前の入道馴れぬ説法をする――だ。おめえは鉄棒《かなぼう》持って暴れてる方が向いてるンじゃねェか」

口の減らねェ野郎やでと言い乍ら、玉泉坊は絵巻を巻き取り始めたが、その手を林蔵がぴたりと止めた。

「だから待てと言ってるやろが。この絵が肝心なんや」

又市は厭な顔をする。

「筋を話せよ靄船の。盗人働きはしねェぞ」

「儲け話やないのんや」

林蔵は右の人差し指と中指を揃えて、鬢《びん》をつ、と撫《な》でた。

儲からねえなら下りるぜと又市は嘯《うそぶ》く。礼金は出すでと林蔵は答えた。

「誰が出すんだ。お前が出すのか」

「それは言えんのや。ただな、聞いてくれ又市。こりゃ本来、わての仕事なんや。ところがどうにもわての手ェに余る。一向に片が付かんのや。ところが、わいは明日から一文字の親方の仕事で長崎に行かなならんのや」

「それで代わりか。戻ってからじゃ遅ェのか」

遅いかもしれんのやと林蔵は言った。

「ことの起こりはな、去年の夏やった。太秦の先の帷子辻にな――」

女の腐乱死体が突如出現したのだ――と、林蔵は語った。

「腐乱――」

又市は絵巻に目を落とす。

「そうや。死後十日や二十日やない。目玉は抜けて腸《はらわた》は溶け、髪の毛ばかりが雀の巣ゥみたいにな、こうわやわやと――丁度その絵ェ見たいな具合や」

血塗《けつと》の相である。

「一寸《ちよつと》待て」

又市が止めた。

「――幾ら都の外れったって辻だろう。人通りはねェのか。もっと山の方に住んでる連中もいるじゃねェか。物売りだってなんだって通るだろうぜ」

「通るで。仰山《ぎょうさん》通るで」

「それじゃ怪訝《おか》しいじゃねえか。なんだってそんな往来に女が死んでて、誰も気がつかねェんだよ。幾ら都の連中が呑気《のんき》だからッたって十日も二十日も、そんなンなって腐るまで、往来の骸を放っておいたってなァ正気の沙汰じゃねェぞ。情けの薄い、忙《せわ》しねェ江戸者だってよ、道端で女が倒れてりゃ助けるぜ」

そうやないのやと林蔵は言った。

「――都の者かてそないに悠長やないで」

「けッ。怪しいもんだぜ。大体祭りを見りゃ解るじゃねェか。なんだ、あのいけ間怠《まだる》っこしい鈍鈍《のろのろ》した祭りは。祭りってなァもっと威勢の良いモノじゃねェかよ。一町進むのに何刻もかかるような祭りやってるから行き倒れも腐るンだよ」

又市は悪態を吐《つ》くと立ち上がった。

「悪いが降りるぜ」

「待ちなはれ。短気は損気やで。江戸者はこれやさかい困るわ。やれ粋がどうしたやとか威勢がええとか、宵越《よいご》しの金は持たんのやとか言わはるがな、痩《や》せ我慢しとるだけやないか。江戸と上方とどっちが潤《うるお》うとるか、身態見れば解るやないか。見栄ばかり張っとらんと実を取りなはれ。実を」

「煩瑣《うるせ》ェな林蔵。少しばかり羽振りがいいからって威張るンじゃねえやい。銭だ金だ喰い倒れだとうすらみっともねェ。そりゃ奴《やつがれ》はその日暮らしだ。だがな、只の貧乏じゃねェぞ。てめえのような吝嗇《しみつた》れにゃあ生涯出来ねェ金の使い方を知ってるだけだ。銭ってなァ貯めるためにあるンじゃねえぞ」

「相変わらず口の減らン男やな又——」

林蔵は苦笑いをし乍ら又市を引き止めた。

「——態《なり》は変わりよったが、中身はなんも変わってないやないか。いいからまあ座れて。お前が金で動く男やないことはわてかて百も承知しとるがな」

「そんなら話は早ェじゃねェか。奴《やつがれ》は降りる」

「話ィ全部聞いてから決めたかてええやないか。悪いようにはせんて」

だったらとっとと語りやがれと又市は尻を捲《まく》って座り直す。

「ええか又市。女の死骸はな、最初から腐っておってん。そこで腐ったのと違うねん」

「どういうこった」

「せやから——死骸は腐った状態で捨てられたんやて」

「じゃあ何か？　その女が何で死んだかァ知らねェが——辻に屍体捨てた下手人てェのは、腐るまで手許に骸を置いといて、それから捨てたって言うのかよ」

そういうことになるなと林蔵は答えた。そんな馬鹿がいるかと又市が言う。

「まあそう急ぐなて。順を追って話すさかい聞けや——」

林蔵の語った事件のあらましは次のようなものである。

一年前の夏——。

帷子辻に腐乱した女性の屍体が投棄された。

当然、野次馬やら役人やらが大挙して押しかけ、静かな辻は大騒ぎになったという。

屍体の状態は著しく悪く、顔相も体格も判ったものではなかったようだが、衣服などから判断するに、低い身分の女でないことだけは確かだったそうである。これが貧しい身態の遺体であったなら、どれだけ不審な点があろうとも行き倒れで済まされるところだったのだろうが、どう見ても武家の妻女の出で立ちであったため、京都町奉行所も京都所司代《しょしだい》も、放っておく訳には行かなくなってしまったのだそうである。

しかし、屍体の身許は程なくして判明した。

京都町奉行所与力、笹山玄蕃《ささやまげんば》の妻女さと——それがその骸の姓名であった。

さとは事件の二月程前に行方が判らなくなり、与力同心総がかり、奉行所を挙げての探索が続けられていたところだったのである。

しかし——。

それでも、即座にそうと知れなかったのには事情がある。

さとは拐《かどわか》された訳ではなかったのだ。加えて、殺害された訳でもなかった。

さとは二月程前に、流行風邪《はやりかぜ》をこじらせて、既に他界していたのである。

攫《さら》われたのは生きたさとではなく——さとの屍体だったのである。

さとの亡骸は、荼毘《だび》に付されるその前に、通夜の席から煙のように掻き消えてしまっていたのであった。

稀にみる怪事であった。死したりとはいえ与力の妻、これは由由しき事態である。お上に対する挑戦か、延《ひい》ては武家を愚弄する所業なりと——奉行所内は色めき立ったのだという。しかし、探索の甲斐なく下手人の目星もつかぬ。そもそも遺体盗人など聞いたことがない。さては狐狸妖怪の仕業《しわざ》かと噂する者も勿論あった。聞けば猫は骸を操るという。猫魂《ねこだま》の籠った骸は歩き出すともいう。また、猫のような獣の乗った火の車、火車《かしゃ》なる名前の妖魔があって、葬儀の席から骸を盗むと故事にも見える。そうしたもののけ《いかい》の仕業なら、仮令《たとえ》奉行所所司代と雖《いえど》も手出しの叶うことではない。

そんな折の出来事だった訳である。

骸を盗られて以来、心労から憔悴《しょうすい》しきっていた与力笹山玄蕃は、変わり果てた妻の骸に縋《すが》って只管《ひたすら》に泣いたという。可惜《あたら》その骸の有様が惨たらしかった所為《せい》もあり、周囲の者も遣り切れぬ想いに駆《か》られたのだそうである。ところが——。

帷子辻の事件はそれで終わりにはならなかった。

その年の暮れ。

再び——帷子辻に女の骸が捨てられたのである。

しかもそれは、矢張り死後二月以上は経っていようという腐乱死体であった。季節柄、夏場よりはまだましな様《さま》だったようだが、酷《ひど》く傷んでいることに変わりはなかった。

やがて——櫛や根付などの持ち物から、それは祇園《ぎおん》は杵《き》の字家《じや》の志《し》づのなる芸妓のなれの果てであることが判明した。

志づのは二月半前から行方が判らなくなっていたらしい。但しさとの時とは違い、亡骸が盗まれた訳ではなかった。志づのは生きたまま消えている。ただ周囲の者は拐し行方知れずという認識は持っていなかったようである。

身請けされて何処《どこ》か余所《よそ》に行ったもの——と、誰もが思っていたのだそうである。どんな旦那がついたものか、それは一向に判らなかったらしいが、身請けするとかしないとかいう噂はその少し前からあったようだし、事実失踪の直前に、置き屋の方に志づの名義で纏《まと》まった金子が届けられていたのだそうである。

しかし——志づのを知る者達の記憶が確かであるならば、志づのの遺体は姿を消した日そのままの格好だったらしい。死因もどうやら扼殺《やくさつ》であると思われた。つまり——志づのの場合は身柄を拘束されてすぐに殺害され、一定期間何処かに隠されて、腐敗を待って捨てられた、ということになる。必死の探索の甲斐なく、下手人は上がらなかった。

そして春。

三度《みたび》、帷子辻に骸が横たわった。

三つ目の骸は一層損傷が激しく、顔面などは半ば白骨化していたという。だが、その身許は守り袋から知れた。骸は東山の料理渡世由岐屋《ゆきや》下女、とくであった。とくの死因は確定出来なかったが、刀傷などはなく、矢張り扼殺であると考えられた。

そして――。

「一昨日、また――ですねん」

林蔵はそう言って口を噤《つぐ》み、又市に視線を送った。

「なんでえ。今度は骨散の相だったとでも言うのかい――」

又市は絵巻を示した。

「――最初の奥方が血塗《けつと》、次の芸妓が肪乱《ほうらん》、それで下女が青瘀《せいお》の相だったんだろ。段段酷くなる。ここまで来ちゃァ、後は犬に喰われるか骨になるだけじゃねェか。その辻に――骨でも散らばっていやがったか」

「そうやない。今回はな、まだマシやった。見つかったのはな、白川女――花売りやな。花売りのお絹いうてな。ええ娘やった。真面目でな。世話好きで。なあ――お龍」

お龍は頷《うなず》いた。

「お涙頂戴は性に合わねェ」

「心得てるわい」

「それもどうだか知れたものじゃねェな。オイ林蔵。おめえもすっかり箍《たが》が緩んだな。顔見知りの娘が毒牙にかけられて、それで情け心出したんじゃねェのか。だったらてめェ、十万億土の亡者を乗せて、恨みつらみで隈路《くまじ》を辿る、靄船の林蔵の名が泣くぜ」

又市は白装束の袖をば捲る。

外は蟬時雨《せみしぐれ》が降り注いでいる。堂内も暑い。

「いちいち煩瑣《うるさ》いがな。ええか小股潜り。お絹はな、慥《たし》かに死後数日どこかに隠され、いきなり帷子辻に捨てられた。捨てられはしたがな、お絹は殺された訳やないのんや」

「何だと？」

お絹は自害や——と林蔵は言った。

「——首ィ吊ったんや。そら間違いない。梅の木ィにぶる下がってンのを何人も見ておるんやから。慌てて降ろそとしてな、巧く行かへんさかい応援呼びに行って、その隙に消えたんや。辻に置き去りにされた時もな、縄がそのまま付いておったよって」

「また死んでから攫われたってのか」

「そういうこっちゃ」

「それはけったいなことでんな」

又市は表情を固くして、それを誤魔化すかのように浪速《なにわ》言葉の真似をした。

気が乗らんようやな——と林蔵は言った。

「乗るも乗らないもねェ。諄諄《くどくど》聞かされてもまるで先が見えねェや。いったい何を助けりゃいいんだ。真逆《まさか》下手人捜せというんじゃねェだろうな」

「そうやない。下手人は、大方見当がついてんねん」

「なら——奉行所に指しゃいいじゃねェか。お縄になってそれでチョンだぜ」

又市は拍子木を打つ真似をした。林蔵は眉間に皺《しわ》を刻んで、そうは行かんからお前を呼んだんやないか——と言った。

4

帷子辻の怪異は連日続いた。

夕刻——辻を通る人間の数が減り始め、行き交う者の人相も薄暮に怪しく滲む頃、それは忽然と現れた。

莚《むしろ》の上に横たわった女の死骸である。

死骸であることは一目で判った。青黒く浮腫《むく》み、蠅が群がり蛆が生《わ》き、時にはその臓腑を犬が喰《くら》っていたからである。

最初に見たのは薬売りだった。

薬売りは——またかと思ったようだった。そこは昨年の夏から数えて四度、腐った女の屍体が放置されていた場所だからである。しかし通報を受けておっとり刀の役人が駆けつけると、既に骸は消えている。悪戯《いたずら》かと問い質《ただ》すと薬売りは確かに見たと言う。のみならず、他にも多くの者が見ている。はては面妖《めんよう》なと首を傾げ、調べてみても痕跡もない。

ところが翌日も同じようなことが起きた。

矢張り同様の刻限、同様の目撃者が出て、役人が駆けつけると消えていた。

三日目も、四日目も同じようなことが起きた。

一計を案じ、五日目には奉行所の同心数名が張り込むことになった。

本当ならば死骸を置き、更に回収している者がいる筈である。

しかし——。

結局同心どもは屍を絡《から》げて奉行所に逃げ帰ることになった。

慥かに屍体は現れたのだ。

だが、そんなものが運ばれて来た様子は一切なかったのだという。運んで来るなら荷車か、馬か、牛車《ぎっしゃ》か——いずれそうしたものの筈である。死骸は死骸でも腐っているのであるから、担いだりおぶったりは出来ないだろうと、それは常識的な判断であったろう。だから役人連中はそうしたモノにばかり注意を払っていたのだった。

その類のものは全く通らなかったという。

ほんの一瞬、張っていた全員が目を逸《そ》らした隙に——それは現れた。

同心達はそれぞれ自《おの》が目を疑った。

慥かに死骸が横たわっていたのだという。

聞いた通り、蠅が集蝟《たか》っている。臭気も物凄い。

慌てて下手人の姿を捜したが、そのような人物は影も形もない。

その付近にはただ門付けの托鉢僧がいるばかりであり、その僧は骸が現れる前からそこにいたのだった。念の為問い質したが埒《らち》もなかったということである。

「その坊主が——儂や」

玉泉坊はそう言った。入道は人一人は入ろうという大きな葛籠《つづら》を背負っている。

「そらおもろかったですわ。あの糞同心ども、すっかり肝ォ冷やしたようでな、歯の根も合わぬちゅう有様やった。右往左往してる間に屍体は消える。それですっかり」

「亡魂だ——ということになった訳ですね」

考物《かんがえもの》の百介《ももすけ》は、そこで矢立の蓋をぱちりと閉めた。

太秦広隆寺の裏手、細い坂道である。

「しかしねえ——近頃珍しい幽霊話だと思って遠路遥遥《はるばる》来てみれば、何のことはない。結局は又市さんが絡んでいるんだから」

そないに有名になってますかいな——先を歩いていた玉泉坊は振り返って髭面《ひげづら》を見せた。

少なくとも大坂《おおざか》では評判でしたね——と百介は答える。

「しかし世間は狭いですよ。真逆——版元の一文字屋さんが又市さんの知り合いだとは思わなかった。私は江戸の版元の紹介で開板《かいばん》の相談に来ただけだったんですがね」

「一文字狸の親方は儂も世話になってる顔役ですわ」

そう言って、入道は坂の途中で立ち止まった。荷が重いのだろう。

「しかし噂いうのは早いもんでんな。どないなことになってまんねん」

「はあ。私が最初に聞いたのは檀林皇后の亡霊が出るという話だったんですよ。これは捨てておけないと——ああ、珍談奇談を蒐集《しゅうしゅう》しているものですから」

聞いてまっせ――と入道は葛籠を背負い直して言った。

「百物語を開板するんでっしゃろ。物好きなお方やと又さんも言ってましたで」

「まあ――物好きですよ。あの人と知り合ってからは余計にね。まあ私のことはいいですよ。それで京に来て聞き廻ってみるとどうも様子が違う。そこに捨てられた四人の女達が、代わる代わる化けて出るんだと、こういう訳です。ある時は芸者、またある時は花売り。それから料理屋の下女に武家の奥方――」

なる程――と言って玉泉坊は歩き出す。百介も続いた。

「その殺し――殺しというより屍体を捨てる事件ですか。それ自体はそんなに遠くまで聞こえて来ていない。聞けば一年前から起きているそうですが、少なくとも江戸には聞こえて来ていませんでした」

「まあ、一件一件間が開いておりますやろ。それに四件のうち二件は、こらまあ殺しやない訳ですからな。下手人召し捕りの目処《めど》も立ってまへんし、奉行所としてもこのままでは沽券《こけん》に関わりますやろ。余り口外したくないんでっしゃろな。それにな、考えてみれば――妙な話ですけどな、場所柄考えれば、こらそれ程にとッ外《ぱず》れた事件でもありまへんのや」

「場所柄――ですか」

そうですねん――と玉泉坊は答える。

「この京いうところはですな、ぐるりを死骸に囲まれてますねん」

「死骸に――とは？　墓地があるとか」

墓地やない、死骸ですわ——と坊主は言った。

「この都は御覧の通り三方を山に囲まれてますやろ」

玉泉坊は顔を上げ、ぐるりと見渡す素振りをした。

「山はな、あれ人の住むところではありまへんわ。鞍馬《くらま》にしても叡山《えいざん》にしても、ありゃ鬼門鎮護ですな。他の山かてそうや。で、その裾野は七野いいましてな、平野、北野、紫野、上野に萩野に内野、そして蓮台野《れんだいの》と、野っ原ァ仰山《ぎようさん》ある。これが——只の野ォやおまへん」

「ただの野とは」

「あんさん、船岡山《ふなおかやま》の千本閻魔堂《せんぼんえんまどう》に行かはりましたか」

行きましたと百介は答える。寺社は出来るだけ巡るようにしている男である。

「船岡山いうたら、あんた刑場ですわ。それにあの千本通りな。あれ、朱雀大路《すざくおおじ》が伸びとる訳やけども、あれかて元は千本卒塔婆《そとば》いいましてな、あの内野いう所はその昔、屍体捨てたところですわ」

「捨てた」

「そうや。蓮台野の方は今だって墓場や。今でこそ墓石建てまっけどな、昔はただほかしてお くだけや。それから——東山三十六峰の阿弥陀峰《あみだがみね》の裾野一帯な、あそこは鳥辺野《とりべの》いいましてなア、矢張《やは》り葬送の土地ですわ」

「清水寺《きよみずでら》の向こうの方——六道珍皇寺《ろくどうちんのうじ》の辺りですか」

「そう。あそこかて冥界の入口ですやろ。それから——こっちや」

入道は躰を西に向ける。

「小倉山《おぐらやま》――化野《あだしの》ですわ。化野念仏寺《ねんぶつじ》の千灯供養、あれ見たことおますか」

残念乍ら――と百介は答えた。

「さよか。あれはな、寂しいですわ。綺麗なものやけどな。無常や。あの夥《おびただ》しい石塔は、古《いにしえ》からずっとあそこで朽ちて行った数知れぬ骸の供養や。この都は、何度も焼かれ何度も荒れた。死骸はみんな都の周りに捨てられたんやな。帷子辻の先、化野は死人を捨てる場所やった」

「捨てる――葬るのではないのですか」

「鳥辺野はな、焼いたようですわ。しかし化野は捨てた。風葬やな」

「風葬――ですか」

「そうや。今はもうそんなこともないようやが、古くッからついこの間まで、ずっと――あの辺りには腐って朽ちた骸がごろごろしとった筈やで。九相図は、あれは想像図やない。実際、この辺りでは日常の風景やったのですわ――」

そこで小悪党は、恰《あたか》も普通の僧であるかのような貌《かお》をすると、

「あだし野の露消ゆる時なく、鳥辺野山の烟《けむり》立ちさらでのみ、住み果つるならひならば、いかにもののあはれもなからん――やな」

と言った。徒然草《つれづれぐさ》ですね、と百介は応じた。

「つまり――無常の地である小倉山方面への入口でもある帷子辻なら、そうした幻覚が湧き出るのは寧《むし》ろ当然だと――そう仰りたいのですか」

「その通りやな。人は忘れるものや。それに死ぬ。代が替われば昔は霞んで行きますやろ。でもな、人は移ろうても土地は変わらん。建物が壊れ木木は枯れても、この大地は残っておる。だったら、人は忘れても土地は覚えてますやろ。そういう忌まわしい思い出がべったりと染みついた土地やから――」

「出《で》るというんですか」

百介は怪訝《けげん》な顔をする。出ェへん出ェへんと玉泉坊は小悪党の顔に戻って言う。

「ひゅうどろなんてなァ芝居だけのモンやで。あんさんかて国中歩いて本物に遭うたことないんでっしゃろ？　そんなモノはあらへん。でもな、あってもええ、あって欲しいいうのが人情でっしゃろが。こないな古い町に住んでおりますとな――そういう気ィになって来る。特に帷子辻辺りは余計そうや。せやから又さんの仕掛けも不自然にならんかったんやないかと、儂なんかはこう思いますわ。もしや本物やないかと思うこともある」

「本物の――幽霊ですか」

お龍が化けておるだけやけどな――と、入道は言った。

「しかしお龍いいまんのは、あれ中中の役者ですわ。もう半月以上出てまっけど、一遍もバレなんだ。大した化けっぷりやで」

「しかし――幾ら何でもそれだけ続けば危ないでしょう。どれ程上手に扮装したって、生者か死者かの区別くらいはつくと思いますけどねえ」

百介の知る又市の仕掛けは、いつも周到である。つけ入る隙がない。

　今回に関してもそうなのだろうと百介は思っている。又市の腹積もりなど百介辺りには知る由もないが、それにしても半月もの間幽霊振りを続けるとなると、これは危険過ぎる。長引けば隙が出来る。又市らしくない遣り方だと、百介はそう思うのである。

　しかし玉泉坊は神妙な顔をして、いやあれはバレんで――と言った。

「あれはな、儂かて驚くわ。あれ、わざと腐汁を顔に塗って蠅を呼び蛆を這わせ、獣の腐肉を肚《はら》に仕込んで犬に喰わせてな。徹底してますやろ。大体出るのは逢魔刻《おうまがとき》やし、傍《そば》に寄ればまあ危ないとこですけどな。気持ち悪《わる》うて誰も近づきはせんのや」

　はあ――それにしても真意が汲めないですと百介は言った。

「そんなことを続けてどうする気なんでしょう。人払いなんですかね。私には――まあいつものことなんですが、さっぱり解りませんよ」

「それは儂にも摑めまへんな。まあ――あの辻から人気《ひとけ》がなくなったことは事実ですわ。半月続いて、奉行所もすっかりお手上げや。足のないモンやったら捕まえることも出来んと、同心も小者も引き揚げてな。今ではあんた、暮れ六つ過ぎれば犬の仔一匹おりまへん」

「人が誰も来なくなっても――続けているのですか」

　そうなんや――と玉泉坊は言った。

「何を待っとるのか――己が殺した者の幽霊が出る場所に、下手人が来る訳ないわい。寧ろ逃げるんとちゃいますかなあ」

　入道は首を捻《ひね》った。

「私もそう思いますね。私が下手人だったら絶対にそんな場所には近付かないですね。本物の幽霊だとしたらそれこそ御免だし、もしそうでないのなら絶対に罠でしょう」

そうやなあ——と玉泉坊は言った。

「ただな、この下手人はそういう一筋縄で行く相手とちゃうような気もしますのや」

「というと」

「何でそないなことしたんか解れへん。例えば——まあものの弾みで女殺してまって、それで怖《こお》うなってどこぞへ隠した——と、こういうことはおますやろ。で、段段日ィが経って来て、まあ腐って来ますわいな。それで隠しきれんようになって捨てた——これなら解る」

「まあそうですね」

「でもな、最初のはこれ、殺したのと違いますねん。死骸を盗んどる訳や。これからしてまあ尋常なことやおまへんで」

「そうですねえ。まあ遺族に対する嫌がらせとしか考えられませんね。戦国乱世の野武士でもあるまいし、経帷子の死骸から何か盗れる訳でもないでしょう。死骸を加工して何かを作るとかいうことも——結局はなかった訳だし。なら死者を辱《はずかし》める、つまり遺族を苦しめる以外の意味はないように思いますが」

「でもなあ。奥方の死骸盗まれた笹山いう与力は、人格高潔にして清廉潔白、情に篤《あつ》く不正を憎むちゅう、まあ今の世の中然然《そうそう》いないお役人ですわ。間もなく筆頭与力いう声もあったそうでんな。哀れむ声同情する声は聞くものの、ザマ見ろちゅう声は聞かんようやわ」

「そうですか。しかし——嫉妬、追い落としという線はあるでしょう」

ああ、それはあるかもしれんなァ——そう答える入道の顔は、やや翳《かげ》りかけた西陽に淡朦朧《うすぼんやり》と溶け始めている。

「——まあその与力殿、愛《いと》しい愛しい奥方様に先立たれただけでも相当参っておったようやからなあ。焼くのも埋めンのも我慢がならんいう感じやったそうやで。それが、漸《よう》く葬る決心をしてやなあ、さて供養しよちゅうところを盗まれた訳やろ。ねんごろに葬る筈が、腐らして野晒しやからなあ。どもならんて。すっかりやられてしもうたらしいですわ」

「やられた——」

「やられた。廃人同様いう噂ですわ。未だに下手人は捕まらんし、おまけに、ほとぼりが冷めた頃、思い出させるように同じような事件が起きる訳や。まあ嫌がらせと考えれば相当根ェは深いですな。陰湿や。与力殿、すっかり気が萎《な》えてしもうて、躰も毀《こわ》して、今はお役を休んで休養中だそうですわ。ほんまに嫌がらせやったら、こら大成功ですわな」

「お役御免になったのですか」

「そうやないそうです。亡くなった奥方いうのが所司代の何やらいうお偉いさんの娘さんなんですわ。そういうこともあり、またこれが仲睦《なかむつま》じい相思相愛の夫婦だったそうでしてな、これが並の与力やったら、こともあろうに武士たるものが妻の亡骸を盗まれるとは武門の恥、況《まし》てや辱めを受けて尚、怨敵《かたき》を捕縛することも叶わず、剰《あまつさ》え日日泣き暮らすなど以ての外ちゅうことで、きつくお叱りの上、閉門蟄居《へいもんちっきょ》申しつける——いうことになるんでっしゃろうがな」

「そうはならなかった」

「ならなんだ。最愛の伴侶の亡骸を辱められた苦悩、余人には計り知れず、その心中を慮《おもんぱか》るに憐憫《れんびん》の情抑え難し——いう訳でな。休職扱いやそうですわ。まあ、女房殿の親御が要職にあるいうのは慥かに効いておるんやろが、それでも、婿殿がその舅《しゅうと》殿にそこまで気に入られとったいうことですしな。そんな甘い処遇ンなっても他の者も文句言わんいうのは、まあ人徳いう奴なんでっしゃろ」

「相思相愛ですか——」

百介は歩を止め、矢立から筆を出すと腰に提《さ》げた帳面に何か記した。

「——聞くところ、矢張りその与力に対するやっかみが動機ではないのでしょうかな」

「そうでっか。しかしなァ、どれ程羨《うらや》んだんか妬《ねた》んだんか知りまへんけどな、それで奥方殺したいうならまだ解るが、遺骸を盗むゆうのもよう解らんし、そんなことのために次次人殺しまでしまっかいな」

「しかし——結果的にそれは、この上なく効果的な攻撃にはなった訳でしょう」

「結果的に——いうだけの話やないんですかな。慥かに与力殿はやられてしもうた訳ですが、それでもお役を解かれた訳でもないし、禄を減らされた訳でもない。寧ろ周囲から同情を買っておる訳やから。それに、二人目以降は何の関係もない女ですわ」

「本当に関係ないのですか」

ないらしいですがなあ——入道は細い路地に入る。

「志づのいう芸妓は、器量が悪い訳でも芸が拙《つたな》い訳でもなかったようやけど、芸妓衆の中では地味な女やったらしくてな。人付き合いも控え目やったそうやし、親しい者もおらんかったようですわ。地道に稼ぐ質《たち》やったそうで、杵《き》の字家《じや》ン中でも浮いておったいう話やけどな」

「しかし身請け云云《うんぬん》という話があったとか」

「青天の霹靂《へきれき》やったそうでっせ。誰も信じひんかった。それ相応の金子《きんす》は届いたそうでっけどな。相手も不明や。死んではどないもこないもあれへんわ。次に殺されたンは、下女でっからな。由岐屋いう料理屋はですな、まあ。侍もよく行くような店ですがな。与力同心も行っておったようやが、下女まではなあ。それに、最後の白川女に到っては——首吊っておるし」

「自殺の原因は何なのでしょう」

解りまへんと入道は答える。

「死ぬような理由はなかったいうのが花売り仲間の話ですわ。いずれにしてもよう解らん話ですわ。堅物の与力とは結びつかへん」

「まったくです。そもそも——わざわざ腐らせてから捨てるというのは——どうであれ妙な話ですよ。どんな意味があるのか。私には、死者への冒瀆《ぼうとく》としか考えられないですよ。ただ、その林蔵さんの話だと——下手人は判っているとか——」

「そのようでんな。尤《もっと》も儂は聞いてまへんけどな——」

玉泉坊はぱたりと立ち止まった。そしてすっかり影法師のようになった入道は——。

ここが帷子辻ですわ——と言った。

5

辻は——淡昏《うすぐら》かった。

居並ぶ家家は皆軒を閉ざしている。

そこは既に、生者の住まう場所ではなかった。

景色は何も変わりない。葭簀《よしず》も犬矢来《いぬやらい》も暖簾《のれん》も瓦《かわら》も、どこにでもあるそれである。しかし、まるで根の国の風景が重ね合わせられたかの如く、そこは陰陰滅滅《いんいんめつめつ》としていたのだった。風は凪《な》いでおり、気は澱《よど》み、蟬の声も止み、夏の宵はただ蒸し暑く濃密で——淡昏かった。

むう、と気が凝《こご》った。

そこだけ急に宵が深くなった。

そして——そこに。

骸が現れた。

それは、どう見ても遺体としか思えなかった。

青黒く浮腫《むく》みあがり、皮膚は紫色に爛《ただ》れ、一面に蠅が集蝟《たか》っている。口の端眼の端の粘膜には蛆《わ》が生き、とろりと白濁した粘液が垂れている。勿論、ぴくりとも動かなかった。

頸《くび》にはささくれた荒縄が巻かれている。縄がかかった部分の肌は一層黒く変色し、頸自体も不自然に折れ曲がっている。瞳は濁り、半分開きかけた口中は真っ黒で、その中に生の息吹は宿っていない。臭気も酷《ひど》かった。誰もが眼を覆い、鼻口を抑えて立ち去るだろう、酷い有様である。

四半刻《しはんとき》。

それはそのまま転がっていた。

やがて夜の帳《とばり》が骸をのろりのろりと包み始めた。いや、骸の中より湧き出でた闇が、死臭とともに辺りに拡散したのやもしれなかった。

そして——人とあやかしの区別もつかぬ、逢魔刻が訪れる。

音はなかった。小倉山の死人が騒ぐのか、声なき声が深深《しんしん》と辻に響くだけである。

不意に。

人影が注《さ》した。

蹣蹣《よろよろ》と——。

影は、強《したた》かに酒精を浴びた酔漢の如く、左に揺れ、右に傾き乍ら、少しずつ骸に近寄って行った。漸く骸の傍《かたわ》らに到って、影はぴたりと止まった。

腰に長いものが窺える。どうやら侍のようであった。

侍は骸の横にへなりと座り込み、土下座でもするように顔を下げた。

詫びているのか、それとも腰でも抜けたのか——しかし、それはいずれも違っていた。

侍は——深く息を吸っているのだ。
死臭を、まるで味わうが如く、胸一杯に吸い込んでいるのである。
尋常なことではなかった。近寄るだけで悪心《おしん》がする程の強烈な悪臭である。
そのうち、侍は嗚咽《おえつ》を漏らし始める。うう、ううと唸《うな》り始める。
しかしそれは——どうやら悲しみの声ではないのだ。
男は——悦《よろこ》んでいるのだ。
お——お絹。お絹。
お前は——お前はあんなことを、、申したが——。
拙者の気持ちは揺るがなんだぞ。
どんなに崩れようと、腐ろうと、拙者は——。
拙者は——。
お前のことを。
りん。
鈴が鳴った。
侍は何かに怯えるように振り返った。
そこには、昏い辻にくっきりと浮かび上がるかのように——白装束の男が立っていた。
行者包みに偈箱《げばこ》を提げた、御行の又市である。
「愛《いと》しゅう御座居ますか——」

又市は言った。

「――愛しゅう――お想いで御座居ますな」

「そ、そなたは――」

「奴《やつがれ》は、彼岸と此岸の刃境《はざかい》に住まい瞑府《めいふ》の縁を行き来する、御行乞食で御座りまする」

「お――御行殿か」

「今宵は絹が迷うて出ました。旦那様も――罪なお方じゃ」

絹よ、絹よと言い乍ら、侍は顔を骸の帷子に擦り付ける。

「拙者がこれ程想うておるのに――」

「想うておるのに」

「絹は身分が、身分が違うと申すのだ」

「お武家様と花売りでは、慥かに身分が違いやしょう」

「身分が違えど人は人。気持ちの通じぬ訳もない。仮令夫婦《みようと》となれずとも、睦《むつ》み合い慈《いつく》しみ合うことの何がいけない。それなのに――絹は男が女を想う心など信用ならぬと申してな」

「所詮色香に迷うただけと、そう申したので御座居ましょう」

「左様。情けを受くるは有り難や、而《しこう》してその場限りの気紛れで、玩《もてあそ》ばれるは真っ平御免と、そのように申すのだ。拙者がこれ程に想うておると申すのに――」

しかし、しかしな、侍は頰を腐肉に擦り付ける。一斉に蠅が散った。

「ほうら見よ。拙者は本気じゃ。真剣じゃ。解ったか、解ってくれたか絹よ、絹よ」

「絹は――上古《いにしえ》の檀林皇后宛《さなが》らに――身を以て知らしめたので御座りまするな」

「知らしめたのではない。絹は、絹は拙者を疑いおったのだ。色に曇り香りに迷った拙者の眼を醒ましてやろうぞと、そんなことを申したのだ。不実じゃ。不実じゃ。拙者の気持ちを信用せなんだ。でもこれで解ったであろう。拙者は――」

侍は腐汁を啜《すす》る。

「――拙者の気持ちは真実じゃ。仮令どんな姿になろうとも、変わるものではないのだ。それはもう――解っていたことなのだ。あれだけ言うたのに、それなのに絹は信用せなんだ。信じてはくれなんだ。でも、もう解ったであろう――」

「簡単には信じられますまい。旦那様ご自身も――お疑いだったので御座居ましょう」

「そうだ。拙者も疑った。檀林皇后の故事にある通り、この世が無常であると知れば、妄執も立ち消えるかと、そうも思うた。しかし――それは違った」

「違ったので御座りまするか」

「違った。慥かにこの世は無常であろう。万物は移り変わり一瞬《ひととき》として同じ時、同じ相はない。しかし――人の心は違おうぞ。そうではないか御行殿――」

侍は、腐汁と虫で汚れた顔を御行に向けた。

「生憎奴《あいにくやつがれ》は人の心を持たぬ人でなし故――」

解り兼ねますと白装束は言った。

「曰《いわ》く信念。真理。理想。そうした形を持たぬものは世が移ろうとも変わりはせぬ」

「左様で御座居ますか」

「そうであろう。諸相は無常というも理《ことわり》、色即是空と誦《とな》えるもまた理。凡《すべ》ては空なりというたところで、凡ては空という理自体は不変のものだ。ならば、ならば同じく、情愛思慕の念もまた——不変のものではあるまいか——」

「生憎、生まれついての親なし宿なしなれば、それも解り兼ねましょう」

解るまい、解るまいなあ——と侍は呟き乍ら、ゆらりと立ち上がった。

「拙者も最初は疑った。しかし——しかしなあ」

奥方様への想い——で御座りますかと御行は問う。

「そうだ。拙者は——妻を愛しておった。本当に愛しておった。心の底から愛しておった。それは現在《いま》でも変わらぬ。そう、妻が死しても、その想いは変わらなんだ。それを未練、執着と思うたから——拙者は——」

「いい、お試しになったのですね」

御行は静かにそう言った。

侍は頷いた。

「試した。自分が惚れておるのは何なのか、好いているのはどこなのか、拙者は確かめたかったのだ。立ち居振る舞いに惚れておるのなら——命消えたところで断ち切れよう。上辺《うわべ》外見に惚れておったなら——朽ちれば断ち切れよう。魂に囚《とら》われておるのなら、中庸を過ぎれば気も収まろう。だが——」

「だが――旦那様は」

ふふふ、と侍は笑った。

「いつまで待ってもまるで衰えなんだ。拙者は――拙者の気持ちは本物なのだ。拙者は真実妻を愛しく想うておったのだッ」

「しかし――途中で怖くなられたので御座りましょう」

御行は一歩前に出た。

「だから――」

「だから――何だ。拙者は、拙者は本気で――」

「罪なお方で御座ります」

「何？」

御行はすうと鈴を翳《かざ》した。

侍は蹣跚《よろけ》、そして身構える。

「酒色に溺れた世の男どもを見ろ。女人を色の道具としてしか見ておらぬ。色香に迷い、美醜を価値に置き換えて、それで人の道が立つか。それが人倫に叶うたことか。醜い者は劣っているのか。貧しい者は劣っているのか。人と人との繋がりは、そうした上辺の、移ろうだけの部分で成り立っておるのか。それは違おう」

「違いましょうな」

そうであろうが――と侍は言う。

「仮令醜く腐り果てても、仮令骨となり散らばろうとも、変わらぬ想いこそ本物だ。生者も死者も関係ない。拙者の想いは本物なのだ。純粋なる、真実の気持ちなのだ。それが証拠に、拙者は三度繰り返し、四度目もまた――」

「身勝手で御座ります」

「何をッ！」

侍は刀の柄《つか》に手を掛ける。

御行は鈴を翳したまままた前に出る。

「その方、拙者と妻との絆を、拙者と絹との結びつきを嗤《わら》うか。愚弄するのかッ」

そうじゃァ御座りませんと御行は言う。そして、

「絆なんてモノは生者の中にだけあるもの。死人にゃそんなモノは御座居ません」

そう言った。

「な――何を言う」

「死人はモノでやす。だから腐る。骸は塵芥《ごみ》や糞と変わりのねェ、不浄なモノに過ぎねェんで御座居ます。魂もねェ。心もねェ。慥かに旦那様の仰る通り、生死の境なんていい加減なもので御座居ますよ。美醜の違いも男女の違いも、些細《ささい》なことで御座りましょう。しかし」

「しかし何だ」

「黄泉津比良坂《よもつひらさか》の話を御存知か――」

御行はそう問うた。

「――火の神を産みし折に神避《かむさ》られた伊邪那美神《いざなみのかみ》を追われて黄泉《よみ》の国に降《くだ》られた伊邪那岐神《いざなぎのかみ》のお話に御座りまする」

「存じておるぞ――」

侍は身を低くした。

「――善く存じておる。古《いにしえ》の神は冥界に降《くだ》り、国作りは終わっておらぬ故一緒に還れと申されたのだ。その姿を見れば――総身に蛆が群がり、頭には大雷《おおいかづち》 胸には火 雷《ほのいかづち》 腹には黒雷《くろいかづち》 陰《ほと》には折雷《ほといかづち》 左手には若雷《わかいかづち》 右手には土雷《つちいかづち》 左足には鳴雷《なりいかづち》 右足には伏雷《ふしいかづち》と――雷神が成り居りて、見《み》畏《かしこ》みて慌てて逃げ帰る――という話であろうが」

「そうで御座居やす。伊邪那岐神は黄泉津醜女《よもつしこめ》、黄泉軍《よもついくさ》、八柱《やはしら》の雷神をお躱《かわ》しになって逃げ帰られ、冥界への道――黄泉津比良坂を千引《ちびき》の石《いわ》を以て引き塞《さ》えたという、神世のお話に御座りまする。さて旦那様」

御行は声を荒げる。

「何故に――伊邪那岐神は逃げ帰ったので御座りましょうや」

「ふん――」

侍は嗤う。

「真実の想いがなかったからであろう。仮令蛆が生《わ》いていようとも、性質が変わり果てていようとも妻は妻。形だけに囚われておるが故――嫌悪したりも致すのだ。況《まして》や逃げ帰るなど、作りごととはいうものの、神とも想われぬ所業であろう。拙者は――」

侍は再び御行に背を向け、骸に覆い被さりその蓬髪《ほうはつ》を優しく撫でた。

「拙者は——そのような変心はせぬ」

「浅はかなり」

「何を申すか」

侍はぐいと骸を抱き締めた。

「好いておる。これでも本当に好いておるぞ」

「それは妄念」

「な、何をッ——」

侍は溶けた骸に頬を寄せたまま御行を睨《にら》みつけた。

「幾度も申し上げますが、そこなる屍体はただのモノで御座居ます。そこまでモノに拘泥《こだわ》るは妄執以外の何物でもない！　死者は既に——」

そ、こ、にはおりませぬ、と御行は言った。

「いいや、おる！　これは絹だ。絹だったモノではない、絹そのものだ。腐って蕩《とろ》けてはおるが、それが何だというのだ！　これが絹なのだ。た、魂こそ人間の本当の姿だと、そのような詭弁《きべん》を弄するのではあるまいな。そんな言葉に耳は貸さぬぞ。仮令魂が抜けようが、これが絹であることに変わりはない。騙されぬ。騙されぬぞ！」

愚かなり愚かなり——御行は嗤った。

「人に魂などない、い、い！」

りん。

「況や冥界など、い、いうもの、か、はない！」

「何！」

鈴の音。

「な、ない――？」

「生きた躰そのものが魂で御座居ます。生き残った者の心中にこそ――冥府はあるので御座居ます。だから――死したるものは速やかに、あなたの心の中にお送りせねばならぬのです。そうでなくては生きている者の方の示しがつかぬ。千引の石とは、この現世《うつしよ》と、あなたの心の間に置かれている岩。それを勝手に取り払っては――あなたが立ち行かなくなるだけに御座居ますぞ。あなたの一方的な妄執で黄泉津比良坂を通されたのでは――女達も堪《たま》りませせぬぞ」

「い、言うことが、わ、解らぬ」

「死者は己の中にあり、現世には決して戻りませせぬ。だからこそ、屍体はモノと心得るが礼儀に御座居ましょう」

「だが、だが拙者は――屍体も嫌いにはなれなんだ。厭《いと》うことは出来なんだ」

「厭う必要は御座居ません」

御行は厳しい声を発した。

「伊邪那岐神が逃げ帰ったのは――醜い妻が嫌だったからではない」

「そ、それでは――何だと」

侍の声は震えている。

「伊邪那岐神は——追われて逃げたので御座居ますよ。神は禁忌をお破りになられた。そして亡き妻——伊邪那美神の怒りを買ったので御座居ます」

「い、怒り？」

「そう。怒ったのは——醜い姿を見られた伊邪那美神の方なので御座居ます」

「な、何故——」

「見るなと言うたのに見たからで御座居ます」

「み、見るな——と」

「人は——生きてこそ人。それは神とて同じこと。死して後、きちんと送り届けぬは礼儀知らず。死者にも——尊厳が御座居ます。旦那様、見られたくない姿を見られて悦ぶ者はおりませぬぞ。己が醜く腐って行くことが、一番嫌なは死者自身。その恥ずかしき己の様を一番見られたくない相手こそ、心底好いた——お前様であった筈」

「い、いや、そんなことはない、そんな——」

「そんなことも解らぬので御座居まするか旦那様。身勝手にも程がある。その絹も、志づのもとくも、そして奥方様も——怒り悲しんでおられるのですぞ！」

「う、嘘を申すなッ。そのような——戯《たわ》けたことを——」

　本当で御座居ます——御行は鈴を侍の鼻先に近づける。

「嘘と申されるなら尋いてみるが宜しかろう」

「尋く？」

侍は御行にその面《おもて》を向けたまま、
ゆっくりと視線を骸に下《む》ろした。

腐った女は白目を剝いて、
その爛れた唇を悸《わなな》かせた。

そしてひと言——。

「吾《われ》に辱《はじ》見せつ」

と言った。

「う」

侍は目を見開いた。

「う、うあああああああッ」


「御行　奉為《したてまつる》——」


りん。

鈴の音とともに絶叫は止み、侍は骸の傍らで——。

腹を切って果てた。

辻は昏黒《こんこく》の闇で覆われていた。

6

その後は——何とも奇妙な後始末が待っていた。

それまで山岡百介は、玉泉坊と共に木蔭に潜み、ただ凝乎《じっ》と様子を窺っていた。

玉泉坊は、侍が果てたと見るや透《す》かさず手燭を灯し、辻へと躍り出た。百介は慌ててその後を追った。入道の弁に依ると、どうやらそうする手筈になっていたのだそうである。玉泉坊自身は詳しいことを一切知らされていなかったらしいが、兎《と》に角《かく》、辻を訪れた者が死に到るような運びになったなら即座に動けと——又市からそう指示されていたのだそうである。百介も勿論何も聞かされてはおらず、ただ黙黙と手伝わされただけだった。

入道が担いでいた葛籠《つづら》には、何と男の死体が入っていた。

それが何者の死骸なのか、何故入道がそんなものを担いでいたのか、説明はなかった。

又市は、前のめりで死んでいる侍を引き起こし、その指を開いて握り締めた小刀をはずし、代わりに鞘《さや》から引き抜いた大刀を握らせた。そして、かの御行は、侍が自《おの》が命を断った小刀の柄《つか》を、その誰とも知れぬ死体の手に握らせたのである。

相打ちの体裁を作った訳である。

百介が何より驚いたのは——女の骸が本物だった、ことである。それは——本物の腐乱死体だったのだ。玉泉坊から散散聞かされていた所為もあって、百介はすっかりそれがお龍の変装したものだと思い込んでいたのだった。

今日に限って、お龍は死骸のすぐ傍に潜んでいたらしい。ならば最後のあのひと言は、多分お龍が言った言葉だったのだろう。考えてみれば、その頃にはもう、陽は完全に落ちており、帷子辻は鼻を抓《つま》まれても判らぬ程の闇一色に染められていたのである。誰が何処に潜んでいようとも、何を語ろうとも——判りはしなかった筈である。

しかし百介には、それは死体の言葉として届いていた。

多分、死んだ侍もそう思ったことだろう。

侍の亡骸。

そして男の屍《しかばね》。

それから女の腐乱死体。

三つの骸を残して、小悪党どもはその場を去ったのだった。

翌朝——。

京の町は大変な騒ぎになった。

そして百介は、仕掛けの半分を理解した。

町の噂を繋いで——百介には漸く又市の描いた絵が見えた訳である。

結論から言うならば、切腹して果てた侍は、笹山玄蕃その人だった。

京都町奉行所与力笹山玄蕃は執念の人であった——と、事情通は語った。

玄蕃は心労から躰を毀《こわ》し、お役を解かれていたにも拘らず、亡き妻への想い断ち切り難く、その遺体を辱められた屈辱耐え難く、亡霊騒ぎで人気の引いた帷子辻にただひとり、ずっと居残り張り込んでいたらしい——というのである。

そこに下手人——勿論それは玉泉坊が運んで来た遺体なのだが——が、五体目の腐乱死体を投棄するために現れた、という筋書きなのである。

執念の与力と連続屍体投棄事件の下手人は互いに切り結び、
そして相果てた——。

そういう構図だった訳である。慥かに、だれが見たとてそう思うだろう。

何しろ場所は件《くだん》の帷子辻、しかも女の腐乱死体の横で、悲劇の与力と身許の知れない男が相打ちの形で果てているのである。それ以外に考えようがないだろう。

真相はまるで違う訳だが。

玄蕃は自害なのである。

下手人という男も最初から死んでいた。

何がどうなっているものか、百介には見当もつかなかった。

百介は、手間賃を貰う約束もあったから、西山の宿を出て嵐山の破れ御堂に向かった。

又市はそこを塒《ねぐら》にしている筈だった。

堂の前では玉泉坊が、鉈《なた》を振るって薪を割っていた。

百介が問うと、玉泉坊は大いに笑った。

「あの屍体か。あれはな、昨日大津の先の寺まで行って調達して来たもんや。悪い顔しておりましたやろ。しかし身許も知れん素姓も判らん。所謂《いわゆる》行き倒れやな」

「行き倒れ？　じゃあ無関係なんですか」

当然や――と入道は言った。髭が汗で濡れている。

「――又さんが昨日の朝にな、今日辺り屍体が要るかもしれんから用意せえと、そう言わはりましたんや。年の頃なら三十四十、死因は刀傷がええ、袈裟《けさ》がけにばっさりなんて一番ええとこう言うんやな。こりゃ苦労しましたで。結局突き傷の奴しか調達出来ひんかった」

それでも調達出来るだけ凄いものだと、百介は率直に言った。

裏街道に生きる者どもでなくては、想像も出来ぬことである。

真逆下手人に仕立てるたァ思わなんだなあ、と入道は言った。

「又さんの考えることは解りまへんわ。あの女の方も、どうせ同じようなものでっせ。あれはきっと――半月前の仕掛けェ始めた日ィから用意しとったんやろうな。お龍が捜して来た行き倒れの仏さんや思うわ」

「しかし――その――いいのでしょうか」

百介は冒瀆的な印象を持っているのである。玉泉坊もそれを察したらしく、まあ儂も最初は躊躇《ためら》いましたわ――と言った。

「でもな、こりゃええのンや」

「いいの——ですか」

「ええんやろうな。又さん言うてはりましたやろ。屍体は人やない、モノやと。そう思わな立ち行かんちゅうて。それはそうなんや。又さんは割り切ってるのやな。それに、あの男の屍体かて女の屍体かて、後ろ暗いところがない者どもとは思えんで。まあ悪い男や。どこで何をやりくさって野垂れ死んだんかは知りまへんけどな。どうせぞんざいな扱い受けて無縁仏になるだけやってんから、最後の最後に人様の役に立ったんやし、良しとせにゃいかんやろなァ」

「はあ——しかし」

どんな役に立ったのだろう——と百介は思った。

それを問おうと百介が顔を上げると、玉泉坊は額の汗を拭って、おうおう、お龍ちゃんやないか——と言った。百介が振り返ると、椿の木の下にお龍が立っていた。

どこから見ても可憐な町娘という出で立ちである。大の男を手玉に取り、どこからともなく屍体を調達して来たり、剰《あまつさ》え死骸に化けて衆人を誑《たぶら》かすような真似をする小悪党には絶対に見えない。

透ける程色白の娘はにこりと笑って百介に会釈をした。

「あの——」

そしてお龍は言った。

「——あの仕掛けの依頼人は、実は所司代のお偉方ですのん」

「しょ、所司代って——じゃあ最初の遺体——与力の奥方の——」

そう――とお龍は頷く。

「あの笹山はん、あれはほんまにええ人やったそうです。本当に奥方様を大事にしてはって、仕事振りも真面目やし、舅殿も豪《えら》く買ってはったそうですわ。それがな――」

「それがって――じゃあ凡ては玄蕃の仕業だったのですか？　その――え？」

そのようですなぁ――お龍は長い睫《まつげ》を伏せた。

「奥方さんは――鳥辺野で焼かれることになってはったんです。でも、あの与力はん、奥方はんが焼かれるのが我慢ならなかったようですわ。それで――」

「じゃあ屍体を盗んだのは――ご主人自身で？」

そやったんかい、と玉泉坊が声を上げた。

「そうなんやて。玄蕃はんは奥方の亡骸を屋敷の裏手の小屋に隠して、来る日も来る日も可愛がったんやそうですわ」

「そんな――ことを？」

「吾乍《われ》ら浅ましとは思わはったんやろなあ。でもな、そのうち――亡骸は日に日に傷《いた》んで来ますやろ、そうしたら気持ちも離れるかと、そう思わはったようですなぁ。檀林皇后の故事に倣《なら》って、世の無常を身に沁みて知れば――人倫を踏み外した己の所業も収まるやろと、そう考えはったんですな。ところが――」

そうか――と玉泉坊は唸るように言って、鉈を下ろした。

「――嫌いにならんかったんやな」

そのようですわ――とお龍は寂しそうに言った。

「腐っても爛れても――玄蕃はんは奥方様を嫌いになれなかったんですわなァ。そこで、そんな自分が怖《こお》うなって、変わり果てた亡骸を辻に捨てたんやそうです」

「それが――最初の？」

「そうなんやて。その後――あの方は乱れて、酒に逃げた。そして遊里に通い始めて――」

「志づのと深い仲になったんか」

「そう。でもそれは本気やなかったんです。何故ならあの方――志づのはんを殺さはったんですから」

どうして殺したんです――と百介は尋いた。

「試さはったんです」

「試した――とは？」

「奥方様を亡くされて日ィも浅いいうのに、自分は芸妓風情に心を動かされてる――その事実が耐えられなかった。志づのはんに傾いてる気持ちは嘘や、これは色香に迷うとるだけやと、そう想いたかったんですわ。そこで確かめるために身請けをして――」

「殺したんですか？　殺して――腐るのを待った？」

「そうのようどすなぁ。亡骸が腐り始めれば自分は志づのはんを嫌いになる筈や――と、そう思わはったんですな。そうすれば、奥方様への思いは特別なものやったということになりますやろ？　奥方様の時は嫌いにならなかった訳やから。ところが――」

「志づのの場合も――嫌にはならなんだ、ちゅう訳か」

入道の問いには答えずに、お龍は横を向いた。

「人は色色ですわなぁ。玄蕃はんは結局――また怖うならはって、遺体を辻に捨てたんです。そして――もう、その辺りであの与力はんは狂うてはったのかもしれまへんけどな――」

「下女を殺したのも玄蕃なんですね。同じ過《あやま》ちを繰り返した？」

お龍はすうと移動して御堂の壁に手を掛けた。

「所司代のお舅さんがなあ、娘が亡くなってから娘婿の様子が怪訝《おか》しいのを気遣わはって、ほれ、身の回りの世話する者もおらへんかったでしょう。三度三度由岐屋の料理を届けさせてはったようなんですわ。それを届けてたんが、おとくちゃんです。おとくちゃんいうのは、人懐こい娘やったそうですけど――」

「玄蕃は――また」

「ええ。殺して、腐らせて、それでも嫌うことが出来ず、嫌いになるまで待って、待って、それでも嫌えずに怖うなって捨てた」

「花売りのお絹という女性は？　彼女は自害したのでしょう？」

「お絹ちゃんは――その昔、与力笹山玄蕃に助けられたことがあって、それ以来ずっとお屋敷に出入りしてたんです。奥方様が亡くなって以来、毎日通ってたそうですわ。勿論花を届けてたんやけども――玄蕃はん、奥方様の仏壇の花は絶やさへんかったそうですわ。それでお絹ちゃんは――玄蕃はんの変調に気づいたんですなあ」

「玄蕃の殺し――というか、その――奇行に気づいていたと？」

そう思いますなぁとお龍は言った。

「――あの娘は優しい子ォやったから、きっと同情したんやと思います。それで――」

「深い仲に？」

「恩返しの気持ちやったんでしょう」

身分が違う――そう絹は言ったのだと、玄蕃は語った。

それを不実だと、玄蕃は罵《ののし》った。

「お絹ちゃんは凡て知ってたんやと思います。身分や美醜と愛情は無関係なのだ――と。

玄蕃はんが――下手人やと。同時に玄蕃はんが真剣に自分に求愛してることも知ってた。だから苦悩の末に――」

首を縊《くく》った――。

抗議行動だったのでしょうかと百介は問うた。

「生きては添えぬ――と思わはったんです。奥方様に申し訳が立たぬとも思うたのかもしれまへんな。死ねば諦めるやろと、そう思うた。でも」

「その時――もう玄蕃はまともじゃあなかったんやな。死んでも腐っても、己の情愛に何等《なんら》変わりはないんやと――自信を持っておった訳か」

だから。

死骸を回収し、そして――。

百介は口を抑えた。

「所司代の舅殿は、薄薄感づいていはったんですわ。でも証拠も何もない。それに、下手に暴き立ててもどないにもならしまへんやろ。娘婿の真面目なんは承知してはる。ほんまはええ人間やと知ってはる。それに、ほんまに下手人やったら、凡ては亡くなった己の娘を慕う気持ちから出たことでもありますやろ。でも下手人が与力では奉行所の権威は失墜しますわ。しかし放っておけば何度でも繰り返し兼ねまへん。そこで靄船に依頼しはったんです。下手人かどうか確かめてくれ、下手人やったら——何としても止めさせてくれ、ただ表沙汰にはせんといてくれと——」

「それであの仕掛けか——」

入道は太い腕を組んだ。

「——慥かにあれなら——手柄にはなる。犯行も止められる。しかし——切腹するかどうかは解らんことやろ？」

そこは流石《さすが》江戸一番の小股潜りです——とお龍は言う。

「——何もかも折り込み済みやった、ただ、切腹させるつもりはなかったようですけどなあ。でも、どうであれ打つ手は用意してはったようですわ——」

そこでお龍は御堂の中を覗くようにした。

「——その、御行殿はどないしてはります。少しは元気になったやろか」

「又市さんが——どうかしたのですか」

百介は慌てて問うた。

「あれ以来——ずっと塞《ふさ》いではるんです」

「又市さんが？」

信じられないという顔をして、百介は塀の破れ目から堂の中を覗き込んだ。

光輪のなくなった阿弥陀仏の前に、行者包みが座っている。横には偈箱が投げ出してある。

百介はそろりとお龍の前を抜け、堂の脇を通って正面に到り、半分外れた扉を開けた。

「又市さん——あの」

先生かい——と小股潜りは覇気のない声を出した。

「どうしました。何か——あったのですか？」

「別に何もねェんですがね——」

そう言って百介の方を見た又市は、すこしばかり窶《やつ》れていた。

又市はぼつりと言う。

「悲しいやねえ、人ってェのはさあ」

そして微かに笑った。

「奴《やつがれ》は——」

「なんですか」

「奴《やつがれ》はね——先生、あの与力の——」

あいつの気持ちが少しだけ解りやすよと結んで、御行の又市はりんと鈴を鳴らした。

巷説百物語　了

解説

大塚英志

怪談とはしばしば現実の更新期に好まれる表現である。例えば明治の三〇年代半ばから四〇年代の初め、ようやくそれらしき姿を整えつつあったこの国の文壇に「怪談の時代」とでも呼ぶべき時代があったことは近年、多くの論者に指摘されているが、言文一致体という新しい人工語、そしてそれに伴う自然主義文学が雑誌メディアを通じて人々に啓蒙《けいもう》されていった時代と「怪談の時代」は文学史上、重なり合う。例えば明治四〇年代初頭、田山花袋の『蒲団』と柳田國男の『遠野物語』が前後して出版されているのは全くの偶然ではない。むしろ、後者は前者への批判として描かれているのだということは、ぼくもまた何度か記してきた。

『遠野物語』の序文で柳田はこう記す。

〈この話はすべて遠野の人佐々木鏡石君より聞きたり。昨明治四十二年の二月ごろより始めて夜分おりおり訪ね来たりこの話をせられしを筆記せしなり。鏡石君は話上手にはあらざれども誠実なる人なり。自分もまた一字一句をも加減せずに感じたるままを書きたり。〉

このうちの「一字一句をも加減せずに感じたるままを書きたり」というくだりは柳田國男の周辺に成立していた自然主義文学者たちのサークル——その中には田山花袋や島崎藤村らがい

る——の中での一種の流行話、いうなれば自然主義運動のキャッチフレーズを意識的に引き合いに出したものだ。

一方、同じ序文の語り手である佐々木鏡石（いうまでもなくこれは佐々木喜善の雅号であるが）が、柳田の許《もと》を「夜分おりおり訪ね来たり」というくだりは近世に多数成立した百物語集の序に於《お》ける一種の定型だという指摘もある。しかし柳田はこうも述べる。

〈いわんやわが九百年前の先輩『今昔物語』のごときはその当時にありてすでに今は昔の話なりしに反しこれはこれ目前の出来事なり。たとえ敬虔《けいけん》の意と誠実の態度とにおいてはあえて彼《か》を凌《しの》ぐことを得という能《あた》わざらんも人の耳を経《ふ》ること多からず人の口と筆とを倩《やと》いたること甚だ僅《わずか》なりし点においては彼の淡泊無邪気なる大納言殿かえって来たり聴くに値せり。近代の御《お》伽《とぎ》百物語の徒に至りてはその志やすでに陋《ろう》かつ決してその談の妄誕にあらざることを誓いえず。窃《ひそか》にもってこれと隣を比するを恥とせり。要するにこの書は現在の事実なり。単にこれのみをもってするも立派なる存在理由ありと信ず。〉

柳田はこれより少し前、花袋と共著で『近世奇談全集』なる近代説話集のアンソロジーを編集しているし、昭和三〇年代末にも「幽世」に関する近世説話集からの抜き書きのノートを作っている。だが柳田はそれは決して「狭隘《きようあい》なる趣味」ではない、と主張する。互いにそれぞれの生涯の批判者であった二人は、花袋は『遠野物語』をジレッタンチズムだとあっさりと切り捨てたが、「怪談」研究が好事家の趣味としてあったという事情は今も昔も変わらない。まして「怪談の時代」は一方では日露戦争下から大逆事件に向かう流れの中での風潮であり、古山寛原作・ほんまりう作画による夏目漱石を狂言回しにしたミステリー（確か『漱石事件簿』とかいうタイトルで、ずいぶん前、新潮社から単行本として刊行されていた）の中に、百物語に興じる文士たちを政治からの逃走として描くだりがあったのはその意味で正しい描写だった。

柳田はだからこそ自身の「怪談」への関心は現実からの「趣味」への逃走ではない、と主張する。それは当然のことで、この時期の柳田は日韓併合に関する法律作りに関与することで明治政府の植民地政策の一翼を確実に担うことで「政治」に否定なくコミットしている人物なのである。柳田にとって重要なのは「怪談」という「趣味」ではなく、「怪談」という「事実」なのである。

ここでようやく、柳田が『遠野物語』の冒頭にあてこすりのように自然主義文学のキャッチフレーズを引用したことの意味が明らかになる。自然主義とは文字通り本来は生物学的に人間存在を記述する徹底したリアリズム思想であった。しかし、その描写の対象を「私」に向けてしまったのが花袋の『蒲団』であり、柳田はそれを覚えたての写真を自分や身内に向けているようなものだと皮肉ってさえいる。つまり自然主義のキャッチフレーズ「感じたるまま」すなわち「私」という主体が対象をいかに受けとめたかということに忠実に目の前の出来事を記述するという方法をもって「百物語」的な「怪談」を記述すると柳田は語っているのだ。

無論、柳田の目的は「怪談」の再興ではない。「趣味」や「文学」から距離をとり、実学へと自身を駆り立てることをこの時期の柳田は自身に強いていた。だからこそ「百物語」という「妄誕」と戯れる輩《やから》の「志」と自分は異なると主張する。問題なのは「事実」という、リアリズムによって発見された領域であり、柳田が記述しようとしたのは『遠野物語』で語られた神秘的な出来事が「事実」である、という主張ではなく、そのような物語が現に人々によって語られているという「事実」なのである。

明治四〇年前後、怪談の時代はそのようにして「事実」あるいは「現実」の領域が確定していく時代であった。ぼくの民俗学上の師の一人である宮田登は、いわゆる「世間話」の中には近代化の軋轢《あつれき》の中で生じたものが多数ある、と指摘している。旧「現実」であった民俗的社会が急速な西欧化と国民国家という新しい「現実」に組み換えられる時、その二つの「現実」の乖離《かいり》を埋めるべく「世間話」というテキストが語られるのだ、という。

ぼくは「昔」は確かな「現実」があり、ネットやコンピュータゲームの普及でその「現実」が仮想化して、揺らいだ、などとは全く思わない。「現実」というものは常に揺らぎ、そして「更新」されていく質のものだ。「怪談」にせよ、今日では都市伝説の名の方が通りがよくなってしまったにせよ、それらのテキストが常に虚実の境界線上に成立するのは、それが「現実」の輪郭を描き出すために機能するからだ。ぼくがぼくの原作コミック『木島日記』の狂言回し、木島平八郎に「あってはならぬもの」と「そうではないもの」の「仕分け」を業とさせたのはそのような理由からである。

さて、京極夏彦氏の小説の解説にも拘《かか》わらず、ぼくが淡々とこのような話を記してきたのはこの「現実」の輪郭を描き出すための「怪談」として京極夏彦氏の小説はしばしばあることを確認しておきたいからだ。

そう記した時、あるいは困惑するファンはいるかもしれない。けれどミステリー領域に於ける彼の仕事は常に何が「現実」であるかを問題にしていなかったか。事件の「真相」ではなく「現実」の所在を示すことこそが常にその小説の向かうところではなかったか。

ぼくは『巷説百物語』もまたそのようなものとして受けとめる。例えばそれは本書の最後に収録されている「帷子辻」の以下のようなくだりに、はっきりと見てとれると言える。

〈「人に魂などない！」

「何！」

「況や冥界などというものはない！」

りん。

鈴の音。

「な、ない――？」

「生きた躰そのものが魂で御座居ます。生き残った者の心中にこそ――冥府はあるので御座居ます。だから――死したるものは速やかに、あなたの心の中にお送りせねばならぬのです。そうでなくては生きている者の方の示しがつかぬ。千引の石とは、この現世《うつしよ》と、あなたの心の間に置かれている岩。それを勝手に取り払っては――あなたが立ち行かなくなるだけに御座居ますぞ。あなたの一方的な妄執で黄泉津比良坂《よもつひらさか》を通されたのでは――女達も堪《たま》りませぬぞ」

「い、言うことが、わ、解らぬ」
「死者は己の中にあり、現世には決して戻りませぬ。だからこそ、屍体はモノと心得るが礼儀に御座居ましょう」〉
「生きた躰そのもの」が現実であり「冥界」も「魂」も存在せず。あるとすれば人の「心中」に於《お》いてのみである。京極夏彦氏はそうやって「現世」と「幽世」の間にしっかりと線引きをするのである。作中にもあるように伊邪那岐《いざなぎ》の冥府訪問の説話をふまえている。この説話は言うまでもなく、黄泉津比良坂——この世とあの世の通路——を「千引の石」で塞《ふさ》ぐことで、「現実」と非「現実」の領域を確定した最も古い説話の一つである。
ぼくには本書の最後に、書き下しの形でこのような物語を配置したことに京極夏彦氏の「怪談」語りの本質がはっきりと見てとれる気がする。無論、かつてまさに『遠野物語』がそうであったように、京極夏彦氏の小説も擬古文ふうの文体やその装本に於ても読者の「怪談趣味」に強く訴えかける。その戦略をぼくは全く否定しない。しかしその先に「現実をいかに描くか」という近代小説、リアリズムの命題に柳田と同様、京極夏彦氏は「怪談」という形式をもつて忠実に応《こた》えようとしている。そのような「小説」としての正統さが京極夏彦氏にあることは、やはり指摘しておきたいと思うのだ。

主要参考文献

絵本百物語　桃山人　金花堂／天保十二年
變態見世物史　藤沢衛彦　文藝資料研究會／昭和二年
阿波の狸の話　笠井新也　郷土研究社／昭和二年
定本柳田國男集　柳田國男　筑摩書房／昭和三十八年
図説庶民芸能・江戸の見世物　古河三樹　雄山閣／昭和四十五年
人・他界・馬　小島瓔禮編　東京美術／平成三年
狸とその世界　中村禎里　朝日新聞社／平成二年
竹原春泉絵本百物語　多田克己編　国書刊行会／平成九年

本書は平成十一年八月、小社より刊行された
単行本を、文庫化したものです。

巷《こう》説《せつ》百《ひやく》物《もの》語《がたり》

京極《きょうごく》夏彦《なつひこ》

平成15年 6月25日　初版発行
令和7年 10月10日　41版発行

発行者●山下直久

発行●株式会社KADOKAWA
〒102-8177　東京都千代田区富士見2-13-3
電話　0570-002-301(ナビダイヤル)

角川文庫 12976

印刷所●株式会社KADOKAWA
製本所●株式会社KADOKAWA

表紙画●和田三造

●お問い合わせ
https://www.kadokawa.co.jp/（「お問い合わせ」へお進みください）
※内容によっては、お答えできない場合があります。
※サポートは日本国内のみとさせていただきます。
※Japanese text only

ISBN978-4-04-362002-9　C0193

◆◇◇

角川文庫発刊に際して

角　川　源　義

第二次世界大戦の敗北は、軍事力の敗北であった以上に、私たちの若い文化力の敗退であった。私たちの文化が戦争に対して如何に無力であり、単なるあだ花に過ぎなかったかを、私たちは身を以て体験し痛感した。西洋近代文化の摂取にとって、明治以後八十年の歳月は決して短かすぎたとは言えない。にもかかわらず、近代文化の伝統を確立し、自由な批判と柔軟な良識に富む文化層として自らを形成することに私たちは失敗して来た。そしてこれは、各層への文化の普及滲透を任務とする出版人の責任でもあった。

一九四五年以来、私たちは再び振出しに戻り、第一歩から踏み出すことを余儀なくされた。これは大きな不幸ではあるが、反面、これまでの混沌・未熟・歪曲の中にあった我が国の文化に秩序と確たる基礎を齎らすためには絶好の機会でもある。角川書店は、このような祖国の文化的危機にあたり、微力をも顧みず再建の礎石たるべき抱負と決意とをもって出発したが、ここに創立以来の念願を果すべく角川文庫を発刊する。これまで刊行されたあらゆる全集叢書文庫類の長所と短所とを検討し、古今東西の不朽の典籍を、良心的編集のもとに、廉価に、そして書架にふさわしい美本として、多くのひとびとに提供しようとする。しかし私たちは徒らに百科全書的な知識のジレッタントを作ることを目的とせず、あくまで祖国の文化に秩序と再建への道を示し、この文庫を角川書店の栄ある事業として、今後永久に継続発展せしめ、学芸と教養との殿堂として大成せんことを期したい。多くの読書子の愛情ある忠言と支持とによって、この希望と抱負とを完遂せしめられんことを願う。

一九四九年五月三日

角川文庫ベストセラー

続巷説百物語　京極夏彦

不思議話好きの山岡百介は、処刑されるたびによみがえるという極悪人の噂を聞く。殺しても殺しても死なない魔物を相手に、又市はどんな仕掛けを繰り出すのか……奇想と哀切のあやかし絵巻。

後巷説百物語　京極夏彦

文明開化の音がする明治十年。一等巡査の矢作らは、ある伝説の真偽を確かめるべく隠居老人・一白翁を訪ねた。翁は静かに、今は亡き者どもの話を語り始める。第130回直木賞受賞作。妖怪時代小説の金字塔！

前巷説百物語　京極夏彦

江戸末期。双六売りの又市は損料屋「ゑんま屋」にひょんな事から流れ着く。この店、表はれっきとした物貸業、だが「損を埋める」裏の仕事も請け負っていた。若き又市が江戸に仕掛ける、百物語はじまりの物語。

西巷説百物語　京極夏彦

人が生きていくには痛みが伴う。そして、人の数だけ痛みがあり、傷むところも傷み方もそれぞれ違う。様々に生きづらさを背負う人間たちの業を、林蔵があざやかな仕掛けで解き放つ。第24回柴田錬三郎賞受賞作。

嗤う伊右衛門　京極夏彦

鶴屋南北「東海道四谷怪談」と実録小説「四谷雑談集」を下敷きに、伊右衛門とお岩夫婦の物語を怪しく美しく、新たによみがえらせる。愛憎、美と醜、正気と狂気……全ての境界をゆるがせる著者渾身の傑作怪談。

角川文庫ベストセラー